中華現代學術名著叢書

國史大綱

下册

錢穆 著

商務印書館

圖書在版編目(CIP)數據

國史大綱:全兩册/錢穆著.—北京:商務印書館,2010
(2025.2重印)
(中華現代學術名著叢書)
ISBN 978-7-100-07466-7

Ⅰ.①國… Ⅱ.①錢… Ⅲ.①中國—通史 Ⅳ.①K20

中國版本圖書館CIP數據核字(2010)第202413號

本書據商務印書館1996年版排印

中華現代學術名著叢書
國史大綱
(全兩册)
錢穆 著

商務印書館出版
(北京王府井大街36號 郵政編碼100710)
商務印書館發行
北京通州皇家印刷廠印刷
ISBN 978-7-100-07466-7

2010年12月第1版　　開本880×1240 1/32
2025年2月北京第15次印刷　　印張31⅝ 插頁1
定價:146.00元

國史大綱　下冊目錄

第八編 清代之部

第六編　兩宋之部

第三十一章　貧弱的新中央（北宋初期）

在不堪言狀的分裂與墮落之後，中國又重新建立起一個統一的中央政府來。這一個中央，卻以他特殊的姿態出現於歷史。與秦、漢、隋、唐的統一相隨並來的，是中國之富强，而這一個統一卻始終擺脫不掉貧弱的命運。這是宋代統一特殊的新姿態。

一　北宋帝系及年歷

（一）太祖（二六）

專力對南方求統一，於北方取守勢。

（二）太宗（二二）

吳越來降。
平北漢。
兩次親征契丹，均敗歸。
西夏始建國。

（三）真宗（二五）

西夏陷靈州。
契丹掠淄齊。
澶淵之盟。
封禪。
此後宋遼一百二十年不交兵。

（四）仁宗（四一）

西夏邊患日盛。
陝西用兵。
富弼使遼，再修和約。
慶曆變政。

（商王）——（濮王）——（五）英宗（四）——（六）神宗（一八）

王安石相，行新法。

（七）哲宗（一五）

即位甫十齡，
太皇太后高氏臨朝。
司馬光爲相，元祐廢新法。
哲宗親政，紹述，復新法。改元紹聖。

（八）徽宗（二五）
排紹聖，復元祐，改元建中靖國。
蔡京用事，復行新法，改元崇寧。
立元祐黨籍。
聯金滅遼。

（九）欽宗（一）
靖康之難，二帝蒙塵。

北宋凡九主，一百六十七年而亡。

二 宋初中央新政權之再建

自唐代鎮兵擁立留後，積習相沿，直至五代，造成國擅於將、將擅於兵的局面。宋太祖由陳橋驛兵變，黃袍加身，這是五代兵士擁立皇帝的第四次。唐明宗李嗣源、唐廢帝潞王從珂、周太祖郭威，皆由軍士擁立。由不斷的兵變產生出來的王室，終於覺悟軍人操政之危險，遂有所謂「杯酒釋兵權」的故事。此在太祖即皇帝位之第二年，即建隆二年。

自此節度使把持地方政權之弊遂革。

太祖召諸鎮節度，會於京師，賜第留之，而分命朝廷文臣出守列郡，號「知州軍事」。自此諸節度使並不食本鎮租賦，藩府除授帶都督名銜者，實不行都督事。諸路觀察、採訪、防禦、團練、刺史皆遙領，不親本州務。

而地方長官遂得重用文臣。

五代時不僅諸鎮節度使皆用勳臣武將，即不隸藩鎮之州郡刺史，亦多以軍功爲之。至是始革。

繼之置諸州通判。

凡地方軍民政務，均須通判簽議連書，方許行下。通判事得專達，與長吏鈞禮。又令節鎮所領支郡，皆直隸京師。

縣令亦分由朝官兼攝，稱爲知縣。

知州、知縣，論名義皆屬臨時差遣，非本職。故宋代州縣守令，皆帶中朝職事官銜。

從此地方官吏，又得均由中央任命。

五代凡曹掾簿尉之齷齪無能，以至昏老不任驅策者，始注縣令。故其時地方政治，惟有刻剝誅求，猥迹萬狀。優諢至多以令長爲笑資。宋祖以朝官出知縣事，猶北齊武成時以世胄子弟爲縣

令，亦一時救弊，非必全出於私天下之心。

各州又置轉運使，處理各地方財政，除諸州度支經費外，悉輸京，毋占留。（唐代地方財政有「留州」、「送使」、「上供」之別。）從此地方財富亦歸中央。（嚴懲贓吏，亦宋開國政治要政之一。）

又命諸州縣各選所部兵士，才力武藝殊絕者送都下，（有「兵樣」，爲挑選標準。先以人，後以木梃爲之。）補禁旅之闕。（稱「禁兵」，爲天子之衛軍。）其老弱者始留州。（此爲「廂兵」，屬地方兵，罕教閱，多以給役。五代無政，凡國之役皆調於民，宋悉役廂軍，凡役作工徒營繕，民無與焉。既不能一時復兵於農，則此亦不失爲權道。）

從此地方兵力亦移歸於中央。

吏治、兵權、財賦三項，脫離了地方軍權（藩鎮）之分割，而統一到中央來，中國始漸漸有一個像樣的、上軌道的中央政府。

三　宋代對外之積弱不振

宋太祖憑藉那一個比較像樣的、上軌道的中央政治機構，便可先來平復南方。（先荊南，次蜀，次南漢，次南唐，（時貶號「江南」。）漸次敉平。）

太祖雖以杯酒釋侍衛諸將兵柄，然其時在外郡以節度掌兵者猶近三十州。乾德中，或因其卒，或

因遷徙，或因致仕，漸以文臣代之。然守將之控制西北者類多久任。郭進守西山凡二十年，李漢超守關南凡十七年，董遵誨守通遠凡十四年。其餘十許年、八九年不可悉數。所部筦榷之利悉與之，軍中事許從便宜。邊臣皆富於財，得養募死士。蕃寇每入，多致克捷。以此無西北之虞，得以盡力東南。仁宗至和二年范鎮疏：「恩州自皇祐五年秋至至和元年冬，纔踰一歲。知州者凡七換，河北諸州大率如是。欲望兵馬練習，安可得也？」

南方諸國在經濟上雖比中原為優，而政治情形並不長進。

東晉、南朝，有大批北方士族南渡，故衣冠文物為北方所宗。五代時，南方諸國，僅得唐末進士詩賦遺風，政治上並無傳統可言。

故宋室政治，稍有頭緒，便能將南方諸國逐次收拾。

至太宗時，吳越降附。江南統一，再平北漢，而終於不能打倒契丹，這是宋室惟一主要的弱徵。

太宗兩次親征，均敗歸，其死傳係箭瘡發。石晉開運陽城之戰，耶律德光幾不免，周世宗一舉而下三關，契丹非不可勝。但太宗才弱，又無賢輔耳。周世宗用兵欲先取幽州，則吳蜀不足平。宋則以趙普謀，先南後北為持重。兵力已疲，而貽艱鉅於後人，則太祖之失也。

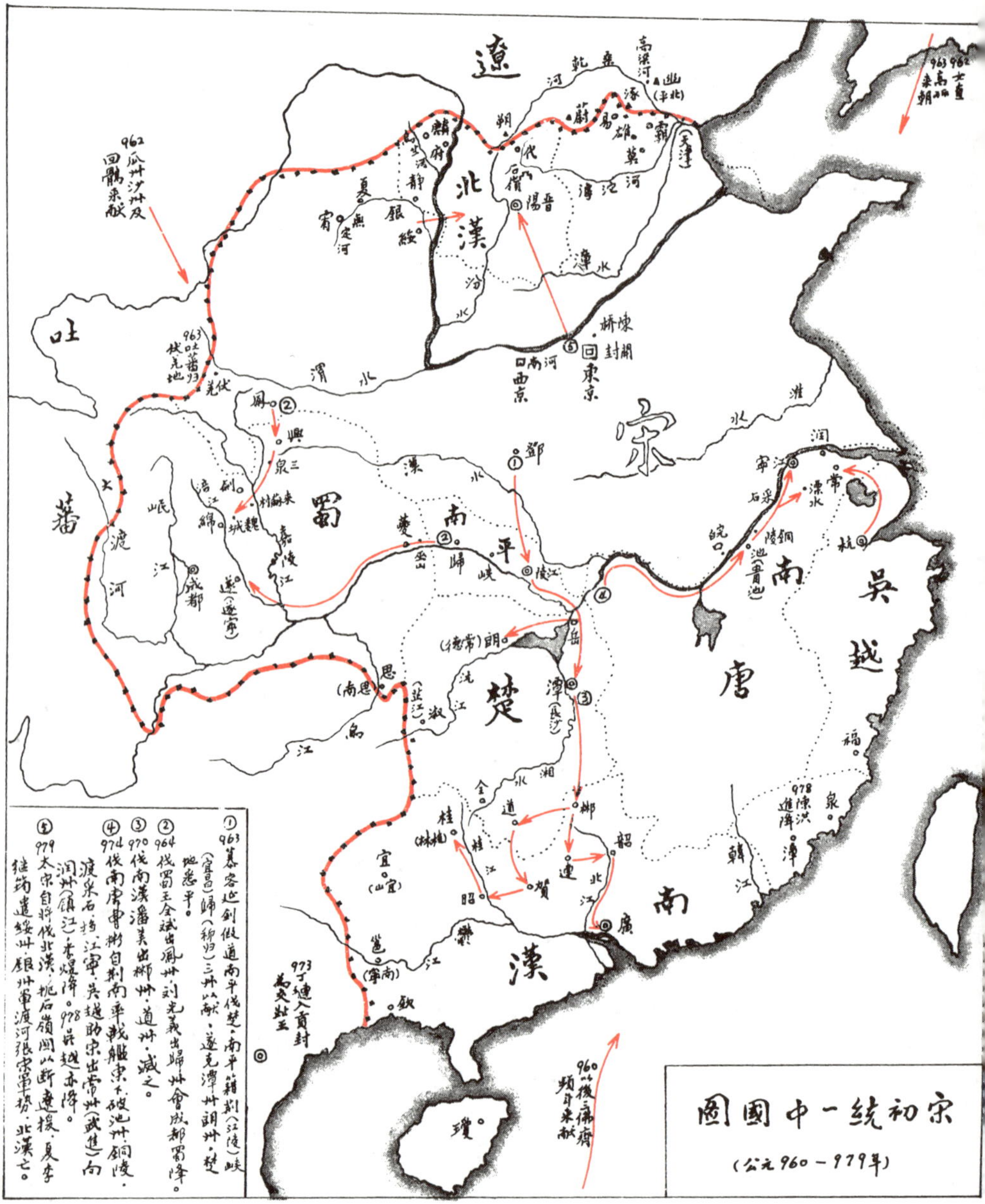
宋初統一中國圖
（公元960—979年）
①963慕容延釗假道南平伐楚，南平籍荆（江陵）峽（宜昌）歸（秭归）三州以献，遂克潭州朗州，楚地悉平。
②964伐蜀王全斌出鳳州，刘光義出歸州會成都，蜀降。
③970伐南漢潘美出郴州、道州，滅之。
④974伐南唐曹彬自荆南率戦艦東下，破池州、銅陵，渡采石，搗江寧，吳越助宋出常州（武進）向潤州（鎮江），李煜降。978吳越亦降。
⑤979太宗自將伐北漢，扼石嶺關以斷遼援，夏李繼筠遣綏州、銀州軍渡河張宋軍勢，北漢亡。
遼
北漢
宋
蜀
南平
楚
唐
南
吳越
南漢
吐蕃
962瓜州沙州及回鶻來献
963吐蕃獻秦州地
962女真963高麗來朝
973丁璉入貢封為交趾王
960以後三佛齊頻年來献
東京
西京
成都
廣
潭（長沙）
朗（常德）
江陵
杭
福
泉
瓊

宋代建國本與漢唐不同。宋由兵士擁戴，而其建國後第一要務，亦即宋室政權惟一生路。即須裁抑兵權。而所藉以代替武人政治的文治基礎，宋人亦一些沒有。

宋初文臣，出五代南唐之遺，皆猥瑣浮薄，無堪建樹。古者三公坐而論道，唐五代宰相見天子議大政事，亦必命坐賜茶。宋初，周世宗舊臣范質等爲相，憚帝英睿，請每事具劄子進呈。由是奏御寖多，始廢坐論之禮，而宰臣見天子亦立談矣。太祖謂宰輔中能循規矩，愼名器，持廉節，無出質右，但欠爲世宗一死。質與王溥爲世宗顧命大臣，王溥時以擬馮道，蓋皆不爲宋祖重視。宋所信賴者惟趙普。然普爲相後，宋祖常勸其讀書，乃時時披覽論語。以宋初大臣與唐代相較，所遜遠矣。此宋治之所以不逮於唐也。

北方的强敵，契丹。一時既無法驅除，而建都開封，尤使宋室處一極不利的形勢下。藩籬盡撤，本根無庇。這一層，宋人未嘗不知。然而客觀的條件，使他們無法改計。

張方平曾論其事，見續資治通鑑長編二百六十九。謂：「今之京師，古所謂陳留，天下四衝八達之地，非如函秦洛宅，形勝足恃。自唐末朱溫受封於梁國而建都，至於石晉割幽薊之地以入契丹，遂與强敵共平原之利。故五代爭奪，其患由乎畿甸無藩籬之限，本根無所庇也。祖宗受命，規模必講，不還周漢

之舊而梁氏是因，豈樂而處之，勢有所不獲已者。大體利漕運而贍師旅，依重師而為國也。則是今日之勢，國依兵而立，兵以食為命，食以漕運為本，漕運以河渠為主。」張語止此。張洎亦論汴漕。謂：「漢兵甲在外，惟有南北軍、期門、羽林孤兒，以備天子扈從藩衞之用。唐承隋制，置十二衞府兵，皆農夫也。及罷府兵，始置神武、神策為禁軍，不過三數萬人，亦以備扈從藩衞而已。今天下甲卒數十萬衆，戰馬數十萬匹，並萃京師，比漢唐京邑民庶十倍。」張語止此。太祖末年欲卜都洛陽，曰：「終當居長安，據山河之勝以去冗兵，循周漢故事以安天下。」而晉王即太宗。力請還汴。太祖終不以為然，曰：「不出百年，天下民力殫矣。」范仲淹又力主於洛陽廣儲蓄，繕宮室，為遷都計，而呂夷簡目為迂闊。其先則畏難因循，其後又偷安苟且，一誤再誤，而宋事終不可為矣。

大河北岸的敵騎，長驅南下，更沒有天然的屏障，三四天即到黃河邊上，而開封則是豁露在黃河南岸的一個平坦而低窪的所在。所以一到真宗時，邊事偶一緊張，便發生根本動搖。其時王欽若主遷南京，陳堯叟主遷四川，而並無主遷洛陽、長安者。正見此兩地文化經濟之衰落，至是仍一無恢復也。幸而寇準主親征，始得有澶淵之盟。然而到底是一個孤注一擲的險計。

此後宋遼遂為兄弟國，宋兄遼弟，遼蕭太后為叔母。宋歲輸遼銀十萬兩，絹二十萬匹。自是兩國不交兵一百二十年。

宋都開封，不僅對東北是顯豁呈露，易受威脅。其對西北，亦復鞭長莫及，難於駕馭。於是遼人以外復有西夏。

唐僖宗時，夏州裨將拓拔思敬，本党項族。預破黃巢功，賜姓李氏，拜夏州節度使。三傳軍亂，擁立李仁福，不知於思敬親疏；其後即西夏。然則西夏仍是唐胡籍藩鎮之最後遺孽也。

真宗時，西夏已陷靈州。其時李繼遷卒，子德明立。至仁宗，西夏驟強，德明卒，子元昊立。邊患遂盛。范仲淹、韓琦以中朝名臣到陝西主持兵事，結果還是以和議了事。陝西用兵只五、六年。宋歲賜西夏銀、綺、絹、茶共二十五萬五千。

從對夏的示弱，又引起遼人的欺凌。富弼使遼，重固和議，歲增銀、絹各十萬。契丹主欲於誓書用「獻」字，宋以「納」字許之。遼史云用「貢」字，不可信。

四　宋室內部之積貧難療

宋代對外既如此不振，而內部又終年鬧窮。而且愈鬧愈兇，幾於窮得不可支持。

以中國已往歷史而論，只要國家走上統一的路，以廣土衆民供養一個中央政府，除非窮奢

極慾，絕不至於患貧。宋室之患貧，則因有幾個特殊的原因：

第一還是由於養兵。

(一)宋代之冗兵

無論秦、漢、晉、隋、唐，每一度新政府創建，在天下平一之後，必隨著有一個兵隊的復員。只有宋代因事態特殊，唐末藩鎮的積重難返，外寇的逼處堂奧，兵隊不僅不能復員，而且更逐次增加。

太祖開國時　二十萬。

太祖開寶時　三十七萬八千。內禁兵十九萬三千。

太宗至道時　六十六萬六千。內禁兵三十五萬八千。

真宗天禧時　九十一萬二千。內禁兵四十三萬一千。

仁宗慶曆時　一百二十五萬九千。內禁兵八十二萬六千。

英宗治平時　一百十六萬二千。內禁兵六十六萬三千。

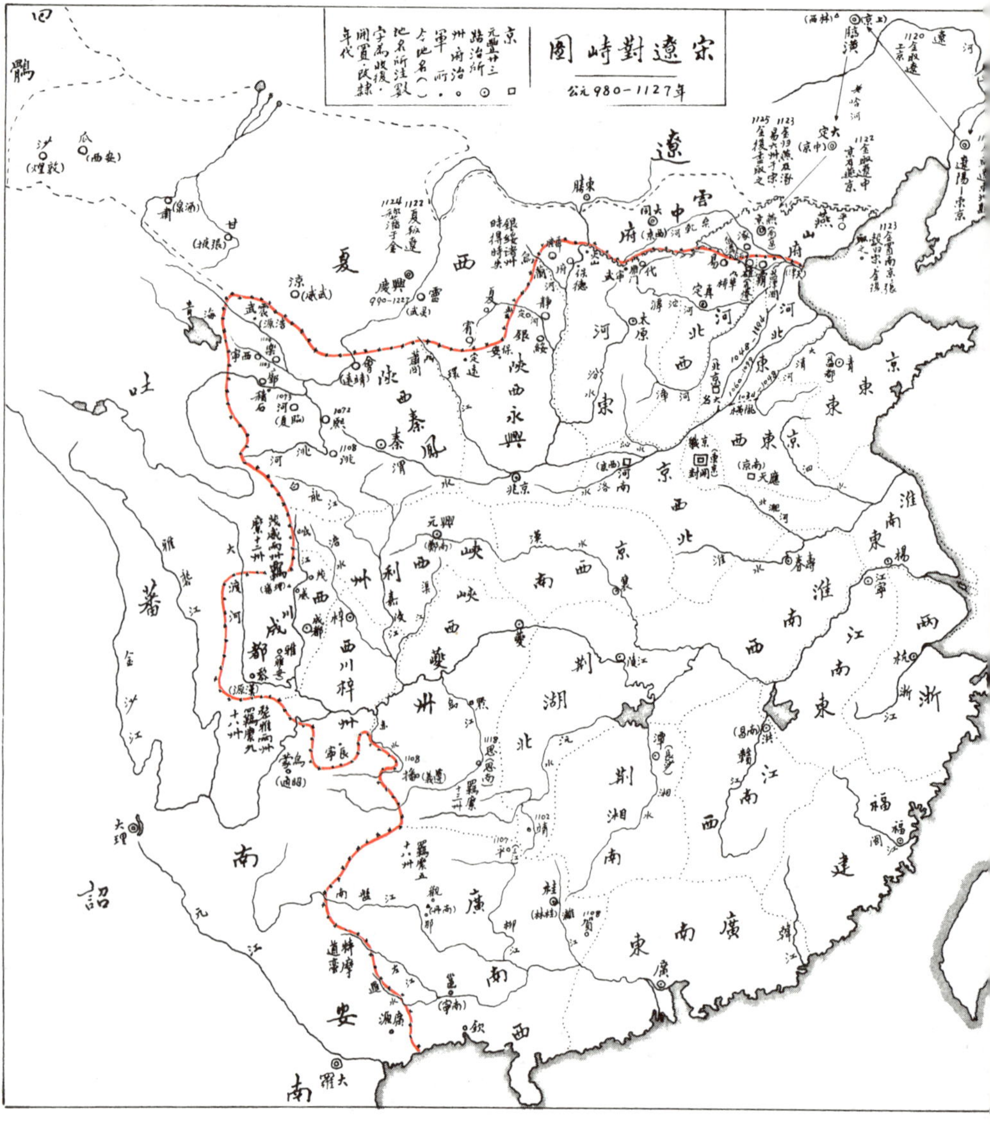
宋遼對峙圖
公元980–1127年
京 □
元豐廿三路治所 ⊙
州府治 ◦
軍 所 .
今地名（ ）
地名所注數字為收復、開置、既隸年代
遼
夏
西
吐
蕃
南
詔
安
南
回
鶻
大理
大羅
慶興
秦鳳
陝西永興
河東
河北西
河北東
京東
京西北
京西南
京東西
淮南東
淮南西
兩浙
江南東
江南西
荊湖北
荊湖南
福建
廣南東
廣南西
成都府
梓州
利州
夔州
開封
北京
中京
大定
雲中
燕山府
青海

以上衹是一個約略的計數。

陳襄云：「藝祖時有兵十二萬。張方平則云：不足十五萬。真宗時，三十餘萬。曾公亮云：三十八萬。張方平云：咸平中五十餘萬。揮麈錄：咸平後增至六十萬。乾興中真宗末年。始及八十餘萬。慶曆時，一百餘萬。」揮麈錄：皇祐初兵一百四十萬。

要之可以見宋代兵額之遞增。直到仁宗時，先後百年，而全國兵額增至七、八倍以上。

軍隊大半來自招募。並有營伍子弟聽從本軍，及有罪配隸等，然以招募爲主要來源。其他尚有鄉兵，由土人在所團立。應募者非游手無籍，即負罪亡命。又往往因歲兇募饑民，遂使長大壯健者游惰，而留耕者胥老弱。如是久之，農村生產力日漸減削。

且募兵終身在營伍，自二十以上至衰老，其間四十餘年，實際可用者至多不過二十年。廩之終身，實際即是一卒有二十年向公家無用而仰食。孫洙謂：「謂之兵而不知戰，給漕輓、服工役、繕河防、供寢廟、養國馬，乃至疲老而坐食者，皆兵也。」

如此的軍隊，最易流於驕惰。宋兵制以廂軍伉健者升禁衛，然衛士入宿，即不自持被而使人持之，給糧不自荷而雇人荷之。

太祖因怕兵卒驕惰，故定禁兵分番戍守郡縣。然三歲一遷，即無異一出征。故雖在平時，而軍費時時等於征討。

那時的軍隊，沿著五代積習，月廩歲給外，還有各項額外的賞賜。尤著者爲三年一次的郊

賚。

郊祀竭府庫犒賞軍卒，其事起於唐。肅、代以後，國用不給，乃不得不廢祀。舊五代史梁太祖開平三年，唐莊宗同光二年，周太祖顯德元年，皆有祀天大赦頒賞之記載。宋承積弊，不能蕩滌，遂以三年一次為定例。南郊執仗兵士一萬七千四百餘人。

宋室的郊費，亦逐步增漲。

太宗至道時　五百餘萬緡。以金、銀、綾、綺、絁、紬平直賜給。
真宗景德時　七百萬緡。又東封八百餘萬。
仁宗皇祐時　一千二百萬緡。
英宗治平時　一千三百萬緡。

其他復雜賜稠叠。

每歲寒食、端午、冬至，有特支。戍邊，每季加給銀、鞋。環慶緣邊艱於爨給者，有薪水錢。苦寒，或賜絮襦袴。戍嶺南者，增月奉。自川廣戍還者，別予裝錢。川廣遞鋪卒，或給時服、錢、

屨。

據英宗時治平二年。統計，禁兵數約七十萬，一夫錢糧賜予歲不下五十千，則七十萬人有三千五百萬緡之費。廂軍數約五十萬，一夫錢糧賜予歲不下三十千，則五十萬人有一千五百萬緡之費。廂禁軍共費五千萬，而此時天下所入財用，大約只有緡錢六千餘萬。養兵費占了全部歲入之六分五。神宗時陳襄上疏。又孫洙云：「總戶口歲入，以百萬之兵計之，每十戶而資一廂兵，十畝而給一散卒。」至於戍卒，則歲費一卒達二萬。

尹洙息戍在神宗時。云：「西北涇原、邠寧、秦鳳、鄜延四帥戍卒十餘萬，一卒歲給無慮二萬。平騎卒與冗卒，較其中總廩給之數，恩賞不在焉；以十萬較之，歲用二十億。自靈武罷兵，計費六百餘億。」

所以王安石要大聲疾呼的說，倘不能理兵稍復古制，則中國無富强之理也。

神宗君臣雖力主省兵，然熙寧禁軍籍尚五十六萬八千六百八十八人，元豐又至六十一萬二千二百四十三人。蔡京用事，兵弊益滋。軍士逃竄死亡，闕而不補，悉取闕額封樁爲上供之需。又闕額不以實，上下共爲姦利。靖康之難，种師道將兵入援，止得萬五千人。京師衞士，亦僅三萬。宋竭國力養兵，而結果未得一兵之用。

(二)宋代之冗吏

爲宋代財用之蠹者，第一是冗兵，第二則是冗吏。

收復北方失地，此乃宋王室歷世相傳的一個家訓。

太祖始平僭亂，收其府庫，別藏之封樁庫，國用之餘悉入焉。嘗曰：「俟滿五百餘萬緡，當向契丹贖燕薊。」又曰：「北人若敢犯邊，我以二十四匹絹購其一人首，料其精兵不過十萬，我用絹二百萬匹，其人盡矣。」太宗兩次親征，均失敗歸來。真宗以下用歲幣買和，與太祖設封樁庫意義相差過遠，自爲宋王室所不能忍。

但是不能再讓軍人操握政權，亦是宋王室歷世相傳更不放棄的另一個家訓。

宋室既不能蕩平北寇，自然不能作消兵之想，而同時又不讓軍人操握政權，故宋王室的第三個歷世相傳的家訓，厥爲優待士大夫，永遠讓文人壓在武人的頭上。

宋祖謂趙普曰：「五代方鎮殘虐，民受其禍。朕今用儒臣，分治大藩，縱皆貪濁，亦未及武臣十之一也。」又太祖有誓約，藏之太廟，云「不殺大臣及言事官」。徽宗被虜於金，尚以此事命使臣反告

高宗。

宋代進士一登第即釋褐，待遇遠較唐代爲優。

唐進士及第，未得即登仕牒，尚須再試於吏部。（進士由禮部主試。）有屢試屢黜者。其中格人，僅補畿赤丞尉。不中格者，或例赴選曹之集，或應地方官辟署。俟外效有著，再正式轉入仕途。宋則一登第即釋褐。

而登科名額，亦遠較唐代爲多。

隋唐初設進士，歲取不過三十人。咸亨、上元中增至七、八十，尋復故。開成中連歲取四十人，又復舊制。進士以外，明經中科者亦不過百人。在宋太祖開國時，進士登科寥寥，歲無十數。其時進士甲科亦不過授司寇，或幕職官。至太宗時，親御便殿臨試貢士，博於采拔，待以不次。太平興國二年（時以郡縣缺官。）賜進士諸科五百人遽令釋褐。或授京朝官，或倅大郡，或即授直館。進士中第多至七百人，後遂爲例。

應進士試者，太平興國八年多至萬二百六十人，淳化二年至萬七千三百人。（見曾鞏文集。）

進士應試已遍及全國，遂定三年一試之制。

唐雖以進士、明經二科取士，然其時貴族門第勢力尚未全消，又地方長官亦得自辟署，仕進路廣，不專科第。又閩嶺黔峽，士人殊鮮。兩河之外，復爲寇境。故禮闈可以歲開。宋則貴族門第已滅，地方官亦不能自辟署，用人之權集於中央。社會文教之風更普遍，踰劍度嶺者，往返需時，故禮部試不能歲開。

以後進士御試，又例不黜落。

以前殿試皆有黜落，有累經省試取中，而擯斥於殿試者。相傳張元以落第積忿降元昊，爲中國患。宋室始因張之家屬，未幾復縱之。於是羣臣建議歸咎於殿試。仁宗嘉祐二年，遂詔進士與殿試者皆不黜落。

狀元及第，更爲士人無上光榮。

太宗臨軒放牓，三五名以前，皆出貳郡符，遷擢榮速。陳堯叟、王曾初中第，即登朝領太史職。此後狀元及第者，不十餘年皆望柄用。每殿廷臚傳第一，則公卿以下，無不聳觀，雖皇帝亦爲注

視。自崇政殿出東華門，傳呼甚寵，觀者擁塞通衢。

竟至有人說：「狀元及第，雖將兵數十萬，恢復幽薊，逐出彊寇，凱歌勞旋，獻捷太廟，其榮無以加。」儒林公議引尹洙語，不知確否。然即非尹洙語，必其時有人作此語，存此想也。仁宗朝進士前三名，凡三十九人，不至公輔者僅五人。

宋代如此優獎進士，無非想轉移社會風氣，把當時積習相沿驕兵悍卒的世界，漸漸再換成一個文治的局面。

宋代既立意要造成一個文治的局面，故一面放寬了進士的出路，一面又提高文官的待遇。處處要禮貌文官，使他不致對武職相形見絀。

五代以來，藩鎮節度使諸武臣，非重祿厚賜不足饜其欲。宋既積重難返，又深懲武人跋扈之病，意望提獎文吏，退抑武臣。既以高官厚祿奪武臣之權，自不得不以高官厚祿慰文吏之心。

宋室優待官員的第一見端，即是官俸之逐步增添。

真宗咸平四年楊億上疏，極論當時吏俸之薄。謂：「左右僕射乃百僚之師長，月俸所入，不及軍中千夫之帥，豈稽古之意？」其後乃逐有增益。茲舉宰相、樞密使言之，有正俸，錢月三百千。使相、節度使月四百千。有祿粟，

（月一百石。使相月二百石，節度使二百五十石。）有職錢，有從人衣糧，（七十人。使相、節度使百人。）又有冬春服，各綾二十疋、絹三十疋，冬棉一百斤。此外復有茶酒廚料、薪蒿炭鹽、飼馬芻粟、米麵羊口各項。（此等盡是陋規，蓋大半沿自五代而不能革。）至外官有公用錢，（自二萬貫以下。）有職田，（四十頃以下。）有茶湯錢，（無職田者如使臣之屬，給之。）又有添給。（外任官不得挈家屬赴任者，許分添給錢贍家。）

當時稱「恩逮於百官，惟恐不足；財取於萬民，不留其餘」。可以想見宋朝優待官吏之情態。

官吏俸祿既厚，而又有祠祿，爲退職之恩禮。

真宗置玉清昭應宮使，以王旦爲之。後旦以病致仕，命以太尉領玉清昭應宮使，給宰相半俸。祠祿自此始。其後日漸增多。宋朝優禮士大夫，極少貶斥，誅戮更屬絕無。王安石乃以祠祿處異己，著令宮觀無限員數，又聽從便居住。要之爲吃閒俸而已。

又時有額外恩賞。

此蓋亦始於武臣。如雷有終平蜀，特給廉鎮公用錢歲二千貫。既歿，宿負千萬，官爲償之。戴興爲定國軍節度使，賜銀萬兩，歲加給錢千萬。王漢忠出知襄州，常俸外增歲給錢二百萬。自此波及文臣，若李符、（爲三司使，賜銀三千兩。）李沆、宋湜、王化基、（初入爲右補闕，各賜錢三百萬。湜知制誥，又賜銀五百兩，錢五十萬。）楊徽之、（遷侍御使，賜錢三十萬。）

魏廷武、（爲轉運使，賜錢五十萬。）宋摶（爲國子博士，賜錢三十萬。）等，而宰執大臣更不得不優渥。故李沆病，賜銀五千兩。王旦、馮拯、王欽若之卒，皆賜銀五千兩。仁宗崩，遺賜大臣各直百餘萬。司馬光率同列上言辭賞，不許。

復有恩蔭。兵卒武人既三年得一次郊賚，自然文臣不應向隅，於是每逢郊天，即推恩封蔭。（文臣仍得郊賜。故事宰臣樞密使銀帛四千疋兩，執政官三千，三司使千，此下遞減有差。慶曆二年，節冗費，執政以上各減一千，三司使減三百，餘亦遞減，遂爲定制。）

曹彬卒，官其親族、門客、親校十餘人。李繼隆卒，官其子，又錄其門下二十餘人。雷有終卒，官其子八人。則加蔭亦從武臣始。

蔭子蔭孫，乃至於蔭期親、蔭大功親，甚至蔭及異姓親，乃至門客。總之是朝廷恩意，没有子孫近親，便只有鬻賣朝恩，把異姓及門客來充數。（金安節疏：「致仕遺表恩澤，不宜奏異姓親，使得高貲爲市。」）

甚至甫蒞位即得蔭。（故范仲淹請在職滿三年始得蔭。）甫蔭即給俸，（故閻日新疏，請自二十以上始給。）甫蔭即服章。（故李會奏云：「尚從竹馬之遊，已造荷囊之列。」孫沔亦云：「未離襁褓，已結搢紳。」）甚至未應娶妻，已得任子。（亦李會語。）

一歲郊天，任子可得四千人。十年之後，即須萬二千員。（趙思誠疏。）

任學士以上官經二十年，即一家兄弟子孫可出京官二十人，仍接次陞朝。（范仲淹疏。）

此種優待條件，亦是逐步成立。

誕節之恩，起於至道。郊禋之恩，起於祥符。致仕之恩，濫於明道。遺表之恩，繁於真宗。又嘉祐推恩數十人，治平二百人，熙寧六年乃至四、五百人。政和六年，郊恩奏補一千四百六十人。又按：唐制郊祀行慶止進勳階，五代肆赦例遷官秩，宋亦因之。真宗後以有諫者而罷，遂定三年磨勘法，則依然是朝三暮四也。

在此情形下，不免官吏日多，俸給日繁。

真宗景德時　官一萬餘員。

仁宗皇祐時　官二萬餘員。張方平奏（樂全集卷二十五）：「臣向在翰林，見本院天聖中具員，兩制、兩省官不及三十員，今五十餘員。近領御史中丞，見本臺天聖中京朝官班簿，不及二千員，今二千七百餘員。先領三班院，見本院景祐中使臣不及四千員，今六千餘員。」此奏約在仁宗慶曆七年。

英宗治平時　總二萬四千員。內并幕職州縣官三千三百餘員。

以吏員冗祿言，

真宗時　九千七百八十五萬。

仁宗時　一萬二千萬。

英宗時　視皇祐增十之三。元祐時一倍皇祐，四倍景德。

文武兩班，均如此受朝廷優待，皇帝的宗室，照例亦不應向隅。故宗室吏員受祿者，

真宗天禧時　九千七百八十五員。

仁宗寶元時　一萬五千四百四十三員。

所以當時是冗官冗兵的世界。冗官耗於上，冗兵耗於下，財政竭蹶，理無幸免。雖國家竭力設法增進歲入，到底追不上歲出的飛快激增。

太宗 至道末。	歲入二二、二四五、八〇〇緡。	歲出	餘大半。
真宗 天禧末。	一五〇、八五〇、一〇〇緡。	一二六、七七五、二〇〇緡。	餘 二四、〇七四、九〇〇緡。
仁宗 皇祐元。	一二六、二五一、九六四緡。		無餘。
英宗 治平二。	一一六、一三八、四〇五緡。	一二〇、三四三、一七四緡。又非常（臨時費）一一、五二一、二七八緡。	不足一五、七二六、〇四七緡。

將仁、英兩朝與太宗時相比，歲入加了六倍。太宗時猶餘大半，而仁、英時反鬧不夠。財政趨勢如此，再不加以挽回，如何得了。

按：此據宋史。朝野雜記所記有異，（蓋本鄭湜劄子。）謂：「國朝混一之初，天下歲入緡錢千六百餘萬，太宗皇帝以爲極盛，兩倍唐室矣。天禧之末，所入增至二千六百五十餘萬緡。嘉祐間，又增至三千六百八十餘萬緡。其後月增歲廣，至熙、豐間，合苗、役、稅、易等錢，所入乃至六千餘萬。元祐之初，除其苛急，歲入尚四千八百餘萬。」晁説之元符三年應詔上疏，謂：「宋賦、役幾十倍於漢。」林勳政本書則謂：「宋二稅之數視唐增七倍。」宋之疆土民庶遠不如漢唐，而國家稅入遠過之，此其所以愈貧而愈弱矣。

茲再舉景德與慶曆兩朝幾種商稅之比數以見一斑。（此據張方平樂全集。又見朝野雜記。）

時代＼稅項	商稅	酒課	鹽課	和買紬絹	茶鹽酒稅總計
景德	四五〇餘萬貫	四二八	三五五	景祐中諸路所買不及二〇〇萬疋	一五〇〇餘萬緡
慶曆	一、九七五	一、七一〇	七一五	三〇〇萬疋	三倍

茲再將景德、慶曆全部稅收，作一簡比如下表。據包拯奏議。

	天下財賦	在京
景德	歲入四七、二一一、〇〇〇匹、貫、石、兩。 歲支四九、七四八、九〇〇匹、貫、石、兩。	歲入一八、三九二、〇〇〇匹、貫、石、兩。 歲支一五、四〇四、九〇〇匹、貫、石、兩。
慶曆八年	歲入一〇三、五九六、四〇〇匹、貫、石、兩。 歲支八九、三八二、七〇〇匹、貫、石、兩。	歲入一八、九九六、五〇〇匹、貫、石、兩。 歲支二二、四〇〇、九〇〇匹、貫、石、兩。

包拯云：「天下稅籍有常，今則歲入倍多者，祖宗世輸稅只納本色，自後每從折變之故。」

宋朝之所以積貧難療，大體如上述。

宋朝竭力想抑制武人，然而卻根本不能去兵。宋朝又竭力想提高文治，然而亦根本不能對文吏有一種教育與培養。結果雖有兵隊而不能用。兵隊愈不能用，則愈感兵隊之少而兵隊反日增。文臣雖極端優待，而亦得不到文臣之效力。結果文臣氣勢日高，太阿倒持，文臣一樣像驕兵悍卒般，只來朘吸國家的精血。

這是宋室在仁宗以前的內部情形。加上北方的遼，西方的夏，兩面逼桚，內外交攻，一個太太平平的統一政府，正如犯上了肺癆，雖無大病，卻日就死路，這是宋朝的一個絕症。

五　宋代政制上的另外兩個弱點

宋代政制，大體上沿襲唐規，而亦另自有他的弱點。

第一是中央集權過甚，地方事業無可建設。

宋之地方行政分三級，曰「路」，相當於唐代之「道」。曰「府、州、軍、監」，相當於唐代之「州、府」。曰「縣」。

至道三年，分天下爲十五路。仁宗初，爲十八路。下府、州、軍、監三百二十二，縣一千二百六十二。熙寧二年，又析爲二十三路。京府四，次府十，州二百四十二，軍二十七，監四，縣一千一百三十五。

外官分「親民」與「釐務」兩種。親民官皆由京朝官差遣，不設正官。而釐務官則專治一事，直屬中央。如此則全部官吏幾乎在性質或名義上，盡是爲中央服務，而沒有正式特設的地方官。葉適謂：「文臣知州事，使名若不正，義若不久者，以輕其權。」諸路分設帥、漕、憲、倉四司，謂之「監司官」。有缺一二不併置者，亦有兼他使事務者。

帥　安撫使。掌一路之兵民，領軍旅禁令賞罰肅清。

漕　轉運使。　掌一路之財賦，領登耗上供經費儲積。

憲　提刑按察使。　掌一路之司法，領獄訟曲直囚徒詳覆。

倉　提舉常平使。　掌一路之救恤，領常平義倉水利斂散。

此謂之「部使」。唐之州、縣，其上臨之者不過一使；漢之州牧，則並不預事，僅司考察。唐貞觀時，亦專任刺史、縣令，數年一遣大臣，以六條巡行，而吏治日蒸。開元末，始增置按察諸司，而官吏轉失職。宋有四監司，則州縣更難奉承展布。然宋代如寇準知巴東縣、蘇頌知江寧縣、范純仁爲襄邑令、周敦頤知南昌縣、王安石爲鄞令、程顥爲晉城令，地方親民官尚多大賢，亦得躋高位，與後世尚不同。而四司中尤要者爲轉運使，務令地方金穀財貨全集中央，而地方政事的性質，似乎只在爲中央聚斂。

> 漢刺史以六條察郡國，不主金穀財貨事。唐中葉亂後，亟於兵食，計臣始兼轉運諸筦榷之名。而諸路置巡院官，掌賦調之式，委輸之藏，然並不揔州郡吏民之政事。其揔者則有按察、採訪、黜陟之使。宋則外權之重惟轉運，一道百城，號令千里。官吏之黜陟、財賦之弛斂、恩澤之流壅、民政之慘舒，郡縣觀聽其風棱，國朝倚辦乎外務。提衆職之綱轄，實方面之師表。顧名思義，以轉運司爲一路長官，豈非專於爲中央務聚斂乎？

宋代的政制，既已盡取之於民，不使社會有藏富；又監輸之於中央，不使地方有留財；而

中央尚以厚積鬧窮。宜乎靖康蒙難，心臟受病，而四肢便如癱瘓不可復起。

此層可與唐安史亂時相比較，便知宋政之失。又王安石新政，尚注意於挹地方注中央，可知荊公不知先務也。

第二是宋代的諫官制度，又使大權揔集的中央，其自身亦有掉轉不靈之苦。

諫官始秦漢。

秦諫議大夫無定員，多至數十人，屬郎中令。兩漢屬光祿勛。

隋唐屬門下省、中書省，有給事中、諫議大夫、拾遺、補闕、司諫、正言等。爲宰相僚屬。諫官所以糾繩天子，非糾繩宰相。故宰相用舍聽於天子，諫官予奪聽之宰相，天子得失聽之諫官。

天子 → 宰相 → 諫官 →（天子）

按：此意猶稍存漢代宰相得兼統內朝之遺風。太宗詔宰相入內平章大計，諫官得隨入與聞。肅宗詔諫官論陳政事，不必先知宰相。則唐之崇諫官可知。

諫官與御史，雖俱爲言責之臣，然其職各異。諫官掌獻替以正人主，御史掌糾察以繩百寮。

唐重諫官而薄御史。中丞溫造道遇左補闕李虞，恚不避，捕從者笞辱。左拾遺舒元褒等建言：「故事供奉官惟宰相外無屈避。遺補雖卑，侍臣也。中丞雖高，法吏也。」乃詔臺官、供奉官共道路聽先後，行相值則揖。

至宋代三省制廢，

宋中書置禁中，稱政事堂，與樞密為兩府。尚書、門下在外，不復與朝廷議論。咸平四年楊億疏：「尚書但吏部銓選，秩曹詳覆，自餘租庸筦榷由別使總領，尺籍伍符非本司校定。事有所分，政非自出，周之六官，於是廢矣。」是尚書之權至宋大削，而其端皆起於唐。

諫議、司諫等官在門下、中書者亦廢，遂有諫院。別置諫院在天禧時。乃脫離宰相而獨立。仁宗慶曆初，詔除諫官，毋得用見任輔臣所薦之人。

當時稱「臺諫」，幾於並為一職。權勢氣力，乃與宰相等。

時稱任用諫官、御史，必取天下第一流。非學術才行俱備，為一世所高者，莫在此位。而當者曾不十年，徑登臺輔。又自建隆以來，未嘗罪一言者。縱有薄責，旋即超升。許以風聞，而無官長。

世譏仁宗世宰相但奉行臺諫風旨。（見蘇軾上神宗書。）

諫官既以言爲職，不能無言，時又以言爲尚，則日求所以言者，但可言即言之。而言諫之對象，則已轉爲宰相而非天子。

宰相欲有作爲，勢必招諫官之指摘與攻擊。

於是諫垣與政府不相下，宰執與臺諫爲敵壘，廷臣水火，迄於徽、欽。（靖康元年，詔宰執毋得薦舉臺諫，當出親擢，立爲定制。南宋後臺諫遂不振，緣向來太惡習也。）

又文臣好議論，朝暮更張，常爲政事之大害。即以財政一端論之，後世史臣固已力言其弊矣。

宋史食貨志謂：「大國制用，如巨商理財，不求近效而貴遠利。宋臣於一事之行，初議不審，行未幾，即區區然較得失，尋議廢格。後之所議未有瘉於前，其後又復訾之如前。上之爲君莫之適從，下之爲民無自信守。因革紛紜，是非貿亂，而事弊日益以甚。」此論宋代好議論之病極切，要亦與諫官制度有關係。

其三尤要者，爲宋代相權之低落。宋代政制，雖存唐人三省體制，而實際絕不同。

宋初宰相，與樞密對稱「兩府」，（亦曰「兩地」。）而宰相遂不獲預聞兵事。

樞密一職，起唐代宗後，僅如漢之中書謁者令。雖時稱其權任侔宰相，然特以宦者任之，非朝廷正職。五代更用士人，權位眞埒宰相。宋因之，分文事任宰相，武事任樞密。故太宗命曹彬取幽州，而宰相李昉等不知。其伐遼，一日六召樞密院計議，而中書不預聞。宰相之失職可知。

又財務歸之三司，亦非宰相所得預。

三司者，爲戶部司、鹽鐵司、度支使司。亦由唐代、德以來，兵寇頻仍，經費竭蹶，故每以宰相兼判度支、鹽、鐵。宋初猶襲其遺制，其後則三司駸駸脫離相權而獨立。宋史職官志謂：「天下財賦，內廷諸司，中外筦庫，悉隸三司」是也。其後王荊公爲相，創立制置三司條例司，以整頓全國之財政，司馬溫公議其非，謂：「三司使掌天下財，不才可黜，不得使兩府侵其事。」

宰相之權，兵財以外，莫大於官人進賢，而宋相於此權亦絀。

宋史蘇紳奏：「太宗皇帝始用趙普，議置考課院以分中書之權，今審官是也。」涑水紀聞亦云：「太宗患中書權太重，置審官院、審刑院。至淳化三年置三班院，考殿最，自後多命近臣主之。」

又宰相坐論之禮，亦自宋而廢。

舊制，宰相早朝上殿命坐，有大事則議，常從容賜茶而退。自餘號令除拜、刑賞廢置，事無巨細，並熟狀，擬定進入，由禁中印畫，降出奉行。自唐歷五代不改。宋初，范質、王溥、魏仁溥在相位，引嫌具劄子面取進止，啜茶之禮尋廢，執政皆立而奏事。相體失其尊嚴，異乎古制矣。

故宋代雖稱中央集權，而其權實不在宰相。人主雖猜忌相臣加以裁抑，亦不能如明代之直廢相臣，集大權於一身。則宋制乃適成其爲一種弱徵，雖遇大有爲之君臣如神宗、王安石者，乃亦束手而莫如何矣。

故就王室而論，雖若唐不如宋。宋無女禍，無宦寺弄權。然唐承北朝方興之氣，宋踵五代已壞之局。唐初天下文教已盛，規模早立。故漸弛漸圮，乃以奢縱敗度。宋建天下，垢污方濃，蕩滌難淨。雖漸展漸朗，而終止於以牽補度日。待到治平無事百年之久，而慶曆、熙寧之間，乃有人起來要想從新改造，這自然是更難了。

第三十二章　士大夫的自覺與政治革新運動　慶曆熙寧之變法

一　學術思想之新曙光

宋朝養士經歷百年之久，終於要收到他的成效。

宋朝對士大夫，並不能有教育指導的能力，祇能嫗姁涵育，讓他們自己發榮滋長，這是一件費時而沒把握的事。

在真宗時，宋朝文教算是培養到相當程度了，然而一旦强敵侵凌，則相率主張遷都。和約簽定後，又誘導皇帝來做封禪巡狩的勾當。說是「欲假以動敵人之聽聞，而潛銷其窺伺之心」。

那時的文學，只是有名的所謂「西崑體」，汲晚唐、五代之餘潤。那時的政治，最高不過養尊持重，無動爲大，敷衍場面捱日子。如李沆等。呂東萊謂：「自李文靖抑四方言利害之奏，所以積而爲慶曆、皇祐之綏勢也。」那時稍稍帶有教育和思想意味的，只在出世的和尚們，乃至求長生的道士們那裏。

士大夫中間，最爲舉世推重的，便有一些所謂隱士，如陳摶、种放、魏野、林逋之流。居然在讀書人中而能無意於做官。

宋朝的時代，在太平景況下，一天一天的嚴重，而一種自覺的精神，亦終於在士大夫社會中漸漸萌茁。

所謂「自覺精神」者，正是那輩讀書人漸漸自己從內心深處湧現出一種感覺，覺到他們應該起來擔負著天下的重任。並不是望進士及第和做官。范仲淹爲秀才時，便以天下爲己任。他提出兩句最有名的口號來，說：「士當先天下之憂而憂，後天下之樂而樂。」這是那時士大夫社會中一種自覺精神之最好的榜樣。

范仲淹並不是一個貴族，仲淹乃唐宰相范履冰之後，然至仲淹時已微。其父早死，母改嫁。仲淹隨母易姓朱，後復宗姓范。亦未經國家有意識的教養，他只在和尚寺裏自己讀書。當時讀書人大半到佛寺、道院中去，因國家並無正式教育機關，私人亦極少從事講學，無師弟子之傳授。在「斷虀畫粥」的苦況下，而感到一種應以天下爲己任的意識，這顯然是一種精神上的自覺。然而這並不是范仲淹個人的精神無端感覺到此，這已是一種時代的精神，早已隱藏在同時人的心中，而爲范仲淹正式呼喚出來。此即是范仲淹之偉大處。

范仲淹曾至睢陽書院，書院源於戚同文。同文幼孤，邑人楊慤教授生徒，同文日過其學舍，得受

學。時當五代晉末喪亂，絕意祿仕，且思見混一，因名同文。愨依將軍趙直。愨卒，直爲同文築室聚徒，請益者千里而至，登第者五十六人，皆踐臺閣。惟仲淹已不及見。仲淹生太宗端拱二年。仲淹讀書處爲山東長白山之醴泉寺。真宗祥符三年睢陽應天書院賜額成立，翌年仲淹至書院。是時仲淹年二十三，戚同文已先卒矣。據史，戚長子維，爲隨州書記，戚就養而卒，年七十三。書院復建於曹誠。宋史、宋元學案謂范依同文學，誤也。惟仲淹之在睢陽，其精神上當有得於同文之感發者甚多。史稱同文純質尚信義，人有喪，力拯濟之，宗族同里貧乏者，周給之，冬月解衣裘與寒者。不積財，不營居室，終身不仕，以教育後進爲務，而有志於天下之混一。其爲人意趣志行如此。仲淹亦幼孤力學，而以天下爲己任。其後貴顯，爲宗族建義莊，恤貧樂施，蓋亦近同文之遺風，而規模益恢宏耳。

在仲淹同時，尚有有名的學者胡瑗，偕孫復兩人，在泰山一個道院中讀書。唐爲棲真觀，周朴居之，後爲普照寺。相傳胡瑗接家信，胡，江蘇如皋人。苟有「平安」二字，即投之山澗，不復啓視。如此苦學十年，終於得到他精神上的內心方面的。自信而回去。這都是在時代精神的需要下，並不需師承而特達自興的。

胡瑗投書澗畔的十年，和范仲淹僧寺裏「斷虀畫粥」的日常生活，日作粥一器，分四塊，早暮取二塊，斷虀數莖，入少鹽以啗之。如是者三年。無疑的在他們內心深處，同樣存著一種深厚偉大的活動與變化。他們一個是北宋政治上

的模範宰相，范。一個是北宋公私學校裏的模範教師。胡。北宋的學術和政治，終於在此後起了絕大的波瀾。

與胡、范同時前後，新思想、新精神蓬勃四起。

他們開始高唱華夷之防。這是五胡北朝以來，直到唐人，不很看重的一件事。又盛唱擁戴中央。這是唐代安史亂後兩百年來急需提出矯正時弊的一個態度。宋朝王室，只能在政制上稍稍集權中央，至於理論思想上正式的提倡，使人從內心感到中央統一之必需與其尊嚴，則有待於他們。他們重新擡出孔子儒學來矯正現實。他們極崇春秋，爲「尊王攘夷論」之擁護與發揮。最著如孫復。他們用明白樸質的古文，即唐韓愈所倡「文以載道」，即文道一貫之理論。來推翻當時的文體。最著如柳開、石介，乃至歐陽修。他們因此闢佛老，如石介、歐陽修。尊儒學，尊六經。他們多推崇易經，來演繹他們的哲理思想。他們在政制上，幾乎全體有一種革新的要求。他們更進一步看不起唐代，連帶而及於漢。而大呼三代上古。三代上古是他們的理想。根據此種理想來批評漢、唐之現實。他們說唐代亂日多，治日少。他們在私生活方面，亦表現出一種嚴肅的制節謹度，適應於那時的社會經濟，以及他們的身世，與唐代貴族氣氛之極度豪華者不同。而又帶有一種宗教狂的意味，非此不足有「以天下爲己任」之自覺精神。與唐代的士大夫恰恰走上相反的路徑，而互相映照。他們對於唐人，只看得起韓愈，而終於連韓愈也覺得不夠，因此想到隋末唐初的文中子王通。因此他們雖則終於要發揮到政治社會的實現問題上來，而他們的精神，要不失爲含有一種哲理的或純學術的意味。范仲淹至陝，張載年十八，慨然有志功名，上書謁，言軍事。范知其遠器，責之曰：「儒者自有名教可樂，何事於兵？」手授以中庸一編。又按：太宗淳化三年，詔刻禮記儒行篇賜近臣，及京朝官受任於外者，並以賜進士孫何等。真宗天聖五年，賜進士王堯臣以下中庸，八年賜進士王拱辰以下大學，後登第者必賜二書及儒行篇。是此諸篇本爲當時所重，故仲淹亦以賜張。下至程、張輩，此諸篇乃發揮益臻精妙。所以唐人在政治上表現的是「事功」，此乃貴族學者之意態。即貴族傳統家教，大抵不過保泰持盈，傳世永福，而仍不脫事功的意味。而他們則要把事功消融於學術裏，說成一種「義理」。此乃平民學者之精神。彼輩要出來轉移世道，而不

爲世道所轉移。雖亦不離事功，卻不純從事功出發。「尊王」與「明道」，遂爲他們當時學術之兩骨幹。尊王明道，即宋學之內聖外王。一進一退，在朝在野，均在此兩點著眼。

宋朝王室久已渴望著一個文治勢力來助成他的統治，終於有一輩以天下爲己任的秀才們出來，帶著宗教性的熱忱，要求對此現實世界，大展抱負。於是上下呼應，宋朝的變法運動，遂如風起浪湧般不可遏抑。

又按：春秋末，孔子自由講學，儒家興起。下逮戰國，百家競興，遊士聲勢，遞增遞盛。一面加速了古代封建統治階層之崩潰，一面促成了秦漢以下統一大運之開始，中國四民社會以知識分子「士」的一階層爲之領導之基礎於以奠定，是爲中國史上士階層活動之第一期。兩漢農村儒學，創設了此下文治政府的傳統，是爲士階層活動之第二期。魏晉南北朝下迄隋唐，八百年間，士族門第禪續不輟，而成爲士的新貴族，是爲士階層活動之第三期。晚唐門第衰落，五代長期黑暗，以迄宋代而有士階層之新覺醒。此下之士，皆由科舉發迹，進而出仕，退而爲師，其本身都係一白衣、一秀才，下歷元明清一千年不改，是爲士階層活動之第四期。此四期，士之本身地位及其活動內容與其對外態勢各不同，而中國歷史演進，亦隨之而有種種之不同。亦可謂中國史之演進，乃由士之一階層爲之主持與領導。此爲治中國史者所必當注意之一要項。

二　慶曆變政

由於當時士階層之覺醒，而促起了在朝的變法運動。

宋朝變法，前後共有兩次。一在仁宗慶曆時，范仲淹為相。一在神宗熙寧時，王安石為相。

仁宗正值遼夏交侵，而國內財政到達將次崩潰的時候。為西夏用兵特起范仲淹，任以方面。（由韓琦所薦，在陝與韓共事。）迨夏事稍緩，范仲淹、韓琦、富弼同時為相。仁宗屢次催他們條陳改革政治的意見。（仲淹語人曰：「上用我至矣，然事有後先。且革弊於久安，非朝夕可能。」是韓、范等雖有改革政治之大志，而審慎迴翔，未敢輕舉。）一日特開天章閣，召對賜坐。（此於宋為殊禮矣。）給筆札，使當面疏奏。仲淹等不得已，始請退而列奏。（可見宋朝變法，亦由王室主動，不僅神宗於王安石如此，即仁宗於范仲淹亦然。（時韓琦不在朝。））

范仲淹因此提出十項政見，為變法張本。這是有名的所謂十事疏。

一、明黜陟。二、抑僥倖。三、精貢舉。（興學校、黜詞賦，已先王安石言之。）四、擇官長。五、均公田。（此條注重州縣職田之均配，使地方官皆得以厚俸盡其職責。）六、厚農桑。七、修戎備。（此條主於近畿召募壯丁，仿唐府兵制行之。）八、減徭役。（此條側重在并省縣邑，則公人可歸農，徭役可省。特舉京西言之，次及

大名，與王安石免役用意稍不同。九、覃恩信。十、重命令。

范仲淹的十事，大致可分三項。前五事屬於澄清吏治。前一、二項從消極方面說，三、四、五三項就積極方面說。後三事屬於富强的問題。第六項主求富，第七項主求强，第八項則為消極的減政主義。最後兩項，係屬前八項之運用。信賞必罰，爲使法必行之法。韓琦陳八事在前。一、選將帥，二、明按察，三、豐財利，四、抑僥倖，五、進有能，六、退不才，七、去冗食之人，八、謹入官之路。大體主張與范相似。仲淹的意見，大致是欲求對外，先整理內部。欲求强兵，先務富民。而欲行富民之政，則先從澄清吏治下手。

仲淹在敷陳十事前有一冒頭，說：「我國家革五代之亂，富有四海，垂八十年。綱紀制度，日削月侵。官壅於下，民困於外。夷狄驕盛，盜賊橫熾。不可不更張以救之。然欲清其流，必澄其源。」將此與下陳十事，先後次序比觀，其意顯然。

要澄清吏治，治標的先務是明黜陟，抑僥倖，讓賢能者上升，不肖者下退。

「明黜陟」是針對當時「磨勘」的制度而發。

仲淹說：「文資三年一遷，武職五年一遷，謂之『磨勘』。不限內外，不問勞逸，賢不肖並進。假如庶僚中有一賢於衆者，理一郡縣，領一務局，思興利去害，衆皆指爲生事，必嫉沮非笑之。稍有差失，隨而擠陷。故不肖者素餐尸祿，安然而莫有爲。雖愚暗鄙猥，人莫齒之，而三年一遷，坐

至卿監、丞郎者，歷歷皆是。誰肯爲陛下興公家之利，救生民之病，去政事之弊，葺紀綱之壞哉！」按：磨勘始祥符後。

「抑僥倖」是針對當時「任蔭」的制度而發。

仲淹云：「真宗皇帝恩意漸廣，大兩省至知雜、御史以上，每遇南郊並聖節，各奏子充京官。假有任學士以上官經二十年者，則一家兄弟子孫出京官二十人，仍接次陞朝。此濫進之極也。」

「精貢舉」，最爲根本之事，一時難見成效。

仲淹主罷「糊名」，參考履行。糊名制始太宗淳化三年，自是科場規制日趨嚴密。然其弊則在僅憑一日文字之短長，而無從稽考其人平日之行義。進士先策論，後詩賦。諸科取兼通經義者。而尤要在興學校。時詔州縣立學，士須在學三百日，乃聽預秋試。

「擇官長」，則從選各路監司官按察使，由轉運使兼。下手，讓每路的按察使來甄別各該路的官吏。

仲淹選監司，取班簿，視不才者一筆勾之。富弼曰：「一筆勾之甚易，焉知一家哭矣。」仲淹曰：「一家哭何如一路哭耶？」遂悉罷之。遂委各路按察使自擇知州，知州擇知縣，不任事者悉罷。

仁宗對仲淹十事全部的接受了，（獨仲淹主復府兵（第七項），以朝臣不贊同而止。）然而仲淹的政策，到底引起了絕大的反動。宋朝百年以來種種的優容士大夫，造成了好幾許讀書做官人的特有權利，范仲淹從頭把他推翻，天下成千成萬的官僚乃至秀才們，究竟能「以天下爲己任」的有多少？能「先天下而憂後天下而樂」的有多少？暗潮明浪，層疊打來。不到一年，仲淹只得倉皇乞身而去。（慶曆三年七月，仲淹爲參知政事，四年六月出外。）仁宗雖心裏明白，也挽不過舉國洶湧的聲勢，終於許他卸責。（史稱：「按察使出，多所舉劾，人心不悅，而任子恩薄，磨勘法密，僥倖者不便。於是謗毀行，朋黨之論寖聞於上。」）

三　熙寧新法

宋朝事實上變法的要求，依然存在，范仲淹雖失敗，不到三十年，王安石又繼之而起。然而王安石的遭遇，與范仲淹不同。反對范仲淹的，全是當時所謂小人；而反對王安石的，則大多是當時的所謂君子。

甚至連當時贊同范仲淹變法的諸君子，如韓琦、富弼、歐陽修等，亦反對王安石。

仁宗比較溫和，因朝臣反對即不堅持。神宗則乾綱獨斷，儘人反對，依然任用。遂使後人

對范、王兩人評判迥異。

大抵崇范者並不在其事業，而爲其推奬人才。詆王者亦非在其人品，而在其爲小人所利用。對仁宗、神宗兩人評論亦異，因仁宗能從衆，而神宗主獨斷。

就熙寧新政與慶曆變法對照，其間亦有差別。

熙寧新政之犖犖大者，如青苗，

以常平糴本散與人戶，出息二分，春散秋斂。

均輸，

以發運之職改爲均輸，假以錢貨，凡上供物皆得徙貴就賤，用近易遠，預知在京倉庫所當辦者，便宜蓄買。

市易，

出公帑爲市易本，市賤鬻貴，以平物價，而收其餘息，並聽人賒貸縣官財貨，出息二分，過期不

輸加罰錢。

方田，

以東西南北若干步爲一方，量地，驗其肥瘠，定其色號，分五等定稅數。此法始於郭諮、孫琳，歐陽修、王洙皆推稱之。其法以東西南北各千步爲四十一頃六十六畝。一百六十步爲一方，即古萬畝之田。百步爲一小方，即古百畝之田。名「千步開方法」。

免役，

五代以來，以衙前主官物之供給或運輸。以里正、戶長、鄉書手課督賦稅，負償逋之責。以耆長、弓手、壯丁逐捕盜賊。以承符、人力、手力、散從給官使奔走。縣曹司至押錄，州曹司至孔目官，下至雜職、虞候、揀掐等，各以鄉戶等第差充。民不勝其苦，而衙前爲尤甚。今聽免役，據家貲高下出錢，由官雇役。單丁、女戶原無役者，概輸錢，謂之「助役」。

保甲，

籍民二丁取一，十家爲保，保丁授弓弩，教之戰陣。

保馬，

凡五路義保，願養馬者，戶一匹，以監牧見馬給之，或官與直使自市，歲閱肥瘠，死病補償。

大抵相當於范仲淹十事之六、七、八諸項。似乎王安石並不十分注重仲淹十事中之前幾項。似乎王安石是徑從謀求國家之富强下手，而並不先來一套澄清吏治的工作。因此後人說范仲淹是儒家，而王安石爲申韓。（至王之自負，則爲孟子。）因范之政見，先重治人而後及於治法；王則似乎單重法不問人。只求法的推行，不論推行法的是何等樣的人品。（神宗亦謂：「終不以吏或違法之故而爲之廢法。」）

那時的官僚們，情形還是和范仲淹時代差不多。他們既不免爲做官的立場來反對范仲淹，自亦不免要爲做官的立場來奉迎王安石。（范主先清吏治，只可反對。王主推行新法，便可奉迎。而王則謂范仲淹「結游士，壞風俗」。）

王安石的新法，不免要爲推行不得其人而全失立法之本意。（陸佃受經於安石，其告安石，亦謂：「新法非不善，但推行不如初意，還爲擾民。」）

其時招受反對最烈者如青苗，反對派的理論多就實際人事言。（如州縣以多散爲功，有錢者不願借而勒借。患無錢者不易償，因而不許借。出入之際，吏緣爲姦，法不能禁。）而王安石則就立法本意言。（安石嘗謂：「使十人理財，其中容有一二敗事，要當計利害多少。」）此爲當時兩派相爭一要端。

即論新政立法本意，亦有招受當時反對處。

如司馬光論保甲：「籍鄉村民二丁取一，是農民半爲兵。又無問四時，五日一教，是耕耘收穫稼穡

之業幾盡廢。」又按：王安石嘗言，終始言新法便者惟曾布。保甲之事，適布判司農寺，條畫多出其建請。然紹聖時，章惇、蔡卞皆乞復行保甲，而布獨不欲。蓋知其事繁擾，不欲輕舉。又荊公廢弓箭社行保甲，正猶廢常平行青苗，仲淹十事之七已不能行，則安石保甲法自不能得時人之同意。韓琦主鄉兵，司馬光亦反對之。至如市易法等，更不易得人同情。當時曾布即不謂然。荊公則謂：「行市易勞費精神，正以不負所學爲天下立法故。」

尤其是安石對財政的意見，似乎偏重開源；而當時一輩意見，則注重先爲節流。

如青苗官放錢而取息二分，在安石之意，則爲一面抑富民之兼并，而一面可增國家之收入。在一輩反對者，則謂朝廷與民爭利。又如免役法，一面便民，而一面亦借助役錢增歲收。論者則謂其聚斂，於庸外又征庸。

而安石之開源政策，有些處又跡近爲政府斂財。

劉摯上疏，謂：「陛下有勸農之意，今變而爲煩擾。陛下有均役之意，今倚以爲聚斂。」又陳次升讜論集謂：「免役法乃便民之最大者，有司不能上體德意，務求役錢增羨，元祐大臣，得以爲辭。」又按：熙寧青苗取息二分，提舉使復以多散爲功，遂立各郡定額，而有抑配之弊。其行助役，既取二分寬剩，復徵頭子錢，民間輸錢日多，遂至寬剩積壓。至紹聖復行新法，則青苗取息

止一分，且不立定額，不加抑配。助役寬剩錢亦不得過一分，而蠲減先於下五等人戶。聚斂之意反不如熙、豐之甚。此亦可見荊公之剛愎，當時未能斟酌盡善，並爲羣小所誤矣。熙寧七年七月，呂惠卿以免役出錢未均，五等丁產簿多隱漏不實，由官定立物價，使民各以田畝、屋宅、資貨、畜產，隨價自占，居錢五當蓄息之錢一，稱「手實法」，則較之漢武算緡更爲煩瑣擾民矣。故陳傅良謂：「太祖皇帝垂裕後人，以愛惜民力爲本。熙寧以來，用事者始取太祖約束一切紛更。諸路上供歲額，增於祥符一倍。崇寧重修上供格，頒之天下，率增之十數倍。以理財之名而務聚斂之實，其端實自荊公啓之也。」

而且宋朝那時已嫌官冗，安石推行新法，又增出許多冗官閒祿。

宋聚兵京師，外州無留財，天下支用悉出鹽鐵、度支、戶部三司。王安石用事，先立制置三司條例司，爲修訂財政法令之新機關。司馬光謂：「三司使掌天下財，不才可黜，不可使兩府侵其事。」又爲推行新法，諸路增置提舉官凡四十餘人。司馬光非之曰：「設官則以冗增冗，立法則以苛益苛。」又曰：「天下之事當委之轉運使、知州知縣，不當別遣使擾亂其間。」又曰：「自置將以來，每將下又各有部隊將、訓練官等一、二十人，而諸州又自有總管、鈐轄、都監、監押，設官重複，虛破廩祿。」神宗亦謂增置官司費財，而安石則謂增置官司所以省費。又增吏祿歲至緡錢百一十萬有奇。主新法者皆謂吏祿厚則人自重，不敢冒法。然良吏寡，賕取如故。曾鞏於元豐時中

書議經費，謂：「臣待罪三班，國初承舊，以供奉官、左右班殿直爲三班。初吏員止於三百，或不及之。天禧間乃總四千二百有餘。至於今乃總一萬一千六百九十。宗室又八百七十。景德員數已十倍於初，今殆三倍於景德。略以三年出入之籍考之，熙寧八年入籍者四百八十有七，九年五百四十有四，十年六百九十，而死亡退免出籍者，歲或過二百人，或不及之；則是歲歲有增，未見其止也。臣之所知者三班，吏部東西審官，審官東院爲尚書左選，掌銓文臣。審官西院爲尚書右選，掌銓武臣。與天下他費，尚必有近於此者，惟陛下試加考察。」曾鞏與王安石爲文學摯友，而政治意見不同。神宗謂：「曾鞏以節用爲理財之要，世之言理財者未有及此。」可見安石新政諸人，少有以此等言進者。蘇轍元祐會計錄序謂：「以宗室言，皇祐節度使三，今則九。三倍。皇祐兩使留後一，今則八。八倍。觀察使一，今十五。十五倍。防禦使四，今四十二。十倍。以百官言，景德大夫時爲諸曹郎中。三十九，今二百三十。七倍。景德朝奉郎以上時爲員外郎。一百六十五，今六百九十五。五倍。承議郎時爲博士。一百二十七，今三百六十九。三倍。奉議郎時爲三丞。一百四十八，今四百三十一。三倍。官冗之勢，有增無已。」若依范仲淹所論，豈得至是。南宋寶祐四年朱熠言：「境土蹙而賦稅日繁，官吏增而調度日廣。景德、慶曆時以三百二十餘郡之財賦，供一萬餘員之俸祿；今以一百餘郡之事力，而贍二萬四千餘員之冗官。」蓋宋之不振，始終病於官冗也。朝野雜記甲集卷十七謂：「祖宗時中都吏祿兵廩之費，全歲不過百五十萬緡。元豐間，月支三十六萬。宣和崇侈無度，月支百二十萬。渡江之初，月支亦不過八十萬。淳熙末，

朝廷無事，乃月支百二十萬，擬於宣和。非泛所支，及金銀緜絹不與焉。」官冗則費不節，此又自然必至之勢也。

冗官不革，政治絕無可以推行之理。

羣書考索續編：「嘉祐推恩裁數十人，治平三百人，熙寧之六年，乃至四、五百人。日暮途遠，求田問舍之不暇，何暇謀國家事哉！」元豐三年行新官制，仍無救於官冗。元祐三年翟思奏：「昔以一官治之者，今析爲四、五。昔以一吏主之者，今增爲六、七。官愈多，吏愈衆，祿愈廣，事愈繁。朝廷文移下尚書省，又付吏部，又下寺監，又下所領庫務。自下達上亦然。」又云：「有吏部，又有太常寺。有膳部，又有光祿勛。戶部之有司農，主客之有鴻臚，駕部之有太僕，庫部之有衛尉，工部之有將作軍器，水部之有都水監，皆重疊置官，例可減省。」按：元豐改制，一依唐規。不知唐代政府組織，已嫌臃腫膨大，宋在冗官極甚之世，而效唐制，自不能徹底。漢之中都官，不及宋什一，郡守少於宋而令長過之，此宋代治政所以終不足以追古。

亦有明明可省的費，而安石不主節省。

熙寧元年（時安石尚未相。）十一月郊，執政以河朔旱傷，國用不足，乞勿賜金帛。司馬光謂：「救災節用，

當自貴近始。」主聽之。安石謂：「大臣不能當辭職，不當辭祿。國用不足，只緣無善理財之人。善理財則不加賦而國用足。」光曰：「天地所生，財貨百物，不在民則在官。設法奪民，害甚於加賦。」今按：南郊賜賚，本屬陋規。大臣辭賞，其意甚是，與辭祿不同。農業經濟的社會，生產量亦不能急激增進。依宋室當時實況，頗多可撙節處。安石只謂「自古治世未嘗以財不足爲患，患在治財無其道」，（上仁宗皇帝萬言書中語。）不知治財之道，亦有一部分必從撙節入手。否則徒求開源，而浪費日增，如與影競走，終無及理。

若說再在百姓身上設法括取，則那時的百姓，實有不堪再括之苦。

宋初歲入，已兩倍於唐，至熙寧時當不啻二、三十倍。韓琦論青苗，謂：「今天下田稅已重，又隨畝有農具、牛皮、鹽錢、麴錢、鞋錢之類，凡十餘名件，謂之雜錢。每遇夏秋起納，官中更將紬絹斛斗低估價例，令民將此雜錢折納。又每歲將官鹽散與人戶，謂之蠶鹽，令民折納絹帛。更有預買，轉運司和買兩色紬絹，如此之類，不可悉舉。取利已厚，傷農已深。奈何更引周禮，謂放青苗取利，乃周公太平已試之法！」今按：宋代租額，已七倍於唐。（見林勳政本書。又謂：「加夏稅錢通計無慮十倍。」）今復於兩稅外增免役、助役錢，（役即庸也，兩稅中已兼租庸調。）反對者謂「上戶則便，下戶實難」，語非無理。又於額用已足外，復增取二分謂之「寬剩」，則下戶、單丁、女戶更困。又青苗免役賦斂多責見錢，農民何以堪？

而熙寧、元豐的財計，居然一時稱富，則掊克聚斂，自然難免。

蘇轍謂：「善爲國者藏之民，其次藏之州郡。熙寧以來，言利之臣，不知本末，欲求富國，而先困轉運司。轉運司既困，則上供不繼。上供不繼，而戶部亦憊。內帑別藏，雖積如丘山，而委爲朽壤，無益於筭。」畢仲游與司馬光書謂：「以諸路所積錢粟，一掃地官，經費可支二十年之用。」安燾亦謂：「熙寧、元豐間，中外府庫，無不充衍，小邑所積錢米，亦不減二十萬。」據此不僅中央多積，雖州縣亦有盈，惟民力爲難繼耳。陳次仲讜論集上徽宗論中都費用狀亦謂：「臣聞元豐庫昔年所積財帛甚多，近歲開邊，支遣殆盡。」

安石推行新政的又一缺點，在於只知認定一個目標，而沒有注意到實際政治上連帶的幾許重要事件。

程顥本贊成新法，其後亦轉入反對派方面。嘗謂：「衆心睽乖，則有言不信。萬邦協和，則所爲必成。舉一偏而盡沮公議，因小事而先失衆心，權其輕重，未見其可。」

而且還帶有急刻的心理。

范純仁告神宗：「道遠者理當馴致，事大不可速成，人才不可急求，積弊不可頓革。儻欲事功急

就，必爲憸佞所乘。」程、范所言，實中安石新政之膏肓要病。曾鞏亦曾致書安石細論之，惜乎安石不之悟也。

安石以神宗熙寧二年爲相，至熙寧六年，先後共五年，新法次第成立。

二年二月　王安石參知政事，立制置三司條例司。

四月　遣劉彝、謝卿材、侯叔獻、程顥、盧秉、王汝翼、魯伉、王廣廉八人行諸路，察農田、水利、賦役。五月，翰林學士鄭獬、知制誥錢公輔罷。六月，御史中丞呂誨罷。

七月　立淮、浙、江、湖六路均輸法。八月，侍御史劉琦、御史裏行錢顗貶。知諫院范純仁罷。條例司檢詳文字蘇轍罷。

九月　行青苗法。十月，宰臣富弼罷。

十一月　頒農田水利約束。

閏月　置諸路提舉官。

三年十二月　改諸路更戍法，立保甲法，及募役法。三月，貶知審官院孫覺。四月，貶御史中丞呂公著。罷監察御史裏行程顥、張戩，右正言李常。九月，宰臣曾公亮罷。十月，翰林學士范鎮致仕。

四年二月　更定科舉法。四月，出直使館蘇軾。七月，監察御史裏行劉摯罷。又貶御史中丞楊繪。

五年三月　行市易法。

五月　行保甲養馬法。

八月　頒方田均稅法。

六年九月　收免行錢。四月，樞密文彥博罷。

此等新法，即謂用意全是，大體上非長時間慎密推行，不易見效。

如方田均稅法，亦先有行者，而不勝其弊。歐陽修初亦主均田，見文忠集卷百三。嗣乃謂其不便。詳長編一百九十二。

其他如保甲等法，更需推行有漸，又必有善體法意之良吏。

其利弊全看實際吏治的情況。

熙寧六年張商英上五事箚子謂：「陛下即位五年，更張改造者數十百事。其中法最大、議論最多者有五：曰和戎，曰青苗，曰免役，曰保甲，曰市易。和戎之策已效，青苗之令已行。惟免役、保甲、市易三者，有大利害焉。得其人而緩圖之，則爲大利；不然則爲大害。願陛下與大臣安靜休息，擇人而行之。苟一事未已，一事復興，終莫見其成矣。」張氏此言，可與上引范純仁說同看。

新法利弊，盡在此中也。

如青苗、市易等，無論立法用意如何，並不是必須激急推行，不可復緩。安石為力持此等新法之推進，至不惜犧牲許多不應放過的人事上之助力，實在是他的失策。如歐陽修為竭力獎進王安石之前輩，司馬光為安石同時好友，程顥為很有意襄助安石的人，均不能與安石始終共事，實為安石失敗之最大原因。蘇軾奏論新法，謂：「臣非敢歷詆新政，苟為異論。如近日裁減皇族恩例，刊定任子條式，修營器械，閱習鼓旗，物議既允，臣安敢有辭？」時反對新法者大體皆君子，安石寬以圖之，未必無和衷共濟之路。所以當時人說他性情執拗，不曉事。唐介言安石「好學泥古」，孫固言安石「狷狹少容」，皆中其病。又說他只能做翰林學士，不該做宰相。此韓琦語。

熙寧七年四月，權罷新法，安石去位。八年二月復相，九年十月又去。以後神宗依然照著安石所定新法推行。至元豐八年神宗卒，先後一共不過十七年。即使舉朝一致，盡力推行，此等各項新制，均牽涉全國經濟民生，未必即可有穩固之基礎與確定之成效。何論其常在議論喧豗、意見水火之中？而神宗一死，新法即廢。所以王安石新法的失敗，一部分是行政技術上的問題。

安石未免自視過高。

反對他的，他便罵他們「不讀書」。安石初相，爭新法，議論不協，安石曰：「公輩坐不讀書耳。」說他們是「流俗」。安石告神宗：「陛下欲以先王正道勝天下流俗，故與天下流俗相為重輕。流俗權重，則天下之人歸流俗。陛下權重，則天下之人歸陛下。」神宗信之，故益依安石，不顧羣情矣。又固執不受人言。當時謂安石有「天變不足畏，祖宗不足法，議論不足恤」之狂論。

而結果為羣小所包圍。當時批評安石者大致如此。

至於如呂誨等遽罵安石爲大姦大詐。時新法尚未行，即司馬光等亦覺呂誨彈之太過，宜乎不足以動神宗之信託。

安石的最大弊病，還在僅看重死的法制，而忽視了活的人事。依照當時情況，非先澄清吏治，不足以寬養民力。非寬養民力，不足以厚培國本。非厚培國本，不足以遽希武功。安石的新政，一面既忽略了基本的人的問題，一面又抱有急功速效的心理。在國內新政措施全無頭緒的當日，卻同時引起邊釁，對外便覬開疆用武。此亦安石看事太易處。因此更是加意聚斂，而忽略了爲國家的百年長計。

熙寧元年，富弼入覲，神宗問邊事，弼曰：「願陛下二十年口不言兵。」時神宗年二十，方鋭意有爲，聞弼語，爲之默然。安石相，始務拓境。神宗問王韶邊費，安石喻韶不必盡對。然自王韶開熙河，种諤開綏州，而徐熙卒有永樂之敗。事在元豐五年。史稱：「官軍、熟羌、義保死者六十萬人，錢、粟、銀、絹以萬數者不可勝計。帝臨朝痛悼，而夏人亦困弊。」對遼則割讓河東地七百里。事在熙寧八年。惟先有意於邊功，遂不期而亟亟於聚斂耳。

南宋時，陳亮評安石新政，從宋代建國的本原立論，可謂中其癥結。

亮謂：「唐自肅、代以後，上失其柄，藩鎮自相雄長，卒以成君弱臣强，正統數易之禍。藝祖皇帝興，藩鎮拱手以趨約束，列郡各得自達於京師，兵皆天子之兵，財皆天子之財，郡、縣不得以一事自專。二百年太平之基，從此而立。然契丹遂得以猖狂恣睢，與中國抗衡。慶曆諸臣，亦嘗憤中國之勢不振矣，而其大要則使羣臣爭進其説，更法易令，而廟堂輕。嚴按察之權，邀功生事，而郡、縣又輕。豈惟於立國之勢無所助，又從而朘削之。卒發神宗皇帝之大憤，王安石以正法度之説，首合聖意。其實欲藉天下之兵，盡歸朝廷，別行教閲以爲强。括郡、縣之利，盡入朝廷，別行封樁以爲富。彼蓋不知朝廷立國之勢，正患文爲之太密，事權之太專；郡、縣太輕於下，而委瑣不足恃；兵財太關於上，而重遲不易舉。而安石竭之不遺餘力，不知立國本末，真不足以謀國也。」

但安石新政，雖屬失敗，畢竟在其政制的後面，有一套高遠的理想。

舉要言之，約有三項。如保甲制度等，則欲造成一個兵農合一，武裝自衞的社會。方田、青苗、均輸、市易制度等，則欲造成一個裁抑兼并，上下俱足的社會。興學校、改科舉制度等，則欲造成一個開明合理，教育普及的社會。安石自謂「經術所以經世務」，又勸神宗「爲治首擇術，當法堯舜，何必唐太宗」，正在此等處也。

這一種理想，自有深遠的泉源，決不是只在應付現實、建立功名的觀念下所能產生。

因此在王安石新政的後面，別有所謂「新學」。

於是有所謂三經新義之頒行。（王氏詩、書、周禮注，稱「三經新義」。）劉靜春謂：「王介甫不憑注疏，欲修聖人之經；不憑今之法令，欲新天下之法；可謂知務。後之君子，必不安於注疏之學，必不局於法令之文。此二者既正，人才自出，治道自舉。」按：宋學實盡於劉之二語。

安石的新政雖失敗，而新學則不斷的有繼起者。

安石新法，雖爲同時反對；其新經義，則雖同時政敵，亦推尊之。司馬光只謂其「不合以一家之學，蓋掩先儒」而已。劉摯亦謂：「王安石經訓，視諸儒義說，得聖賢之意爲多。」呂陶亦謂：「先儒傳注未必盡是，王氏之解未必盡非。」時國子司業黃隱覘時迎合，欲廢王氏經義，竟大爲諸儒所非。（事在元祐元年十月。）蓋就大體言，則當時反對新政諸人，固自與安石仍在同一立場也。

直到朱熹出來，他的四書集注，成爲元、明、清三代七百年的取士標準。其實還是沿著王安石新經義的路子。

范仲淹、王安石革新政治的抱負，相繼失敗了，他們做人爲學的精神與意氣，則依然爲後人所師法，直到最近期的中國。

第三十三章　新舊黨爭與南北人才元祐以下

一　熙寧新黨與南人

王安石的新法，不能說有成功，然而王安石確是有偉大抱負與高遠理想的人。他新法之招人反對，根本上似乎還含有一個新舊思想的衝突。

所謂新舊思想之衝突，亦可說是兩種態度之衝突。此兩種態度，隱約表現在南北地域的區分上。

新黨大率多南方人，反對派則大率是北方人。

宋室相傳有「不相南人」的教戒。無論其說確否，要之宋初南方人不爲相則係事實。然而南方人的勢力，卻一步一步地侵逼到北方人上面去。真宗時的王欽若，仁宗時的晏殊，都打破了南人不爲相的先例。

宋史王旦傳：「真宗欲相王欽若，旦曰：『臣見祖宗朝未嘗有南人當國者。雖稱立賢無方，然須賢

乃可。臣爲宰相，不敢沮抑人，然此亦公論也。』真宗乃止。旦沒後，欽若始大用。語人曰：『爲王公遲我十年作宰相。』」或謂真宗問王旦：「祖宗時有祕讖，云南人不可作相，此豈立賢無方之義」云云。見曲洧舊聞。真宗景德初，晏殊以神童薦，與進士並試，賜同進士出身。寇準曰：「惜殊乃江外人。」帝顧曰：「張九齡非江外人耶？」又陸游謂：「天聖以前多用北人，寇準持之尤力。」

而南方人在當時，顯然是站在開新風氣之最前線。

晁以道嘗言：「本朝文物之盛，自國初至昭陵。仁宗。時，竝從江南來。二徐兄弟鉉、鍇。以儒學，二楊叔侄億、紘。以詞章，刁衎、杜鎬以明習典故，而晏丞相、殊。歐陽少師修。巍乎爲一世龍門。紀綱法度，號令文章，燦然具備。慶曆間人材彬彬，皆出於大江之南。」

在野學校之提倡，晏殊知應天府，延范仲淹教生徒。自五代以來學校廢，興學自殊始。及仲淹守蘇州，首建郡學，聘胡瑗爲師。在朝風節之振厲，范仲淹爲祕閣校理，每感激論天下事，奮不顧身，一時士大夫矯厲尚風節，自此始。文章之盛，尤著者爲歐陽修，獎引後進，如恐不及。賞識之下，率爲聞人。曾鞏、王安石、蘇洵，洵子軾、轍，皆以布衣，修游其聲譽。宋之文學，莫盛於是。朋黨之起，晏殊平居好賢，當世知名士，如范仲淹、孔道輔，皆出其門。仲淹以殊薦爲祕閣校理，承殊風益進。學者從質問，爲執經講解，亡所倦。推俸以食四方之遊士，諸子至易衣而出。仲淹罷知饒州，尹洙、歐陽修、余靖皆坐貶，朋黨之論自是興。皆由南士。

司馬光與歐陽修爲貢院逐路取士起爭議，這裏便已十分表見出當時南方文學風氣已超駕北

方之上遠甚。

司馬光謂：「古之取士，以郡國戶口多少爲率。今或數路中全無一人及第，請貢院逐路取人。」歐陽修非之，謂：「國家取士，惟才是擇。東南俗好文，故進士多；西北人尚質，故經學多。科場東南多取進士，西北多取明經。東南州軍進士取解，二、三千人處只解二、三十人，是百人取一。西北州軍取解，至多處不過百人，而所解至十餘人，是十人取一。比之東南，十倍優假。東南千人解十人，初選已精。西北之士，學業不及東南，發解時又十倍優假，初選已濫。廣南東西路進士，絕無舉業，諸州但據數解發。其人亦自知無藝，一就省試即歸，冀作攝官。朝廷以嶺外煙瘴，亦許其如此。」據司馬、歐陽兩人主張，可見當時北方文風已遠遜南方。不僅取解人數不能相比，且北方多考明經，南方多考進士。自唐以來科第，即以進士爲美，非進士及第不得美官，非善爲詩賦、論策不得及第。後世遂謂文學詩賦盛於南方，不知中唐以前，殊不爾也。進士、明經，難易榮辱絕不同。

唐人語：「三十老明經，五十少進士。」宋人則曰：「焚香禮進士，撤幕待經生。」（歐陽修詩句。）試進士日，設香案於階前，主司與舉人對拜。（此唐人故事。）有司具茶湯飲漿。試經生，悉撤帳幕、氈席之屬，亦無茶湯。渴則飲硯水，人黥其吻。又曰：「焚香取進士，瞋目待明經。」設棘監守，惟恐其傳義。蓋明經試先帖文，掩其兩端，中間惟一行，裁紙爲帖，凡帖三字。得四、五、六即爲通。帖文後口試大義。後停口試，改墨義十條。宋呂夷簡應本州鄉試卷：「『作者七人矣』，請以七人之名對。」對云：「七人某某也。謹對。」又：「『見有禮於君者，如孝子之養父母也』，請以下文對。」對云：「下文曰：『見無禮於君者，如鷹鸇之逐鳥雀也。』謹對。」又題：「請以注疏對。」則對：「注疏曰云云。」如有不能對，則曰：「未審。」明經僅於記誦，故爲人賤視。史稱：「五代干戈搶攘，而貢舉未嘗廢，惟每年所取進士，其多僅及唐盛時之半。三禮、三傳、學究、明經諸科，唐時所取甚少，而晉、漢後明經諸科，中者動以百計。」然則北方士人多考明經，蓋自五代喪亂，文章墜廢。而南土較安，故詩賦文學日盛也。

熙寧間，王安石罷詞賦、帖經、墨義，併歸進士科，而齊、魯、河朔之士，往往守先儒訓詁，質厚不能爲文辭，榜出多是南人，北人極少。哲宗以後，遂許齊、魯、河朔五路北人皆別考，然後取人南北始均。元祐諸老即北人爲多。時謂「北人質厚，不能爲文辭」，其實中唐以前擅文辭者，多北人也。中唐以下，則詩人以江南爲多矣。陸佃在元豐八年有乞添川、浙、福建、江南等路進士解名劄子，謂：「京東、西、陝西、河東、河北五路，多是五、六人取一人；川、浙、福建、江南往往至五、六十人取一人。」則在南人意見中，尚覺南士機會不如北人。然南北分卷之制，直至明代，依然不能革。誠使公開競選，北人到底爭不過南人，不得不以此爲調節也。又按：唐韓愈歐陽詹哀辭言：「閩人舉進士自詹始。」則當時閩人舉進士者必甚少。此後三百年，至宋中葉，閩進士常六、七百人，居天下五之一。流寓他處，及占名數京師入太學者，尚不在內。新黨人亦以閩人爲盛。當時稱吳、楚、閩、蜀。

南北兩方文風盛衰之比較，後面即反映出南北兩方經濟狀況之榮枯。

司馬光謂：「非游學京師者，不善爲詩賦、論策。每次科場及第進士，大率皆是國子監開封府解送之人。」蓋文學、政事必待於師友風尚之觀摩，社會聲氣之染習。大抵當時北方社會，經濟日趨枯竭，故士人不能游學京師。南方經濟較優，故游學者盛。當時如晏殊、范仲淹以及歐陽修輩，皆以南人居京朝，爲名士之領袖，風氣之前導也。

因此當時南人，頗有北方人政治上待遇較優，南方人經濟上負擔較重之感。

李覯長江賦謂：「國家重西北而輕東南。彼之官也特舉，此之官也累資。斂於此則莫知其竭，輸於彼則惟恐不支。官以資則庸人並進，斂之竭則民業多隳。爲貪爲暴，爲寒爲饑。如是而不爲盜賊，臣不知其所歸。」此乃一種極激昂之不平鳴也。

而在北人眼中，則南人在政治上勢力日擴，似乎大非國家前途之福。

宋人筆記謂：「治平英宗。中，邵雍與客散步天津橋上。聞杜鵑聲，慘然不樂。曰：『不二年，上用南士爲相，多用南人，專務變更，自此天下多事。』」此說本不可信，然在此故事中，卻充分表現出北人討厭南人當權用事之心理。

以中國疆域之廣大，南北兩方因地形、氣候、物產等等之差異，影響及於社會之風習，以及人民之性情；雙方驟然接觸，不免於思想態度及言論風格上，均有不同，易生牴牾。

神宗相陳旭，升之。問司馬光：「外議云何？」光曰：「閩人狡險，楚人輕易，今二相皆閩人，曾公亮、陳旭。二參政皆楚人，王安石、唐介。必援引鄉黨之士，充塞朝廷，風俗何以更得淳厚？」此說不知確否，然必當時北人有以此論南人者。又

司馬光與呂惠卿在講筵，因論變法事，至於上前紛拏。上曰：「相與論是非，何至乃爾？」既罷講，君實光。氣貌愈溫粹，而吉甫惠卿。怒氣拂膺，移時尚不能言。人言：「一個陝西人，一個福建子，怎生廝合得著！」

所以王安石新政，似乎有些處是代表著當時南方智識分子一種開新與激進的氣味，而司馬光則似乎有些處是代表著當時北方智識分子一種傳統與穩健的態度。劉摯謂：「今天下有喜於敢為，有樂於無事。彼以此為流俗，此以彼為亂常。畏義者以進取為可恥，嗜利者以守道為無能。此風浸盛，漢、唐黨禍必成。」摯對神宗，自言：「臣東北人，不識安石。」其言正足代表當時兩派之態度也。除卻人事偶然方面，似乎新舊黨爭，實在是中唐安史之亂以後，在中國南北經濟文化之轉動上，為一種應有之現象。

王安石新法，有些似在南方人特見有利，而在北方人或特見為有害的。

羅從彥遵堯錄謂司馬光所改法，無不當人心，惟罷免役失之。王安石免役，正猶楊炎之均稅，東南人實利之。今按：羅亦南人，其言必信。政繁則役重，當時東南之役，諒必較重於北方也。治平四年九月，司馬光論衙前有云：「臣見國家以民間苦里正之役，改置鄉戶衙前，又以鄉貧富不同，乃立定衙前人數，選物力最高為一戶補充。行之十年，民困愈甚。向差里正，例有更番，借使鄉有上等十戶，一戶應役，則九戶休息，可以耑意營生。今衙前乃一概差遣。其有力人戶常充重役。自非家計淪落，則永無休息之期。以為抑强扶弱，寬假平民，殊不知富者既盡，貧者亦必不免。臣嘗行村落中，見農民生具甚微，問之，曰：『不敢為也。多種一桑，多置一牛，蓄二年之糧，藏十匹之帛，鄰里已目為富室，指抉以為衙前矣。況敢益田疇、葺廬舍乎！』」據此，則北方苦役亦甚矣。蓋當時官戶不役，客戶不役，官戶既北多於南，客戶亦以江、浙為獨少。北方社會既貧困，而又免官戶、客戶，貲力高者不多，則被差更密，（如富鄉一等戶十五戶，計貲三百萬；貧鄉一等戶五戶，計貲五十萬。富鄉十五年一周，貧鄉五年一周。富鄉猶有休息，貧鄉敗亡相繼。）故輪役者更見其苦。然則北方之反對免役者，必為盛擁客戶之官戶可知。文彥博告神宗：「祖宗法制具在，不須更張以失人心。」神宗曰：「更張於士大夫誠多

不悅，然於百姓何所不便？」文彥博曰：「陛下爲與士大夫治天下，非與百姓治天下，正在此等處也。」推而言之，如均輸法當亦於南方特利；而保甲、保馬諸政皆推行於黃河以北，民間覺其騷擾，南方則不知也。王巖叟謂：「保甲之害，三路之民，如在湯火。」又韓魏公家傳卷九有云：「西川四路鄉村，民多大姓，每一姓所有客戶，動是三、五百家。賴衣食貸借，仰以爲生。今若差官置司，更以青苗錢與之，則客於主戶處從來借貸既不可免，又須出此一重官中利息。其他大姓固不願請領苗錢」云云。則反對青苗者又必爲盛擁客戶之大姓，而客戶固以江、浙三路爲獨少。此又新法南人便之、北人惡之之一例。

田賦宋代最不均，景祐時諫官王素及歐陽修等皆主均賦，至嘉祐時復遣官分行諸路均田，然俱無成功而止。歐陽修初主均田，後遂言其不便。元豐間，天下墾田凡四百六十一萬六千五百五十六頃，馬端臨謂：「前代混一時，漢元始定墾田八百二十七萬五千餘頃，隋開皇時墾田一千九百四十萬四千餘頃，唐天寶時，應受田一千四百三十萬八千餘頃。比之宋朝，或一倍，或三、四倍有餘。雖宋之土宇，北不得幽薊，西不得靈夏，南不得交趾；然三方半爲邊障屯戍之地，墾田未必倍蓰於中州。」治平會計錄謂：「田數特計其賦租以知其頃畝，而賦租所不加者，十居其七。率而計之，天下墾田無慮三千餘萬頃。祖宗重擾民，未嘗窮按。」宋制，官戶占田多得免賦。如宋史高覿傳：「王蒙正恃章獻太后勢，多占田嘉州。詔勿收租賦，覿極言其不可。」又食貨志：「上書者言賦役未均，田制未立，因詔限田，公卿以下無過三十頃。」又柳約傳：「紹興元年，約以軍興科需百出，請官戶名田過制者，與編戶一同科賦，從之。」然則仁宗限田，亦限其不科賦之額耳。此亦宋田賦不均一要端。然則此所謂「擾民」者，官戶亦其主矣。又食貨志言：「天下荒田未墾者多，京、襄、唐、鄧尤甚。至治平、熙寧間，相繼開墾。然凡百畝之內，起稅止四畝。欲增至二十畝，則言者以爲民間苦賦重，遂不增。」以是觀之，田之無賦稅者，又不止於十之七而已。此等脫逃租賦之田，惠澤豈真下及於貧民？朝廷一行均田，豪強必多方阻撓，結果則所謂均者，依然不均。史稱：「元豐八年，神宗知官

吏奉行方田多致騷擾，詔罷之。」則均田之難行可想。哲宗時，畢仲游上疏：「田制未均，患在迫於富家大室而恤之甚。名田不行，則在上之人貴者。」徽宗時，蔡京等又言方田，臣僚言：「方量官憚於跋履，一任之胥吏，有二百餘畝方爲二十畝者，有二頃九十六畝方爲一十七畝者，虔之瑞金縣是也。有租稅十有三錢而增至二貫二百者，有租稅二十七錢而增至一貫四百五十者，虔之會昌縣是也。望詔常平使者檢察。」遂詔罷之。南渡後，林勳政本書論此甚詳。朱子知漳州，條奏經界狀，細民鼓舞，而貴家豪右，胥爲異端以搖之，卒格不行。迄於賈似道而有買公田之舉。是方田實宋代一要政，而其行之難見效而易滋弊亦可知。初，歐陽修請於亳、壽、蔡、汝四州擇尤不均者均之。田京知滄州，均無棣田。蔡挺知博州，均聊城、高唐田。王安石行均田自京東路始。疑當時田租不均，亦北方爲甚。以其沿五代而來。則反對均田者，恐亦北人爲多矣。宋代逃田之外，又多逃丁。西漢戶口，率以十戶爲四十八口有奇。東漢十戶爲五十二口。唐盛時十戶至五十八口。宋元豐至紹興戶口，率十戶二十一口，一家僅兩口。蓋詭名子戶漏口者衆也。在上賦稅之輕重，與在下私弊之多少，亦相比例。政府不先務輕賦，則此等弊亦難革。王明清揮麈後錄謂：「祖宗開國以來，西北兵革既定，故寬其賦役。民間生業，三畝之地，止收一畝之稅，緣此公私富庶。政和間，盡行根刷，人不堪命，皆去而爲盜。胡馬未南，河北蜂起。其後散爲巨寇於江、淮間，如張遇、曹成、鍾相、李成之徒皆是也。」然則借爲法治之名，而圖括削之實者，其爲禍又可見矣。

及元祐新政，王安石一黨盡斥，而所斥的即多是南人。

元祐元年，王巖叟入對，言：「祖宗遺戒不可用南人，如蔡確、章惇、張璪皆南人，恐害於國。」

其後蔡京擅權，南人又得勢。

陳瓘彈蔡京云：「重南輕北，分裂有萌。」按：陳乃南劍州人，其論蓋就當時實情爲持平也。又按：元祐朝首主「紹述」之論者爲李清臣，乃大名人，韓琦之壻。當時譏其「趨時，嗜權利，意規宰相」。此所論新舊南北之分，特就大體言，未能一一吻合也。

所以宋史姦臣傳中，幾乎全是南方人。

蔡確，泉州晉江人。附吳處厚，邵武人。呂惠卿，泉州晉江人。章惇，建州浦城人。父俞徙蘇州。曾布，江西南豐人。安惇，廣安軍人。在四川。蔡京，興化仙游人。弟卞，安石壻。此皆與新法有關。此下如黃潛善邵武，汪伯彥祁門，秦檜江寧，丁大全鎮江，賈似道台州，亦皆南人。故陸游謂：「班列之間，北人鮮少。」而陳亮謂：「公卿將相，大抵多江、浙、閩、蜀之人，而人才亦日以凡下也。」蘇天爵滋溪集謂：「故老云：宋在江南時，公卿大夫多吳、越士，起居服食，驕逸華靡，北視淮甸，已爲極邊，當使遠方，則有憔悴可憐之色。」

而元祐諸君子，則大多是北方人。他們中間卻又分洛、蜀、朔三派。這三派裏面，便無閩、楚南方的分。當時所指楚人，乃江西以東耳。湖北荊襄不在其列。春秋楚人亦南方文化一大結集。自戰國經秦白起之兵禍，流亡竄散，迄西漢二百年而元氣始復。故西漢所謂楚人，皆指江、淮之間。而荊襄闃焉無一人物出於二百年間也。光武起於南陽，迄於東漢之季，而荊楚甚盛。不惟民戶繁實，地著充滿，材智勇力之士，又森然出其中，孫、劉資之以爭天下。及其更唐、五代不復振起，至宋皆爲下州小縣，乃至無一士生其間。而閩、浙之盛自唐而始，乃獨爲東南之望。一地人文之興衰，大抵觀其所受兵禍洗蕩之程度也。蜀人自荊襄轉中原，其風氣乃與大江下游轉不接。

二　洛蜀朔三派政治意見之異同

熙寧、元祐新舊黨爭後面帶有南北地域關係，而元祐北方諸君子洛、蜀、朔三派分裂，洛，程頤，

為領袖，朱光庭、賈易等為羽翼。蜀，蘇軾為領袖，呂陶等為羽翼。朔以劉摯、王巖叟、劉安世為領袖，羽翼尤衆。至紹聖初，同以元祐黨竄嶺海外。後面也帶有政治意見之不同。

其中洛派中原派。所抱政見，大體上頗有與王安石相近處。他們都主張將當時朝政徹底改革。

程顥上神宗皇帝陳治法十事，即力勸神宗勿因一時反對而灰其改革之氣。其十事中重要者如論帝王必立師傅，及井田、學校、兵歸於農，及吏胥用士人等，皆與王安石議論相合。

他們對政治上最主要的理論，是有名的所謂「王霸之辨」。

大抵唐、虞、三代是「王道」，秦、漢、隋、唐是「霸道」。他們主張將唐、虞、三代來換卻秦、漢、隋、唐。

熙寧元年，王安石以翰林學士越次入對。神宗問為治所先，曰：「先擇術。」神宗曰：「唐太宗何如？」曰：「陛下當法堯舜，何以太宗為哉！堯舜之道，至簡、至要、至易，但末世學者不能通知，以為高不可及耳。」

其實所謂唐、虞、三代，只是他們理想的寄託。他們的政治見解，可以稱之為「經術派」，或「理想派」。他們主張將理想來徹底改造現實，而古代經籍，則為他們理想辯護之根據。

同時關中張載與洛陽二程相呼應，其政治理想，亦大體相似。謂：「周禮必可行於後世。治天下不由井地，終無由得平。井田至易行，但朝廷出一令，可以不笞一人而定。」嘗欲買田一方，畫爲數井，以推明先王之遺法，未就而卒。又謂：「朝廷以道學、政術爲二事，此正自古之可憂者。」（此即安石所謂「經術正所以經世務」之意。）以呂公著薦得召見，問治道，曰：「爲政不法三代，終苟道也。」神宗大悅。然張氏主復封建、世臣、宗法，此皆泥古太深；若施之政事，當較安石更爲迂闊。

其先程顥本助安石。（熙寧二年，安石遣劉彝等八人察農田水利，其中即有程顥。）

安石因廷臣反對乞退，程顥等尚想法挽留。（事在熙寧三年二月。安石復視事，顥等乃私相賀，見長編記事本末卷六十八。）

最後程顥終與安石分手，則因安石偏執，不惜與舉朝老成破裂之故。（言論已見前引。）

程顥嘗言：「治天下不患法度之不立，而患人材之不成。人材不成，雖有良法美意，孰與行之？」此乃洛學與安石根本相異處。（二程嘗謂：「介甫拒絕言路，進用柔佞之人，使之奉行新法。今則是他已去，不知卻留下害事。」又曰：「王氏之教，靡然而同，是莫大之患也。天下弊事一日而可革，若衆心既定，風俗已成，其何可遽改？」又曰：「介甫之學，壞了後生學者。」）

至於論及識見，尚謂安石「高於世俗」。（程頤云：「介父所見，終是高於世俗之儒。」）

故洛派於元祐排斥新政，並不完全贊成。

上蔡語錄：「溫公欲變法，伊川使人語之曰：『切未可。』」又伊川曰：「今日之禍，亦是元祐做

成。」又曰：「至如青苗，且放過，又是何妨。」伊川十八歲上仁宗書，謂應時而出，自比諸葛；及後應聘爲哲宗講官，則自講讀之外無他說；可見程氏在元祐時，並不能大張其學。當時謂：「伊川與君實語，終日無一句相合。明道與語，直是道得下。」蓋二程論學本與溫公不同，惟明道性氣較和易溫粹耳。

朔派是正統的北方派。他們與洛陽的中原派不同。一主理想，洛。而一重經驗。朔。一主徹底改革，洛。而一則主逐步改良。朔。司馬光謂：「治天下譬之居室，敝則修之，非大壞不更造。」故一爲「經術派」，而一則爲「史學派」。

新學者以通鑑爲元祐學術。政和時，詔士毋得習史學，即以斥元祐。陳了翁則云：「變故無常，惟稽考往事，則有以知其故而應變。王氏乃欲廢絕史學，而咀嚼虛無之言，其事與晉人無異。」又了翁彈蔡京云：「滅絕史學似王衍。」此皆以元祐爲史學也。新黨則奉王安石爲經學，與洛學路徑較似。南渡以下，洛學漸盛，遂與新學興爭端。秦檜、趙鼎迭相，鼎主程頤，檜主王安石。檜死，高宗乃詔：「毋拘程頤、王安石一家之說，務求至當之論。」孝宗淳熙五年，以侍御史謝廓然言，敕「有司毋以程頤、王安石之說取士」。朱陸意見不同，亦尚隱有一祖伊川、一護荆公之迹。蓋新學與洛學自爲近也。

故洛學、新學同主「王霸之辨」，（程顥上神宗皇帝書，有一篇專論「王霸」。）而司馬光則不信此說，可爲他們中間最顯著的區別。

洛、蜀、朔分黨，司馬光已死，光不在黨派中。惟朔派多係司馬光弟子。光謂：「合天下而君爲王。分天下而治爲伯。方伯，瀆也。天子，海也。小大雖殊，水之性奚以異？」又曰：「後世學者以皇帝王霸爲德業之差，謂其所行各異道，此乃儒家之末失。」

惟其不信王霸之辨，故亦不主三代之道與秦、漢、隋、唐絕異。因此他們不肯爲復古之高論。他們的政術似乎只主就漢、唐相沿法制，在實際利害上，逐步改良。

王安石行保甲，期復兵農合一之古制，此爲洛學所贊同。司馬光則謂：「太祖定天下，曷嘗用民兵？」此等議論，頗近於蜀派矣。後朱子謂：「京畿保甲，荊公做十年方成，元祐時溫公廢之，深可惜。」朱子承洛學，政見亦與荊公近也。又洛學與新學皆推尊孟子，而司馬光著疑孟。孟子論政偏於理想，王霸之辨即從孟子來。熙寧初，王安石欲復經筵坐講之制，元祐間程頤亦爭坐講。陸佃（陶山集卷十一。）謂：「安石性剛，論事上前，有所爭辯時，辭色皆厲，上輒改容爲之欣納。」蓋自三代而後，君臣相知，義兼師友，言聽計從，了無形迹，未有若茲之盛也。陸象山荊公祠堂記即發揮此

義。程顥上神宗書極論帝王必立師傅，新學、洛學皆欲以師傅之尊嚴，駕漢、唐君臣形迹之上。此義亦本孟子。而蜀、朔兩派則毋寧謂其態度乃偏於尊君。此亦經史、王霸之大辨也。洛黨、新黨主尊師，即主尊相，總之求以學術超駕於君權之上也。此等理論接近儒家，偏於理想而爲趨新。朔黨、蜀黨則主尊王，僅就漢、唐以下歷史事態立說，偏於現實而爲守舊，又近似於法家也。南宋時朱子尚極論之，謂：「古者三公坐而論道，才可仔細說得。如今莫說教宰執坐，奏對之時，頃刻即退，文字懷於袖間，只說得幾句，便將文字對上宣讀過。且說無坐位，也須有個案子，令開展在上，指畫利害，上亦知得仔細。今頃刻便退，君臣間如何得同心理會事？」（語類一二八。）朱子此等議論，正與陸象山荆公祠堂記抱同一態度。黃仁卿問：「自秦始皇變法之後，後世人君皆不能易之，何也？」曰：「秦法盡是尊君卑臣之事，所以後世不肯變。」（語類一三四。）若照當時洛黨、新黨理論，所謂王霸之辨，政治必須有一番徹底改革。張浚之報苗傅，亦謂：「廢立之事，惟宰相大臣得專之」，此等皆所謂宋儒議論也。此後元、明、清三朝，正向此項理論加以迎頭之挫壓。元、清兩代以狹義的部族政權爲骨幹，自不樂此項理論。明太祖雖驅逐元人，卻見解不能到此。其後張居正乃大呼尊君卑臣，謂是祖法，深仇講學之士，遍燬天下書院，則真是中國傳統之所謂法家，即朔黨、蜀黨亦不致出此耳。

這一種態度，其好處，在於平穩不偏激，切於事情。而其弊病則在無鮮明之理想，因應事實不徹底，結果陷於空洞與懈弛。

神宗初議併營，文彥博、蘇軾等皆以兵驕已久，遽併之必召亂，帝卒從王安石議。時又議揀汰衛兵年四十以上稍不中程者，司馬光、呂公弼、陳薦、李常先後論奏以爲非宜，帝手詔揀五十以上願爲民者聽。舊制兵至六十一始免，猶不即許，至是冗兵大省。自熙寧至元豐，兵餉歲有銷併。此等處見新黨之銳氣敢爲。舊黨論節財省用，固爲勝於新黨。然節財省用之大者，莫如去冗卒，而舊黨顧又因循持重。此正襮露舊黨之弱點。

元祐力反熙寧，大部即由朔派主持，而操之過激。

元祐初，安石聞朝廷變其法，夷然不以爲意。及聞罷助役，復差役，愕然失聲曰：「亦罷至此乎？」即范純仁、蘇軾亦皆爭之。哲宗始親政，三省言役法尚未就緒。帝曰：「第行元豐法，而減去寬剩錢，百姓何有不便？」可見紹聖之政，亦元祐諸老有以激成之矣。蔡確新州之貶，遂造循環報復之端，范純仁、蘇軾亦力爭之。此皆其已甚也。

他們除罷免熙、豐設施外，自己卻並無積極的建樹。

後人謂：「元祐諸君子，若處仁、英之世，遂將一無所言，一無所行，優遊卒歲。」此正道著元祐病痛。至擁戴高后，謂以母革子，借母后臨朝之力，置哲宗於不顧，更爲失策。無論理論不圓滿，而幼主年事漸長，高后一崩，反動遂起，亦元祐諸臣自有以召之。在尊王理論之下，亦惟有如此。

財政無辦法，更不足以關折主持新政者之口。

元祐元年四月，王安石卒。八月，范純仁即以國用不足，請再立常平錢穀斂散出息之法，此即「青苗」也。以臺諫交爭而罷。然可以見元祐之不可久矣。曾布謂：「神宗時，府庫充積，元祐非理耗散，又有出

無入，故倉庫爲之一空；乃以爲臣壞三十年之大計，恐未公。」通鑑長編。畢仲游。洛派與司馬光書謂：「當使天子曉然知天下之餘於財，則不足之論不得陳於前，然後新法永可罷。」元祐諸老徒責王安石用言利臣，然政府不能常在無財乏用中度日。元祐能廢新法，而不能足財用，則宜乎新法之終將復起。

大程似乎頗見司馬光才不足負當時之艱難。

二程語錄：「伯淳道君實自謂如人參、甘草，病未甚時可用，病甚則非所能及。」

而溫公於伊川經筵進講，亦有不滿。

劉元城言：「哲宗嘗因春日折一枝柳，程頤爲說書，遽起諫曰：『方今萬物生榮，不可無故摧折。』哲宗色不平，因擲棄之。溫公聞之不樂，謂門人曰：『使人主不樂親近儒生者，正爲此等人也。』」

這兩派在政見上本不相近，只爲反對王安石只求行法、不論人品的一點上，兩派卻綰合起來了。

司馬光嘗謂：「治亂之機在於用人，邪正一分，則消長之勢自定。」每論事，必以人物爲先。見遵堯錄。此

處確又是儒家正統也。又仁宗時，光上疏論理財三事，乞置總計使，云：「寬恤民力，在於擇人，不在於立法。」又曰：「爲今之術，在隨材用人而久任之，在養其本原而徐取之，在減損浮冗而省用之。」則光非不主理財，惟其意見自與安石大異。惟此等意見，在安石未相，政局未動搖前，尚有濟效。在安石相後，政局已變，則僅此不足救時。大抵溫公之人與學，俱是人參、甘草也。

又一爲蜀派。西南派。蜀派的主張和態度，又和洛、朔兩派不同。他們的議論，可以蘇氏兄弟軾、轍。爲代表。上層則爲黃老，下層則爲縱橫。尚權術，主機變，其意見常在轉動中，不易捉摸。他們又多講文學，不似洛、朔兩派之嚴肅做人。

王安石主廢科舉、興學校，此事在洛派極端贊成，而蜀派則認爲「多事」。蘇軾反對興學校之理論云：「治人在於知人，知人在於責實。治宮室，養游士，置官立師，不帥教者屏之遠方，是爲多事。」

王安石又主改詩賦爲經義，此層洛學自所贊成，朔派亦不反對。治平元年，光有定奪貢院科場不用詩賦，已開王氏先聲。又治平二年，乞令選人試經義，則光對此事，見解與安石一致。故謂：「神宗皇帝罷詩賦及經學諸科，專以經義論策試進士，此誠百世不易之法。但王安石不當以一家私學，欲蓋掩先儒。」

而蘇軾仍生異議。

謂：「興德行在於修身格物。設科立名，是教天下以僞。策論、詩賦，自政事言之，均爲無益。自唐至今，以詩賦爲名臣者，不可勝數。」畢仲游西臺集。則謂：「漢、唐諸儒，多抱經白首，然後名家。近世如孫復治春秋，居泰山四十年，始能貫穿自成一說。熙寧、元豐之進士，今年治經，明年應舉，經術但爲利祿之具，尊經術而反卑之。舉子止問得失，王安石在位，則經義欲合王安石；司馬光在位，經義欲合司馬光。風俗傷敗，操行陵夷，未必不由之。詩賦雖欲取合而無由。習詩賦，必須涉獵九經，泛觀子史。策論之中，又自有經義。涉獵泛觀，必麤知前言往行，治亂得失。而聰明特起之士，因此自見於大。至於經義，則爲書者不爲詩，爲詩者不爲易。知一經而四經不知。詩賦聲律易見，經義散文難考。詩賦出題無窮，經義問目有盡。詩賦必自作，經義可用他人。詩賦惟校工拙，經義多用偏見。」劉摯立論亦略似。似較蘇辨更爲就實。王安石謂：「少壯時正當講求天下正理，乃閉門學詩賦；及其入官，世事皆所不習。此乃科法敗壞人材，致不如古。」自爲正論。蘇氏輕爲立異，殊若無謂。至畢、劉所爭，則事後流弊實情，王安石亦悔之。曰：「本欲變學究爲秀才，不謂變秀才爲學究。」此亦唐宋人才轉變一大關鍵也。清乾隆三年，兵部侍郎舒赫德，力言科舉時文之弊，請將考試條款改移更張，別求遴拔真才實學之道。章下，禮部覆奏，全用蘇氏議論，舒議遂寢。文人一時標新立異，其見解乃足貽誤六、七百年後人，亦可怪也。

又如免役，蘇氏兄弟初亦反對。蘇轍謂：「役人必用鄉戶，如衣之必用絲麻，食之必用五穀，不得以他物代換。」其後司馬光復差役，蘇氏卻又

不贊成。蘇軾云：「役可雇，不可差，雖聖人復起，不能使農民應差。王安石但不當於雇役實費之外多取民錢。若量入為出，不至多取，則自足以利民。」又按：英宗治平四年，司馬光亦曾極論衙前之害，至是乃排衆議而復役，亦可惜也。他們的學術，因爲先罩上一層極厚的釋老的色采，所以他們對於世務，認爲並沒有一種正面的、超出一切的理想標準。此層所以與洛學異。他們一面對世務卻相當練達，憑他們活的聰明來隨機應付。他們亦不信有某一種制度，定比別一種制度好些。此層所以與朔學異。但他們的另一面，又愛好文章詞藻，所以他們持論，往往渲染過分，一說便說到盡量處。近於古代縱橫的策士。此層卻得到南方派中一部分的同情，因南人大率好文詞也。歐陽修、張方平等較前輩的南方文人，亦頗有近於蜀學者。

後人說他們蘇氏兄弟。「勇果於嘉祐之制策，而持重於熙寧之奏議，轉手之間而兩論立」。陳龍川語。

但就其對新學之反對而言，則蜀、朔兩派早就志同道合。最先反對荊公者爲呂誨、蘇洵、張方平。張方平南人，其學卻與蜀派相似。三蘇自蜀來，張方平、歐陽修爲之延譽。荊公獨不許老泉，由其學術路徑不同。相傳荊公淮南雜說初出，見者以爲孟子；老泉文初出，見者以爲荀子。可見荊、蜀路脈早別矣。迨朔派力改新政，蜀派卻又有些處似與洛派的意見較近。此便是蜀派態度始終一貫處，並非先後有變。但就學術意味言，則洛、蜀兩派的裂痕，畢竟最難彌縫。以後朱子承洛學，極詆蜀學，謂：「東坡早拾蘇、張之緒餘，晚醉佛、老之糟粕。」又謂：「荊公、東坡門人，寧取呂吉甫，不取秦少游輩。以吉甫猶看經書，少游翰墨而已。」（此劉後邨轉述，見文獻通考。）

先秦諸子，雖則異說爭鳴，但他們都沒有實際把握到政權，因此在學術上愈推衍，愈深細、愈博大，各家完成他各家的精神面目。只李斯爲秦相，便弄出焚書坑儒的事來。西漢竇太后在朝，趙綰、王臧亦見殺。北宋諸儒，不幸同時全在朝廷，他們的學術意見，沒有好好發展到深細博大處，而在實際政治上，便發生起衝突。既爲羣小所乘，正人見鋤，學術不興，而國運亦遂中斬。

三　道德觀念與邪正之分

宋儒的自覺運動，自始即帶有一種近於宗教性的嚴肅的道德觀念，因此每每以學術思想態度上的不同，而排斥異己者爲姦邪。這又足以助成他們黨爭意見之激昂。

溫公論張方平爲姦邪，而蘇氏父子則推之爲巨人長德。程頤，洛學奉爲聖人，而蘇軾謂：「臣素疾程某之姦邪。」孔文仲其人亦極論新法之非。劾伊川疏謂：「其人品纖汚，天資憸巧。」劉安世至目程頤、畢仲游諸人爲「五鬼」。謂：「搢紳之所共疾，清議之所不齒。」劉摯則謂頤「以迂闊之學，邀君索價」。

劉彝、胡瑗弟子。程顥明明是君子，但他們亦贊成新法。劉彝因贊成新法，宋史與沈括同傳。然沈括輩亦未必是小人。

王安石主新政，至多亦只能說他學術差了，不能說他人品姦邪。此層朔黨人亦言之。劉安世元城語錄謂：「金陵亦非常人，其質樸儉素，終身好學，不以官爵爲意，與溫公同。但學有邪正，各欲行其所學，而諸人輒溢惡，謂其爲盧杞、李林甫、王莽，故人主不信。此進言之過。」

盡目熙寧新黨諸人爲姦邪，其事在當時洛學一派即所反對。

溫公在朝，欲盡去元豐間人。伊川曰：「作新人才難，變化人才易。今諸人才皆可用，且人豈肯甘

爲小人？若宰相用之爲君子，孰不爲君子？此等事教他們自做，未必不勝如吾曹。」侯仲良曰：

「若然，則無紹聖間事。」

范純仁亦主消合黨類，兼收並用。曾子開謂：「范公之言行於元祐，必無紹聖大臣報復之禍。」按：純仁乃仲淹子，亦反對新法，元祐時爲相。然其政見實與朔黨不盡同，曾向溫公爭差役不得，歎曰：「若欲媚公爲容悅，何如少年合安石以速富貴？」元祐元年四月，再散青苗錢，議出范純仁。時議貶故相蔡確，范持國體欲營救，劉安世等力彈之。

惜乎當時朔派諸人，「忠直有餘，疾惡已甚，遂貽後日縉紳之禍」。此邵伯溫語，見宋史本傳。

且過重道德，轉忘所以重道德之本意，循致官場皆重小節，忽大略，但求無過，不求有功。

李清臣著明責篇宋文鑑一〇四。謂：「古者用人，視成不視始，責大不責細。今較小罪而不觀大節，恤浮語而不究實用，惟固己持祿避事隨時之人，乃無讁而得安。故庸平者安步而進，忠憤者半途氣折。天下之事，靡靡日入於衰敝。夫拔一臣加之百官之上，非求其謹潔無過，將任以天下之責。今罷退宰相，皆攻其疵瑕，未嘗指天下之不治爲之罪。糾劾守令，皆以小法，未嘗指郡邑之不治爲之罪。遷謫將帥，以庖廚宴饋之間，微文細故之末，未嘗以蠻夷驕橫兵氣弗强爲之罪。故上下莫自任其責，局局自守，惟求不入於罪。朝廷大計，生民實惠，卒無有任者。天下之大，萬官之富，常若無人。英績偉烈，寂寂於十數載，抱才負志不得有爲而老死沉没者，相望於下，可不惜

哉！」

南方一種奮發激進之氣，暫時為北方的持重守舊所壓倒。但是不久即起反動，於是有所謂「紹述」之說。哲宗親政，遂反元祐之政。改元「紹聖」。元祐諸君子盡見黜逐，嗣是遂有所謂「建中靖國」。哲宗崩，徽宗立，又盡罷新黨，復元祐舊臣。嗣改元「建中靖國」，欲立中道，消朋黨。蔡京用事，司馬光盡罷熙、豐之政，惟罷雇役，復差役，最於人情未協，又為期五日，同列皆病其太迫。時蔡京主開封府，獨如約。光喜曰：「使人人奉法如君，何不可行之有？」及紹聖時，章惇相，議復免役法，講議久而不決，蔡京謂惇曰：「取熙寧成法施行之耳，何以講為？」惇然之，雇役遂定。新舊相爭的結果，終於為投機的官僚政客們造機會。相激相盪，愈推愈遠。貧弱的宋代，卒於在政潮的屢次震撼中覆滅。徽宗時，陸佃言：「今天下之勢，如人大病向愈，當以藥餌輔養，須其平安。苟輕事改作，是使之騎射也。」宋室即在新舊兩派更互改作中斷送。新派亦非無賢者，而終不勝意氣私利之洶湧。兩黨皆可責，亦皆可恕也。

第三十四章　南北再分裂（宋遼金之和戰）

一　金起滅遼

宋、遼在長期和平過程中，兩國内政乃至國防均趨懈弛而腐化。金人突起乘其隙，兩國乃繼踵覆没。

金起於混同江、長白山之間。（初爲靺鞨氏，元魏時分七部，唐初有黑水（黑龍江）、粟末（松花江）兩靺鞨。粟末建渤海國，黑水爲役屬。契丹滅渤海國，黑水之附屬契丹者爲熟女真，不在契丹籍者爲生女真。金則生女真也。）

其先常以航海攻掠高麗、日本。

真宗天禧三年，遼聖宗開泰八年，女真曾以巨艦五十艘由圖們江口泛海南航。其船長九十餘丈，或六、七十丈不等；一船之櫂三、四十，載人五、六十。越高麗東岸，抵日本對馬島、壹岐島，並攻入福岡灣，虜殺甚大。事見日本記載。並類此者不止一次。據史載，遠自宋太祖建隆年間，

即曾泛海至宋賣馬。蓋女真與渤海同族，據日史記載，渤海盛時，與日交通見記錄者不下五十餘次。渤海覆亡不久，女真崛起，遂變和平之商路爲征伐之航程。及其海上之活躍漸歇，乃轉而爲陸地之侵擾。

其始抗遼，兵不滿萬。

遼天祚帝荒淫，常市名鷹海東青，道出女真境，女真苦之。宋徽宗政和四年十月，女真叛遼，諸部皆會，得兵二千五百人。十一月再勝遼，兵始滿萬。時遼人已大震懼，有「女真不滿萬，滿萬不可制」之諺。

及其吞遼取五京，前後不出九年。

政和五年，女真始稱帝，國號金。遼使議和不成，遼主親征，又內亂，中途歸，金躡敗之，取遼黃龍府。（時金兵有二萬。）政和六年金取遼東京。重和元年，宋遣使浮海約金夾攻遼。宣和二年，金取遼上京。三年，侵遼中京。四年，取之，又取西京。宋童貫襲遼敗績，金又克遼燕京。至是遼五京全爲金有。金自始起至是，前後九年，侵地及吉、遼、熱、冀、察、晉六省。

自金始起至遼滅，前後不出十二年。

宣和七年二月，金獲遼主延禧，遼亡。自阿骨打稱帝至是，凡十一年。自始起至是十二年。

二　遼帝系及年歷

(一)太祖阿保機(二〇)　北擊室韋、女真，西取突厥地，滅奚，東并渤海，南據營、平二州。

(二)太宗德光(二一)　石敬瑭割獻十六州，南侵至汴。

(四)穆宗(一八)　稱「睡王」，被弒。宋初興。

(　)

(三)世宗(五)　酖酒色，被弒。

(五)景宗(一四)　宋滅北漢。

(六)聖宗(四八)　遼全盛。澶淵之盟。(以白溝河爲界。)建五京。

(七)興宗(二四)——(八)道宗(四六)——(　)——(九)天祚帝(二五)

宋增幣修和。　遼始衰。

遼凡九主，二百十九年。遼亡後，建西遼國，復延八十八年。然西遼立國，亦多仗漢人。

三　金滅北宋

遼亡，金氛遂及宋。

宣和五年，宋金始搆兵。是年，金阿骨打死，弟吳乞買立。

七年十月，金分兩道入寇，一路自西京入太原，一路自南京入燕山。徽宗傳位太子欽宗。尊徽宗爲「教主道君太上皇帝」。

於是有靖康之難。

欽宗靖康元年正月，金人渡河。取小舟以濟，凡五日，騎兵方絕，步兵猶未渡。旋渡旋行，無復隊伍。金人笑曰：「南朝可謂無人。若以一、二千人守河，我豈得渡？」圍京師，議和條件如下：

宋輸金金五百萬兩，銀五千萬兩，表段百萬匹，牛馬萬頭。

尊金主爲伯父。

割中山、太原、河間三鎮。

以宰相、親王爲質。

時金兵號六萬，宋勤王師集城下者已二十餘萬。金兵不待金銀足，二月即退師。宋括汴京金銀及倡優家，僅得金二十萬兩，銀四百萬兩。

宋悔約，詔三鎮固守。十一月，金兵復渡河圍京師。九月陷太原，十月陷真定，斡離不自真定趨汴，僅二十日。宋勤王兵已撤，至是無一至者。要欽宗至金營議和。索金一千萬錠，銀二千萬錠，帛一千萬疋。欽宗自金營還，士庶及太學生迎謁，欽宗掩面大哭，曰：「宰相誤我父子。」觀者皆流涕。歸即大括金銀。二年正月，金人重邀帝去。云：「候解金足乃放。」搜八日得金三十萬八千兩，銀六百萬兩，表段一百萬疋。復搜十五日，又得金七萬兩，銀一百十四萬兩，表段四萬疋，納金營。二月，金劫上皇、后妃、太子、宗戚前後凡得三千人。金檄開封尹徐秉哲，秉哲令坊巷五家爲保，毋得藏匿。京城巡檢范瓊，送上皇、太后御犢車出宮，金人又逼上皇召皇后、太子；百官軍吏奔隨號哭，太子呼云：「百姓救我！」哭聲震天。三月，金人立張邦昌爲帝。四月，以二帝及后妃、太子、宗戚三千人北去。北宋遂亡。金人北歸，凡法駕、鹵簿，皇后以下車輅、鹵簿、冠服、禮器、法物，大樂、教坊樂器，祭器、八寶、九鼎、圭璧，渾天儀、銅人、刻漏，古器、景靈宮供器，太清樓祕閣三館書、天下州府圖，及官吏、內人、內侍、技藝、工匠、倡優，府庫蓄積爲之一空。其所失殆尤過遼之入汴。

金自滅遼至滅宋，前後不出二年。自始起至滅宋，前後不出十四年。

四 南宋與金之和戰

金既驟滅北宋，其惟一政策，厥爲在黃河南岸建立一個非趙姓的政權，而黃河北岸則歸自己統治。於是有張邦昌之擁立。

金人滅遼之速，已出自己意外。吞併了偌大一個國家，須得慢慢消化。若使宋人應付得宜，（不示弱，不召侮。）金人本不想急速南侵。及金人渡河，亦並無意滅宋，故得割讓三鎮之約即北去。第二次回師南犯，自覺與宋結下深讐，防宋報復，故盡虜宋二帝、后妃、太子、宗戚，而立張邦昌爲楚帝。只因黃河南岸，金人實在無暇顧及，惟求不與他爲難，他便可慢慢地整頓黃河之北。這是金人當時的政策。

逮南宋高宗既立，金人徹底消滅趙姓政權之計劃失敗，他們一面仍想在黃河南岸留一非趙姓的政權做緩衝，故張邦昌之後，繼之以劉豫。

自四月金人北去後，五月康王構即皇帝位於南京，（歸德。）是爲南宋高宗。（改稱建炎元年。）九月，張邦昌伏誅。十月，高宗如揚州。十二月，金又分道入寇。一面是高宗怕金兵，故愈避愈南。另一面是金

兵也不放心高宗，故愈逼愈緊。

建炎二年，金兵犯東京，宗澤敗之。七月，宗澤卒。河南遂失屏障。建炎三年二月，高宗奔鎮江，如杭州。六月，金兀朮（宗弼。）大舉入寇。十一月，渡江入建康，高宗奔明州。金兵陷臨安，高宗航入海。四年正月，金兵陷明州，襲高宗於海，高宗走溫州。二月，金人引兵北還。九月，立劉豫爲齊帝。

金兵此次大舉渡江南下，本想捉住高宗，永絕南顧之憂。及高宗入海，目的難達。其時黃河南岸，金人依然無法統治，更何論長江之南。金人只有引兵北返，而在黃河南岸另立一個劉豫。如是則好讓他做一緩衝，阻住宋人北來報復，而金人則乘此躲回黃河北岸，好好休息整頓。這依然是四年前建立張邦昌時的政策。

金人一面擁立劉豫，讓他做緩衝，一面卻還試探與南宋進行和議。（如是則可讓金人緩緩消化他十餘年急遽獲得的疆土和民衆。）因此九月劉豫立爲齊帝，而十月秦檜自金放歸。

檜以靖康二年反對金人議立異姓（張邦昌。）被執，（其實主持反對之議者乃馬伸，非秦檜，後檜乃攘爲己功。馬伸門人何兌發其事，檜竄之真陽。揮麈錄餘話作「何琉」。）在金太宗弟撻懶所，主立劉豫者即撻懶。與檜同拘者尚有孫傅、張叔夜、何㮚、司馬朴，獨檜回南。自言殺監己者奪舟而來，然與妻王氏及婢僕一家同逃，以此爲當時所疑。金人固不必其時即一意欲

和，要之不失爲一著遠遠的閒棋，而終於在這一著閒棋上得了勝算。建炎二年六月，檜在金曾爲徽宗草書與粘罕（宗維）議和；金人必夙知其能任此事，故特放歸。（金宣宗議遷汴，其臣孫大鼎上疏，亦謂：「既不可以威取，復結怨之已深，勢難先屈，陰有以從，遂縱秦檜以歸，一如忠獻（粘罕謚）所料。」則金臣固不諱而明言之也。）

同時高宗亦畏金，久想乞和。

初立時不信李綱、宗澤，而用黃潛善、汪伯彥，從歸德退避到揚州。渡江後，金兵北去。又不肯到建康，而居臨安。皆是畏金的表示。建炎元年，即遣祈請使赴金，名爲請還二帝，實則意在乞和休兵。

而劉豫則與宋勢不兩立。（宋政權存在，劉豫即難安全，其處境不啻張邦昌。）又不能獨力對宋。豫爲宋敗，自然只有乞援於金。如是則劉豫並不能爲宋、金交兵之緩衝，而實做了宋、金言和之障礙。（紹興三年，宋使王倫自金還，金粘沒喝（宗翰）已對倫吐露許和意。惟以宋廷方謀討劉豫，其議遂格。紹興四年，趙鼎相，金、齊分道入寇，鼎決議親征，捷於大儀，金、齊俱退。五年，楊么平，東南無盜患。六年，僞齊入寇，又有藕塘之捷。）這一層不久便爲金人所了解，於是便毅然廢棄劉豫，（在紹興七年。）而直接與宋言和。（主立豫者爲撻懶，而主廢豫者亦爲撻懶。王倫再自金還，撻懶送之，曰：「好報江南，自今道途無壅，和議可成。」則金之態度，居可見矣。）

和約大體如次：

一、許宋稱臣。

建炎二年，高宗已使祈請使宇文虛中稱臣奉表於金。故稱臣爲宋高宗自己請求之條件。

二、以河南、陝西地予宋。

黃河南岸，金既無法顧及，則已廢劉豫後，自然直接歸還宋室，只要宋室不向黃河北岸啓釁。

三、并歸梓宮及高宗生母韋太后。

金人所虜，徽宗及鄭后爲高宗父母。韋賢妃是高宗生母。欽宗及朱后爲高宗兄嫂。邢夫人爲高宗妻。朱后於北虜時道殂，徽宗、鄭后於紹興五年崩。金廢劉豫，即揚言欲送回淵聖，（即欽宗。）擁立之於南京，（歸德。）蓋隱以此爲對高宗之一種要挾。故秦檜云：不和則太后（韋賢妃。）不歸，而金且擁立欽宗。（金使北還，王倫偕行，趙鼎告以：「上登極既久，四見上帝，君臣之分已定，豈可更議？」足見當時金使必以歸淵聖復辟相要挾也。時秦檜力勸屈己議和，鼎持不可，鼎卒罷相。）及後和議定，金人許歸徽宗、鄭后、邢后之喪，（邢后卒於紹興九年。）與帝母韋后，而朱后之喪及欽宗獨留不遣。

紹興九年正月，王倫充奉護梓宮迎請皇太后交割地界使北行赴金，並不及淵聖。以後屢次通使，均無奉迎淵聖語。可見非金不許，乃宋自不請。建炎三年苗、劉之變，已謂：「將來淵聖皇帝來歸，不知何以處？」太后詔：「敵人以皇帝不當即位，兵禍連年，今宜稱皇太弟。」高宗正以乞和易得自己皇位之承許，與欽宗之長拘也。

韋后南旋，將發，欽宗赴車前泣曰：「歸語九哥（高宗。）與丞

相，（秦檜。）我得爲太乙宮使，足矣，他不敢望。」后許之，且誓而別。及歸，始知朝議不欲欽宗南歸，遂不敢言。張邵與秦檜書，言金人有歸欽宗意，斥爲外祠。金使來取趙彬輩三十人家屬，洪皓請俟淵聖及皇族歸乃遣，遂謫外。是皆檜之所以獨得高宗之眷顧也。

當時宋臣對和議一致反對。（最要者在第一款。金爲宋之大仇，向之屈膝稱臣，道義上萬萬講不過。高宗只得專以韋太后爲口實。時反對和議最烈者爲胡銓，上書極論，都人喧騰，數日不定。高宗謂秦檜曰：「朕本無黃屋心，今橫議若此，據朕本心，惟有養母耳。」銓遂遠謫。）只有秦檜，一方知道金國之內情，（若金國不渴欲議和，或秦檜不深知金人欲和之真情，則檜在南方，亦不敢獨排衆議，力主和局。因和乃雙方事，萬一一方肯和，一方不肯，和局即破。檜無把握，不肯冒昧肩此重擔。魏矼爲檜力陳敵情難保，檜曰：「公以智料敵，檜以誠待敵。」矼曰：「相公固以誠待敵，第恐敵不以誠待公。」夫檜豈以誠待人者？檜自以智料敵，而魏矼輩特爲檜所蒙耳。）一面窺破高宗之隱私，（紹興八年之和議，高宗態度極堅決。以前高宗欲和，由畏懼金兵，故不聽李綱、宗澤，而用黃潛善、汪伯彥。現在是深恐金人擁立欽宗，於己不利，故又重用秦檜。）遂出來力主和議，因此再登相位。

秦檜第一次相在紹興元年八月，其時檜主「南自南，北自北」，以河北人還金，中原人還劉豫，與金人「還俘畫江」之議脗合。故知檜之與金，當先有默契。惟其時南宋國勢漸穩定，高宗畏金心理漸淡，故每每游移於和戰兩途間。帝謂：「檜議南自南、北自北，朕北人，將安歸？」然終謂檜樸忠過人。蓋檜之敢於出負和議重任之一點，已爲高宗所賞識矣。檜於紹興二年六月罷相，及金人廢劉豫，揚言「請汝舊主人少帝（欽宗。）來此坐位」，高宗乃又一意求和。七年十一月豫廢，而八年三月，秦檜復爲右僕射。高宗與檜君臣互爲狼狽，朱子謂：「檜藉外權以專寵利，竊主柄以遂姦

謀。」蓋實語也。靖康時，金人攻汴，求三鎮，檜上兵機四事，力闢和議，遂以知名。後相高宗，力持和議，謂曾開曰：「公自取大名以去，如檜但知濟國事耳。」自前言之何其激，自後言之何其平。檜之爲人，先後不符，誠大奸哉！

南方一致反對和議的空氣，好容易爲秦檜所壓下，而北方對和局的政策忽然變了。

蒲盧虎、宗磐。訛魯觀宗雋。以謀叛被誅，撻懶亦以與宋交通罪見殺。緩進派失敗，急進派兀朮等。得勢。他們反對和議的主要點在第二條，放棄河南劉豫故地。

紹興九年，金兀朮毀成約，執宋使，分道南侵，再取河南、陝西州郡，宋亦出兵。因對方主戰，而這一面的主戰派重見抬頭。

宋兵在這一次戰事中，得到好幾回勝利。如：

劉錡順昌之捷。此捷最著，在十年六月。宋汝爲上丞相書謂：「承平日久，人不知兵，今諸將人人知奮，故順昌孤壘，力挫敵鋒，使之狼狽逃遁。」繫年要錄引順昌破敵錄：「兀朮未敗，秦檜已奏俾錡擇利班師。」

吳璘扶風之捷。事在紹興十年六月。璘屢敗金人，亦以有詔班師而止。

岳飛郾城之捷。郾城之捷在十年七月。六月，命司農少卿李若虛往湖北京西宣撫使岳飛軍前計事，若虛見飛於德安府，諭以面得上旨，兵不可輕動，宜且班師。飛不聽，若虛曰：「事既爾，勢不可還。矯詔之罪，若虛當任之。」飛遂進兵。是役金史阿魯穎傳，亦言飛襲取許、穎、陳三州，旁郡皆響應。惟相傳飛軍至朱仙鎮，始見於岳飛孫珂之金陀粹編，而李心傳繫年要錄、徐夢莘北盟會編皆不載。又繫年要錄謂：「飛既得京西諸郡，會詔書不許深入，始傳令回軍。軍士應時皆南鄉，旂靡轍亂。飛望之口呿不能合，良久曰：『豈非天乎！』」惟飛軍之得利，要爲事實。繫年要錄又載飛將梁興渡河趨絳州事，金史宗弼傳亦謂：「出兵涉河東，駐嵐、石、保德之境，以相牽制」，則飛兵勢遠及河北，亦事實也。

劉錡等柘臯之捷。事在紹興十一年二月。

金人主戰派銳氣已挫，於是重伸和議。在紹興十一年。若金兵得利，則和局不能再成。條約大要如次：

一、宋稱臣奉表於金。金主册宋主爲「皇帝」。金曰「下詔」，宋曰「奉表」。「大宋」去「大」字，「皇帝」去「皇」字。金使來廷，皇帝起立，問金主起居，降坐受詔。館伴之屬，皆拜金使。宋使至金，同於陪臣。金主生辰及正旦，遣使致賀。

二、宋歲輸銀、絹各二十五萬兩、匹。金使至，又有餽贈。大使金二百兩、銀二千兩，副使半之，幣帛稱是。

三、東以淮水，西以大散關爲界。宋割唐、鄧二州，及陝西餘地。

就當時國力言，宋兵並非不能抗金。兩國情勢，不能以靖康爲例。

一、因將帥人材不同　靖康時，中國太平已久，人生不見兵革，廟堂之相，方鎮之將，皆出童貫、蔡京、王黼、梁師成之門，無一可倚仗者。至南渡諸將帥，皆自營伍戰陣建功自顯。陳亮所謂「人才以用而見其能否」，又曰：「東西馳騁而人才出。」韓、岳諸將皆一時良選也。而金則老帥宿將，日就死亡，所用之人，未能盡如開國時之盛。

二、因南北地理不同　金以騎兵勝，在大河南北，平原曠野，東西馳突，爲其所利。及至江淮之間，騎兵失所便。王庶謂：「淮上虛荒，地無所掠，大江浩渺，未可易渡，兵勢不同曩

時」，是也。呂頤浩疏：「臣頃在鄜延、環慶路，見我師與夏人接戰，每迭勝迭負，未有敗衄如今日之甚者。蓋皆山險之地，騎兵非所利也。金人起燕、薊，歷趙、魏，至汴宋，皆平原曠野，騎兵馳突，步人不能抗。」今按：金勢之挫，亦始於關陝。如吳玠和尚原、仙人關諸捷是也。

三、因兵甲便習不同

北族以騎勝，宋非不知，故北宋防遼，常開塘濼植榆柳以限馬足，唐書地理志：「漁陽有平虜渠，傍海穿漕以避海難。又其北漲海爲溝以拒契丹，皆神龍中滄州刺史姜師度開。」則此制已遠始唐代。又有拒馬車、陷馬槍等兵器。惟承平久則漸弛。熙寧六年置軍器監，兵械精利，稱於一時。然至徽、欽時又濫惡。呂頤浩疏：「臣嘗觀夷人之軍，兵器便利，衣甲堅密，所以多勝；中國之兵，兵器不便利，衣甲不堅密，所以多敗。夷人皆是民兵，平時賦斂至薄，而緩急以丁點軍，器甲鞍馬，無非自辦。平時家居，日逐擐甲冑而習弓矢，所以器甲各適用。中國之軍莫非黥卒，器甲從官給，身軀短小者或得長甲，修長者或得短甲，不能挽七斗弓者或授以一石弓，力能勝兩石弩者付之以三石弩。致弓弩不適用，反與短兵同。寒饑之卒，無力自辦器甲。」今按：此爲宋、金初交兵時强弱勝負一大原因。不僅器甲弓弩不適用，亦以承平日久，官庫器甲率皆朽鈍，雖有若無，宜不能與塞外以戰鬬爲生命之新起民族相較。然積之十數年，各軍自謀生存，此等弊病漸漸革除。韓、岳有「背嵬軍」，皆別置親隨，精選軍中勇健者充之，屢建戰功。順昌之戰，兀朮責諸將喪師，皆曰：「南朝用兵非昔比，元帥臨陣自見。」兀朮用「鐵浮屠軍」，皆重鎧甲，戴鐵兜鍪，錡軍以鎗標去其兜鍪，大斧斷其臂，碎其首。又兀朮「拐子馬」，而岳飛以麻紮刀入陣破之。以長刀、長斧破騎兵，郭子儀敗安祿山已然。軍事必漸習而强，不能因其初

弱，疑其後盛。而金人多用簽軍，亦不如其初起部族軍之强悍。

四、因心理氣勢不同　繫年要錄卷三十七謂：「金人犯中國，所過名都大邑，率以虛聲喝降，如探囊得之。積勝之威，直至兀朮渡江，南兵皆望風披靡。」汪藻論諸將，（時在建炎四年。）謂：「張俊守明州，僅能少抗，敵未退數里間，遽狼狽引去，使明州無噍類。韓世忠八、九月間（兀朮渡江在十一月。）已掃鎮江所儲，盡裝海舶，焚城郭爲逃遁計。」此皆金兵先聲奪人，使諸軍無鬬志。其後兀朮在江南，形勢窮蹙，自引北去，韓世忠遂橫截之於江中。縱謂因金人飽掠，韓之兵卒利其財物，然其時韓軍膽量，畢竟與前不同。世忠以八千人與金兵十萬相持凡四十八日，自是金兵不復再有渡江之志。世忠一人，前後勇怯迥異，正爲當時諸將於積敗之後，漸漸神志甦醒、勇氣復生之一好例。後世讀史者專據如汪藻等疏，以建炎以前事態，一概抹殺紹興之抗戰、實爲不明當時心理氣勢轉變之情形。（宋人自言十三處戰功無黃天蕩，蓋是役雖相持近五十日，而韓軍終敗。然其先已有張俊明州城下之捷，爲十三處戰功之第一處。又有陳思恭太湖之捷，繼之遂有黃天蕩之拒戰。要之宋軍不復如以前之望風奔潰，確然爲事實也。）

五、因地方財力不同　宋削方鎮太過，然太祖時，如環州董遵誨、西山郭進、關南李漢超，皆尚優其祿賜，寬其文法。諸將財力豐而威令行，間諜精審，吏士用命，故能以十五萬人而獲百萬之用。（張方平語。）而其時如江淮諸郡，皆毀城隍，收兵甲，撤武備，書生領州，大郡給二十人，小郡減五人，以充常從。號曰長吏，實同旅人。名爲郡城，蕩若平地。（王禹偁語。）北方自太宗

以下，亦漸隳祖法。故時臣謂舉西北二垂觀之，若濩落大瓠，外示雄壯，其中空洞了無一物。（葉清臣語。）欲兵之强，莫如多穀與財。（宋祁語。）而熙寧以來，財務益集中，州郡廂兵亦籍歸中央，爲置將領。地方無財無力，何以應急？南渡以來，諸將擅兵於外，稍自攬權，財力漸充，兵勢自壯。高宗、秦檜，乃亟亟以收武臣兵柄，集權中央爲務，至不惜屈膝金夷。何不對諸帥稍假借，猶足勉自樹立也！胡寅論當時軍隊，（輪對箚子，見斐然集，文中有云：「陛下克己臨政，九年於此」，則在紹興五年也。）謂：「不屯田積粟，開口待哺。功狀皆言不令斫級，行賞至於全隊轉授，以官命隊。煮海榷酤之入，奄而有之。闤闠什一之利，半爲所取。衣糧仰給大農，器械取於武庫。總兵者以兵爲家，自建炎以來，易置宰執凡四十餘人，獨將帥不可進退。近者四、五年，遠者八、九年，軍籍何自而無缺？」此皆所謂文史之見，乃爲秦檜所借口。葉正則論四屯，亦極斥當時軍隊紀律之壞，而曰「秦檜慮不及遠」，則出事後持平之論也。

縱說宋軍一時不能恢復中原，直搗黃龍，然使宋室上下決心抗戰，金兵亦未必能再渡長江。强敵在前，正是策厲南方奮興振作的一個好材料。惜乎高宗自藏私心，一意求和。（殿中侍御史常同言：「先振國威，則和戰皆在我；一意議和，則和戰常在彼。」且紹興十一年之和議，實爲戰勝而議和，戰勝而割地，更與紹興八年情節不同。）對內則務求必伸，對外則不惜屈服。

高宗非庸懦之人，其先不聽李綱、宗澤，只是不願冒險。其後，不用韓、岳諸將，一意求和，則因別有懷抱。紹興十一年淮西宣撫使張俊入見，時戰事方殷，帝問：「曾讀郭子儀傳否？」俊對以未曉。帝諭云：「子儀時方多虞，雖總重兵處外，而心尊朝廷。或有詔至，即日就道，無纖介快

望。故身享厚福，子孫慶流無窮。今卿所管兵，乃朝廷兵也。若知尊朝廷如子儀，則非特一身饗福，子孫昌盛亦如之。若恃兵權之重，而輕視朝廷，有命不即稟，非特子孫不饗福，亦有不測之禍，卿宜戒之。」此等處可見高宗並非庸弱之君。惟朝廷自向君父世仇稱臣屈膝，而轉求臣下之心尊朝廷，稍有才氣者自所不甘，故岳飛不得不殺，韓世忠不得不廢。紹興八年，趙鼎言：「士大夫多謂中原有可復之勢，請召諸大將問計，恐他時議論，謂朝廷失此機會。」帝曰：「不須恤此，不和則梓宮、太后、淵聖無可還之理。」湖北京西宣撫使岳飛請增兵，帝曰：「上流地分誠闊遠，寧與減地分，不可添兵。尾大不掉，古人所戒。」是高宗決心對內加强統治，而無意於對外恢復，其意態豈不十分鮮明乎？

岳飛見殺，正士盡逐，國家元氣傷盡，再難恢復。這卻是紹興和議最大的損失。

朱子語類：「門人問中興將帥還有在岳侯上者否？朱子凝神良久，曰：『次第無人。』」武穆卒時，朱子已二十餘歲，豈有見聞不確？武穆對高宗曰：「文官不愛錢，武官不怕死，天下自平。」能道此十字，武穆已足不朽矣。古今人自有不相及，近人以當世軍閥誤疑武穆，非也。

金人得此和議，可以從容整理他北方未定之局。一面在中原配置屯田兵，事始紹興十年十二月。一面遷都燕京。事在紹興二十三年。本都上京，在吉林哈爾濱東之阿城縣南方。中間休息了二十年，結果還是由金人破棄和約，而有海陵之南侵。事在紹興三十一年。金主亮弑熙宗，又遷都汴，遂大舉南伐，幸爲虞允文敗於采石磯，金兵殺亮北還。又按：紹興十七年，兀朮死，尚言：「南軍勢强，宜加好和，十數年後，南宋衰老，然後圖之。」南方自和議後，

秦檜專相權十五年，卒在紹興二十五年。忠臣良將，誅鋤略盡。察事之卒，布滿京城，小涉譏議，即捕治，中以深文。而阿附以苟富貴者，爭以擠陷善類爲功。自檜用事，易執政二十八人，皆世無一譽，柔佞易制者。秦檜主和，自謂「欲濟國事」，試問和議完成後，檜之政績何在？則其爲人斷可見矣。夫對外和戰，本可擇利爲之。而自檜以後，遂令人竟認對外主和爲正義公論所不容。明懷宗以不敢與滿洲言和誤國，則檜猶不僅爲南宋之罪人矣。

人才既息，士氣亦衰。高宗不惜用嚴酷手段，壓制國內軍心士氣，對外屈服，結果免不了及身再見戰禍，亦無顏面再臨臣下，遂傳位於孝宗。在紹興三十二年。

孝宗頗有意恢復，然國內形勢已非昔比。

前有將帥，無君相。今有君相，無將帥。朱子言：「言規恢於紹興之間者爲正，言規恢於乾道以後者爲邪。」故當孝宗初政，朱子上封事陛對，尚陳恢復之義，後乃置而不論。淳熙十五年戊申十一月上封事，謂：「區區東南，事猶有不勝慮者，何恢復之可言乎！」遂極論當時弊政。而孝宗則謂：「士大夫諱言恢復，不知其家有田百畝，內五十畝爲人强佔，亦投牒理索否？士大夫於家事則人人理會深，於國事則諱言之，此其志可知矣。」不知力言恢復者，早已於高宗時誅逐殆盡。人才

士氣，須好好培養。不能要他即有，不要他即無。一反一覆，只有讓邪人乘機妄爲。

適金亦方盛。

時爲金世宗，在位二十八年，號稱文治。一時有「小堯舜」之譽，文物遠勝遼、元。然大定中亂民獨多。時金上下已漸染華風，金主嘗謂宰臣曰：「朕嘗見女直風俗，迄今不忘。今之飲讌音樂，皆習漢風，非朕心所好。東宮不知女直風俗，第以朕故猶尚存之，恐異日一變此風，非長久之計。」又禁女直人不得改漢姓，學南人衣裝，犯者抵罪。又曰：「女直舊風，凡酒食聚會，以騎射爲樂，今則弈棋雙陸。宜悉禁止，令習騎射。」又曰：「遼不忘舊俗，朕以爲是。海陵習學漢人，是忘本也。」金主對於種族之見，深摯如此，其行政措心，如何得平？則宜乎亂民四起矣。是金人統治中原，始終未臻穩定之地位。宋能惕厲自强，始終不以和局苟安，未見必難恢復也。就實際言，則當時南方政治尚不如北方。

僅得稍改和約。

宋主稱金主爲「叔父」。宋得稱「皇帝」，改「詔表」爲「國書」，易「歲貢」爲「歲幣」，餘禮不能盡改。

歲幣銀、絹各減五萬兩、匹。

疆界如紹興時。

孝宗抱志未伸，亦不願老做此屈辱的皇帝，遂禪位於光宗。光宗又禪寧宗，乃鬧出韓侂冑

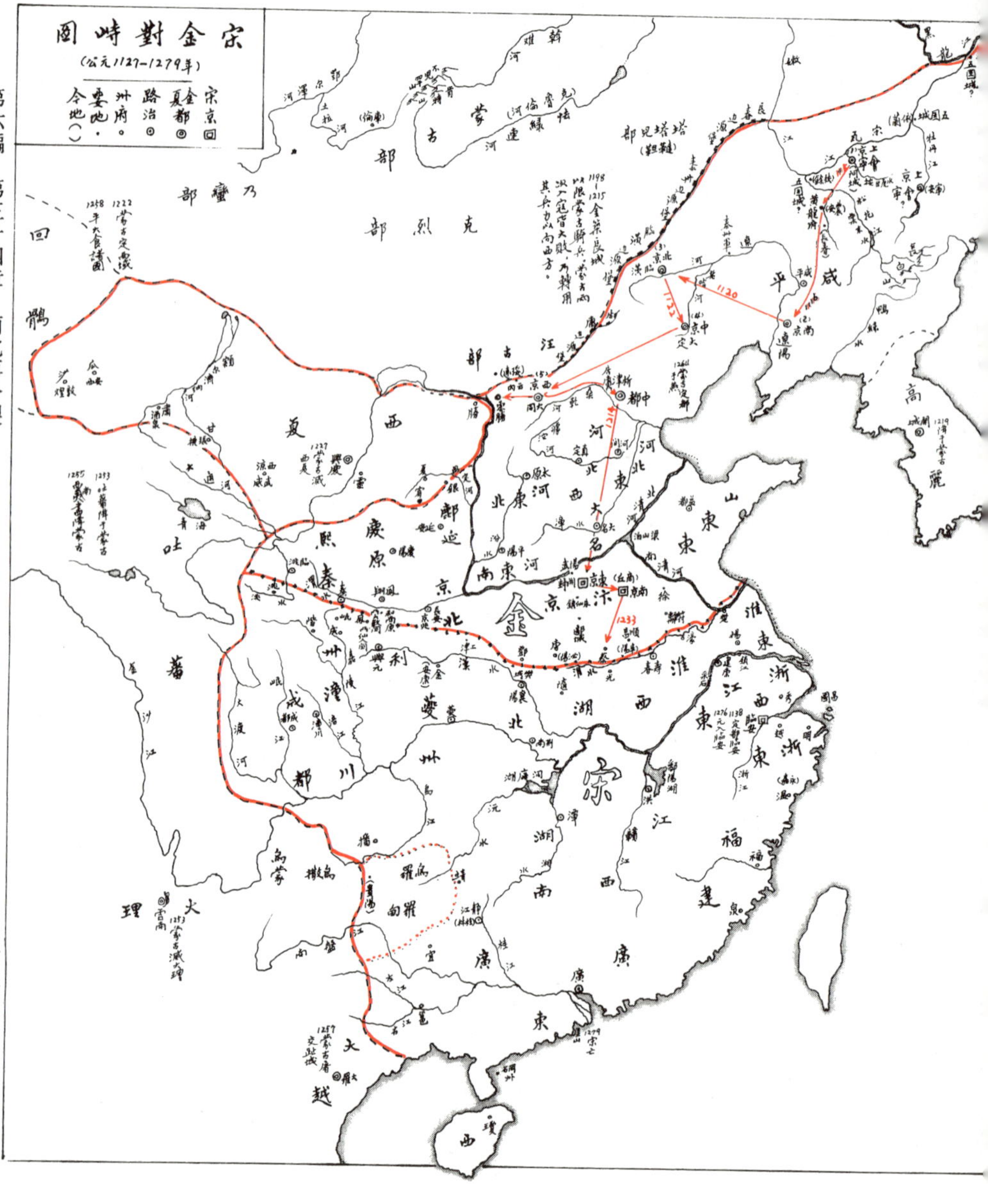
宋金對峙圖
(公元1127-1279年)
宋京 回
金夏都 ◎
路治 ◎
州府 。
要地 ・
今地 ( )
金
宋
高麗
大理
吐蕃
回鶻

的北伐。（侂胄乃寧后韓氏之季父，排趙汝愚得政，因此遂極爲當時士大夫清議所鄙厭。宋人雜說小記有云：「許及之對之屈膝，遂命同知樞密院事。值侂胄生辰，及之後至，閽者拒之，俯由門中閘僂而入。時稱『由竇尚書，屈膝執政』。侂胄與衆賓飲南園，過山莊，顧竹籬草舍，曰：『此真田舍間氣象，但欠犬吠雞鳴。』俄聞犬嗥叢薄間，視之乃侍郎趙師睪也。程松市一妾獻侂胄，名曰『松壽』。侂胄曰：『奈何與大諫同名？』（時松爲諫議大夫。）曰：『欲使賤名常達鈞聽，亦得同知樞密院。』」此等事未知盡可信否。要之，此一大臣集團，在其國内未能得多數之擁戴與信任，則斷可知。宋本積弱，侂胄初得政，即魯莽用兵，其惟有誤國則亦宜矣。）

結果宋兵敗求和，殺韓侂胄自解。（自孝宗和定以來，又四十餘年。）和約如次：

宋金爲「伯姪」。（如靖康故事。）

銀、絹各增十萬兩、匹。（宋別犒軍三百萬兩。）

餘如舊。

然侂胄兵敗議和之年，即蒙古鐵木真稱帝斡難河之歲。此後宋、金皆衰，只坐待著蒙古鐵騎之來臨。（史彌遠繼侂胄後，相寧宗十七年；立理宗，又獨相九年。賈似道繼之，襄陽圍已急，尚坐葛嶺，與羣妾鬬蟋蟀。私與蒙古議和而稱鄂州圍解，詔論功行賞。元人來申好，且徵歲幣，則密令拘之。以利啖太學生，厚其餽給，諸生啖其利而畏其威，亦莫敢言者。南宋自秦檜以下，相臣皆非，遂以不振。至成吉思汗之伐金，距海陵南遷，不過五十八年，而女真已衰。則金、宋之存，正因其互不振作而已。）

五　南宋之財政

宋之南渡，對金既不能伸其撻伐，屈膝求和，則惟有敲脂剝髓，以奉歲幣；而其國内又仍

不得不養軍以自守；於是財用遂陷絕境。

南宋疆域，較之全宋時僅及其半，而其國用賦入，乃超出於全宋之最高額。陳止齋云：「方今版圖僅及承平之半，而賦入過宣和之數。」是也。

當時學者至謂「自有天地，財用未有如今日之比者」。葉水心語。

葉水心外稿應詔條奏財總論有云：「祖宗盛時，收入之財，比於漢、唐之盛時一再倍。熙寧、元豐以後，隨處之封樁，役錢之寬剩，青苗之結息，比治平以前數倍。而蔡京變鈔法以後，比熙寧又再倍。渡江以至於今，其所入財賦，視宣和又再倍。」

若以追比唐代，徵斂之目，所增且十倍。

李心傳建炎以來朝野雜記論宋代丁錢本末，謂：「唐初之庸，楊炎已均入兩稅，而後世復有差役，是取其二。王安石令民輸錢免役，而紹興以後所謂耆戶長、保正雇錢復不給，是取其三。又有丁錢，是取其四。一有邊事，免夫之令又不得免，是力役之征，取其五矣。若論調，則有折稅，有和預買，川路有激賞，東南有丁絹，是布縷之征亦三矣。論租，則有稅米，有義倉，有和糴，而斗面加耗之輸不與，是穀粟之征亦三矣。通而論之，蓋用民力，已超唐十倍，民安得不困？」

然此猶曰正供也。其他雜取無藝，更不堪言。舉其尤著，有曰「經、總制錢」者。

經制起於宣和，總制起於紹興。所謂經制錢者，由宣和末陳亨伯爲經制使所創之一種雜征，建炎中復行之。紹興五年，以總制司爲名，遂因經制之額又增析爲總制錢。其法如添酒錢、添賣糟錢、典賣田宅增牙稅錢、官員等請給頭子錢、樓店務增三分房錢等，當時謂其「斂之於細而積之甚衆」者是也。

又有曰「月椿錢」者。

此制亦起於紹興，以軍資供億，令本路計月椿辦，故名。當時稱其「名色類多違法，最爲一方細民之害」者。其可數說者，有麴引錢、納醋錢、賣紙錢、戶長甲帖錢、保正牌限錢、折納牛皮筋角錢；訟者敗有罰錢，勝則令納歡喜錢。

又有曰「板帳錢」者。

此亦軍興後所創。時稱：「輸米則增收耗剩，交錢則多收縻費。幸富人之犯法而重其罰，恣胥吏之受贓而課其入。索盜贓則不償失主，檢財產則不及卑幼。亡僧絕戶，不俟覈實而入官。逃產廢

田，不爲消豁而抑納。」諸如此類，有司固知其非法，蓋以板帳額重，亦別無他策也。

其尤無理者曰「折帛錢」。

折帛原出於和買，其制始北宋咸平中。方春預支錢與民濟其乏，至夏秋令輸絹於官。是則其先由官給錢，故稱「預買」。繼則官不給錢而白取，又後則反令以每匹之價折納現錢而謂之「折帛」。陳止齋曰：「今之困民莫甚於折帛。然建炎初行折帛止二貫，戶部每歲奏乞指揮，未爲常率。四年爲三貫省。紹興二年爲三貫五百省，四年爲五貫二百省，五年七貫省，七年八貫省，至十七年有旨稍損其價。」林大中、楊萬里疏，皆謂「兩縑折一縑之直」也。

州郡上供錢亦逐年增升，極朘削之能事。

淳熙五年，湖北漕臣言：「鄂、岳、漢陽自紹興九年所收財賦，十分爲率，儲一分充上供。如十三年年增二分，鄂州元儲一分錢一萬九千五百七十緡，今已增至一十二萬九千餘緡；岳州五千八百餘緡，今增至四萬二千一百餘緡；漢陽三千七百緡，今增至二萬二千三百餘緡。民力凋弊，無所從出」云云，是尚在孝宗時也。

南宋政府，所以取於民者如此，其民烏得而不困，其國亦烏得而不亡！

六 南宋金帝系及年歷

(一)南宋

太祖

- (一)高宗(三六) 紹興議和。金亮南侵。
- (二)孝宗(二七)(太祖七世孫) 張浚符離之敗。乾道和議。
- (三)光宗(五)
- (四)寧宗(三〇) 韓侂胄。蒙古成吉思汗始立。
- (五)理宗(四〇)(太祖十世孫) 史彌遠。賈似道。十年金亡。

(六)度宗(理宗姪)(一〇)

元伯顏入杭州。

(八)端宗(二)

(七)恭帝(一)

(九)帝昺(二)

南宋凡九主，一百五十三年。

(二)金

(一)太祖阿骨打(八)——宗熙——(三)熙宗(一四)

紹興和議。始置屯田兵。

(二)太宗吳乞買(一二)

滅遼、降夏、破汴，虜宋二帝。

——宗幹——(四)廢帝亮(一二)

遷都燕。南侵。

宗輔

(五)世宗(二九)

乾道和議。

金至是盛染華風。

太子允恭

(七)廢帝永濟(五)

(六)章宗(一九)

蒙古成吉思汗始立。

(八)宣宗(一〇)

蒙古始南侵。

徙汴。

(九)哀宗(一一)

徙蔡。

金亡。

金九主，百二十年。

第七編　元明之部

第三十五章　暴風雨之來臨 蒙古入主

一　蒙古之入主

南宋代表的是中國的傳統政權，他漸漸地從北方遷到南方，而終於覆滅。蒙古民族入主中國，中國史開始第一次整個落於非傳統的異族政權的統治。中國的政治社會，隨著有一個激劇的大變動。蒙古入主，對中國正如暴風雨之來臨。

蒙古的兵力，震鑠歐、亞兩洲。在蒙古騎兵所向無敵的展擴中，只有中國是他們所遇到的中間惟一最强韌的大敵。他們分著好幾個步驟，纔把整個中國完全吞併。

蒙古未入中國以前之世次

- (一)太祖鐵木真(成吉思汗)(一二三)
  - 宋寧宗開禧二年即位，理宗寶慶三年卒。
  - 統一蒙古。
  - 滅夏。
  - 取金河北地。
  - 伐西域諸國。
  - 進兵東歐，大破俄軍。
  - 朮赤——拔都(欽察汗 鹹海、裏海以北，西伯利亞一部，歐俄之大部。)
  - 察合台(察合台汗 東至天山，西至西爾河。)
  - (二)太宗窩闊台(一七)(窩闊台汗 跨新疆額米爾河兩岸。)——(三)定宗(五)
    - 滅金。
    - 破莫斯科。
    - 西侵直至意大利之威尼斯。
  - 拖雷
    - (四)憲宗(九)
      - 西征。
      - 滅大理，定吐蕃、交趾。
    - (五)世祖忽必烈
      - 滅宋。
    - 旭烈兀(伊兒汗 米索不達米亞、小亞西亞、敍里亞諸地。)

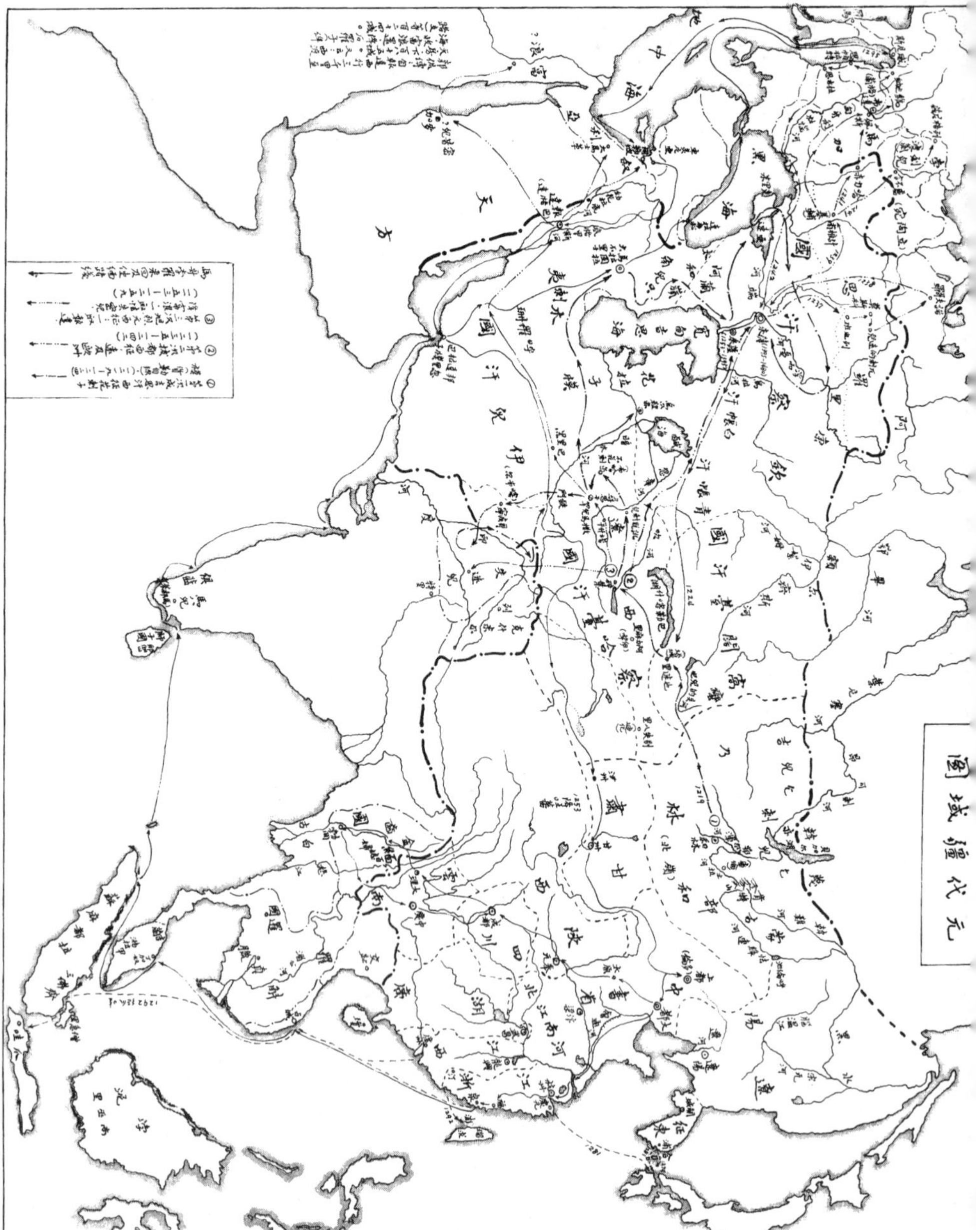
元代疆域圖

自成吉思汗即位，至忽必烈滅宋，凡歷五世，七十四年。

那時中國本分三部：一宋、一金、一夏。而元人用兵，亦分三大步驟。先取金黃河以北地，滅夏。再取金黃河南岸。再得長江流域及南方，滅宋。而每一階段，皆費了不少的力量。

金人既失河北、山東、關陝，併力守河南，成吉思汗賫恨而卒。成吉思汗道卒於六盤山，臨卒謂左右曰：「金精兵在潼關，南據連山，北限大水，難以遽破。宋、金世讎，若假道於宋，下兵唐、鄧，直擣大梁，破之必矣。」此後蒙古兵果自唐、鄧下汴。

其後自紹定元年至六年，蒙古人費了六年的力量，纔算把汴京打下。

金哀宗走蔡州，宋兵與蒙古合圍，逾年始陷。

至蒙古與宋啓釁，亦用大迂迴的戰略，先從西康繞攻大理，事在理宗淳祐十二年、寶祐元年。再回攻荊襄。但只攻陷襄陽一城，自度宗咸淳四年至九年。已先後費時六年。圍樊城亦四年。

自襄陽陷後至宋滅，自咸淳十年起。又六年。

如無劉整、呂文煥之降，宋尚不致速滅。金兀朮雖渡江，而無擁衆降附之人，即不能安而去。又元世祖多用漢人，如王文用、劉秉忠、許謙、姚樞、史天澤、張文謙、宋子貞、董文炳、楊果、賈居貞、董文忠、趙良弼、劉肅、李昶、徐世隆、竇默、王鶚、董文用、商挺、郝經之流，故元在北方，政治已略有規模，得

以繼續南侵。及既滅宋，漢臣漸疏，元政亦衰。

中國疆境遼廓，到處崇山大水。天然的形勢，既極壯偉，又富變化。而且列城相望，百里之間，必有一城。以此蒙古兵雖橫行全世界，宋、金雖均已積弱，而就蒙古兵隊征服的各地而言，只有中國是最强韌、最費力的一處。五胡係就中國內部起變亂，然始終未侵及長江流域。金承遼後，亦只佔到黃河兩岸而止。秦、漢間之匈奴，隋、唐間之突厥，皆以數十年積强之勢，乘中國之內亂，而未能入塞逞志。近人治國史，每謂中國易受外族侵凌，意在警策國人之奮發，非史實也。

蒙古人既得中國，遂把他主腦部分遷來，造成中國史上一種新的統治階層，綿歷一百餘年之久。

二　元代帝系及年歷

（　）——（六）泰定帝（四）——（七）天順帝（一）

（一一）順帝（三六）

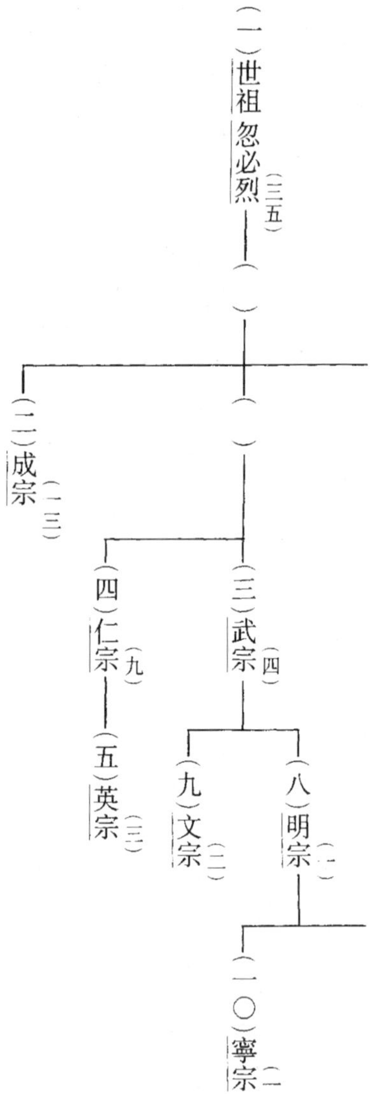

元代入主中國，凡十一主，一百零九年。（自滅宋凡九十年。除世祖、順帝外，中間九主共僅三十九年。）

三　元代之政治情態

在此百有九年中，世祖的三十餘年，幾於無歲不用兵。甫定南宋，（世祖以至元十六年滅宋，此下尚有十五年。）又規海外。內用聚斂之臣，外興無名之師，嗜利黷武，並不能在文治上樹立基礎。

此下因蒙古未有早定儲位之制度，帝位相續，均由諸王大臣擁戴，故屢起紛爭。（此自憲宗、世祖時已然。武

宗以下，權臣負擁立功，擅威福者三十年。直至順帝而國亡。

且蒙古恃其武力之優越，其未入主中國以前，已有本部及四大汗國，疆土跨亞、歐兩洲。故其來中國，特驚羨其民物財富之殷阜，而並不重視其文治。太祖西征以後，倉廩府庫，無斗粟尺帛。中使別迭等僉言：「雖得漢人亦無所用，不若盡去之，使草木暢茂以爲牧地。」太祖然其言，以耶律楚材諫而止。直至世祖入治中國，此種觀念仍未徹底變去。故元之諸帝，多不習漢文，甚至所用官吏，有一行省之大而無人通文墨者。崔斌傳，世祖時尚書留夢炎等奏：「江淮行省無一人通文墨者。」至元二十九年，河南、福建行省請詔用漢語。詔以蒙古語諭河南，漢語諭福建。

因此其政治情態，乃與中國歷來傳統政治，判然絕異。

第一最著者，爲其政治上之顯分階級，一切地位不平等。

元代依種類分四等。

一、蒙古。亦稱「國人」。

二、色目。包括西域各部族，共三十餘族。亦稱「諸國人」。

三、漢人。即黃河流域之中國人，原受金人統治者。

四、南人。即長江流域及其以南之中國人，爲南宋所統治者。

此四階級在政治上之待遇，顯分優劣。

漢人、南人不爲正官。

丞相平章政事、左右丞諸職，漢人不得居。參知政事，中葉後，漢人爲者亦少。

終元世非蒙古而爲丞相者止三人。內一係回回人，漢人爲史天澤、賀惟一二人。史在世祖時。賀則已在順帝時，初以爲御史大夫，猶賜姓拓跋，改名太平，而始得之。金史文藝傳謂：「世宗、章宗之世，庠序日盛，士由科第位至宰輔者接踵，以元方之蔑矣。」

世祖時，南人間有入臺省者。成宗以後，臺省有漢人，無南人。

至元以下，執政大臣多由吏進。虞集經世大典敍錄：「元入官之制，自吏業進者爲多，卿相守令於此焉出，故補吏法最爲詳密。」蘇天爵滋溪集亦謂：「國家用人，內而卿士大夫，外則州牧藩宣，大抵多由吏進。」

中州小民粗識字能治文書，得入臺閣共筆劄，積日累月，可致通顯。士人則見用者益寡。南人地遠，不能自至於京師，其士人又往往不屑爲吏，故見用者尤寡。余闕語，見續通典二十二。

余闕謂：「因此南北之士，亦自町畦相訾，甚若秦、晉不可同中國。故夫南方之士微矣。」可見當時中國士人在政治上地位特微，而南方士人的地位更微。又按：金世亦有漢人、南人之分。先取遼地人爲漢人，繼取宋河南、山東人爲南人。金世宗謂賀揚庭曰：「南人獷直敢爲，漢人性姦，臨事多避難。異時南人不習詩賦，故中第者少。近年河南、山東人中第者多，殆勝漢人」云云。謂「漢人性姦，臨事多避難」者，以其人久陷異族，受迫茹荼之久，而德性漸墮也。謂「河南、山東人不習詩賦」者，其士人高門多隨宋南遷，留者或遭屠割之慘，或抱種姓之痛，不願應試，故若習詩賦者轉不如在遼漢人之多。及金人統治漸久，漢化漸深，而河南、山東人亦漸起而與之合作耳。

順帝時，（至正十三年以江淮兵起。）始詔：「南人有才學者得依世祖舊制，中書省、（總政務者。）樞密院、（秉兵柄者。）御史臺（司黜陟者。）皆用之。」（然順帝時南人入中書者惟危素一人。又韓元善傳：「丞相托克托奏事內廷，以事關兵機，元善及參知政事韓鏞皆漢人，使退避。」則仍參用其名，排拒其實。丞相伯顏並有「盡殺張、王、劉、李、趙五姓漢人」之請。）

地方行政長官，其先均由世襲。

世祖時，廉希賢疏：「國家自開創以來，凡納土及始命之臣，皆定世守。至今將六十年，子孫皆奴視其部下。郡邑長吏，皆其僮僕。此前古所無。」

直至至元二年，始罷州縣官世襲。四年，又罷世侯，置牧守。

因世襲爲封君，故元初百官皆無俸。至元十九年，集賢直學士程文海陳五事，一曰「給江南官吏俸」，則至是江南官吏仍未有俸也。後魏百官初亦無祿，至孝文太和八年始頒祿。

創爲行中書省，以便其分區宰割之私意。

唐中樞三省，元廢尚書、門下，獨留中書。又置行中書省，掌國庶務，統郡縣，鎮邊鄙，與都省爲表裏。其初有征伐之役，分任軍民之事，皆稱行省，未有定制。中統、至元間，始分立行中書省，因事設官，（不必備。）皆以省官出領其事。其丞相皆以宰執行處省事繫銜。其後嫌於外重，改爲某

處行中書省。軍國重事，無不領之。此由中央政府常派重臣鎮壓地方之上，實爲一種變相之封建。而漢、唐州郡地方政府之地位，渺不再得。此制大體上爲明、清所承襲，於地方政事之推進，有莫大損害。自此遂只有中央臨制地方，而中央、地方共同推行國政之意義遂失。

行省長官，貴倨如君長，同列跪起稟白，同於小吏。各道廉訪使，必擇蒙古人。缺則以色目世臣子孫爲之。其次始參以色目人及漢人。文宗時，詔：「御史臺、各道廉訪司官用蒙古二人，畏兀、河西、回回、漢人、南人各一人。」是漢人、南人僅得五之二。又至元二年詔：「以蒙古人充各路達魯花赤，（守城池倉庫的長官。）漢人充總管，回回人爲同知，永爲定制。」

州縣官或擢自將校，或起自民伍，率昧於從政。宋子貞傳。縣尉多係色目，並年小不諳事，以承蔭得之，不識漢文，盜賊滋溢。元典章十二。

漢人、南人既不得爲臺省要官，草木子云：「萬中無一、二。」亦惟有謀爲州縣卑秩。

後有納粟、獲功二途，富者以此求進。

及後求者衆，亦絕不與。有功而無錢，事多中輟。見續通典二十二。又按：輟耕錄卷七：「至正乙未春，中書省臣進奏，遣兵部員外郎劉謙來江南，募民補路府州司縣官，自五品至九品，入粟有差，非舊例之職專茶鹽務場者比。雖功名逼人，無有顧者。既而抵松江，時知府崔思誠，曲承使命，拘集屬縣巨室點科十二名，輒施拷掠，抑使承伏，填空名告身授之，竟無一人應募者。」然則以納粟求進，亦只限於鄉里無賴，自好者未必爾也。

蒙古的「怯薛」，略當於古代之侍衛，本以貴族子弟的資格，選當內衛近侍之任，爲封建政治裏面一種正途的出身。然而在承平積久之後，腐敗習氣，到處瀰漫，怯薛亦可以購買得之。

鄭介夫成宗時奏云：「『怯薛』，古稱侍衛。周禮膳夫、庖人、內饔、外饔、漿人、烹人、籩人，今之『博兒赤』也。幕人、司服、司裘、內宰，今之『速占兒赤』也。掌舍、掌次，今之『阿察赤』也。閽人，今之『哈勒哈赤』也。縫人、屨人、典婦功，今之『王烈赤』也。宮人，今之『燭剌赤』也。不限以員，不責以職。但挾重資，有梯援投門下，便可報名字，請糧草，獲賞賜，皆名曰『怯薛』。屠沽下隸，市井小人，及商賈之流，軍卒之末，甚而倡優奴賤之輩，皆得以涉跡宮禁。又有一等流官胥吏，經斷不敍，無所容身，則夤緣投入，以圖陞轉。趨者既多，歲增一歲，久而不戢，何有窮已。」鄭氏以怯薛擬之周官，甚是。蒙古制度本多帶有古代封建社會之意味。漢初郎官入仕，亦與怯薛差似。惟漢代經董仲舒、公孫弘諸人提倡以孝廉及博士弟子補郎，遂將封建意味改革。蒙古則只是封建政治自己之腐爛。又按：怯薛所屬，鄭奏未盡。有火兒赤、昔寶赤、怯憐赤，主弓矢、鷹隼之事。有札里赤，主書寫聖旨。必闍赤，爲天子主文史。云都赤、闊端赤，侍上，帶刀及弓矢。答剌赤，掌酒。兀剌赤、莫倫赤，典車馬。帖麥赤，主牧橐駝。火你赤，主牧羊。忽剌罕赤，主捕盜。虎兒赤，掌奏樂。皆領於怯薛之長，分番更直。

蒙古人既看不起漢人、南人，因此也不能好好的任用漢人、南人，而只用了他們中間的壞

劣分子。金章宗明昌四年，奏見在官一萬一千四百九十九員，內女直四千七百五員，漢人六千七百九十四員。金之官職亦分女直與漢人界限，惟不如蒙古之不平等。

要之，他們欠缺了一種合理的政治理想，他們並不知所謂政治的責任，因此亦無所謂政治的事業。他們的政治，舉要言之，只有兩項：一是防制反動，二是徵斂賦稅。

四　元代之稅收制度與經濟政策

因此元代稅收有「撲買」之制。按：撲買制始於金。

蒙古太宗十一年，富人劉廷玉等請以銀一百四十萬撲買天下課稅，以耶律楚材諫而止。後回回人奧都剌合蠻請以二百二十萬兩撲買，楚材雖力爭，竟不得。

雖以世祖爲開國賢主，亦專用財計之臣，務於聚斂。始用阿合馬（回人），繼用盧世榮，又用桑哥。

各種商稅課額，日增月漲，靡有所已。

至元七年，諸路課程定額四萬五千錠。十八年，京兆等路歲辦課額自一萬九千錠增至五萬四千錠。阿合馬尚欲求增，世祖止之。二十六年，以丞相桑哥請，大增天下商稅，腹裏二十萬錠，江

南二十五萬錠。已視七年定額增十倍以上。又世祖十三年置榷茶都轉運司於江州，三分取一，徵一千二百餘錠。至十八年，增額至二萬四千錠。至仁宗皇慶時，漸增至一十九萬二千八百錠。至仁宗延祐七年，增至二十八萬九千餘錠。視原額幾及三百倍。延祐元年，中書右丞相鐵木迭兒言：「課額比國初已倍五十。」食貨志謂：「天曆總入之數，視至元七年所定之額不啻百倍。」蘇天爵滋溪集記兩淮鹽價，至元十三年一引中統鈔九貫，二十六年增為五十貫，元貞二年增為六十五貫，至大以來遂增至一百五十貫。

常賦外，復有「科差」，其額又極重。

元於常賦外加取於民者，太宗時尚只有絲料、丁稅兩種。至憲宗時又增包銀，世祖時又增俸鈔。全科戶當出絲一斤六兩四錢，包銀四兩，俸鈔一兩，丁稅粟三石。此等皆兩稅額外之科差也。

惟元世祖初有中原，方經兵燹之後，又多用中國士人，故以注意稅收之故，而尚能留心及於民間之農事。

至元七年立司農司，專掌農桑水利，仍分布勸農官及知水利者巡行郡邑。

虞集云：「元有中原，置十道勸農使，總於大司農，皆慎擇老成厚重之士，親歷原野，安輯而教訓之。功成，省歸憲司，憲司以耕桑之事上大司農。天下守令皆以勸農繫銜，郡縣大門兩壁皆畫耕

織圖。」

又於農村設「社長」。

時定制，縣邑所屬村疃，凡五十家立一社，擇高年曉農事者一人爲之長，以教督農桑，立牌橛於田側，書「某社某人」。社長以時點視，勸誡不率教者，籍其姓名以授提點官。此在世祖初年雖有此制，惟自平南宋後，對漢人任用即稍衰，一時方務於財利之朘括，地方政事不得人。趙天麟上策云：「至元六年，每社立義倉，自是以來，二十餘年，社倉多有空乏，伏望普頒明詔，凡一社立社長社司」云云，可見其制在世祖時即廢。又世祖紀至元二十三、二十五、二十八諸年，大司農司所上諸路學校數，至二萬有餘，明太祖謂其「名存實亡」，良信。蓋元自吞宋以後，即無意於漢人之所教導矣。蘇天爵滋溪集亦謂：「農桑世皆視爲具文，鄉校皆以醫卜雜流爲之師」，此則言末季至正間事。

而開浚水利之功，頗可稱道。

其時能興水利者，以郭守敬爲最著。其他如董文用之於西夏、鄭鼎之於平陽、廉希憲之於江陵、趙志之於長葛、耶律伯堅之於清苑、張立道之於昆明、王昌齡之於衞輝，成宗時皮元之於溫州、烏古孫澤之於雷州，皆因地制宜，民獲其利。

喪亂薦臻後之民生，賴以稍甦。

惟自滅宋以後，他們意態即不同。設官分職，財務重於民事。

世祖初即位，尚多用漢人。當時如王文統、許衡、劉秉忠之徒，爲之討論古今，參酌時變，定內外官秩，稍具規模。惟自滅宋以後，即一意於財利，漢人漸失職。歷成、武二宗，定制廕補官自六品以降，由省銓，先掌金穀，第其上中下，以歲月爲差，至滿，始受朝命許典民政。尚書省竟爲鈎考財賦之地，銓調不關白中書，以官爲市，法紀蕩然。甚至一玉石之微，一弓劍之細，無不有數官以董之，名位冗雜，前所未有。

而貪污乃爲元代政治上一尋常之事件。

成宗大德時，七道奉使宣撫使罷贓污官吏萬八千七十三人。順宗時，蘇天爵撫京畿，糾貪吏九百四十九人，竟以忤時相坐不稱職罷歸。

又元代專行鈔法。

楮鈔始行在北宋時，蜀人先有「交子」，楮幣之行，與其時印刷術發明有關。至南宋又有「會子」，始紹興時。金人至禁用見錢

以推行鈔法。宣宗貞祐三年，時鈔價每貫僅值一錢，乃禁用見錢，錢多入於宋。然宋、金末運，鈔法皆甚弊。元承金制，亦專行鈔幣而錢幾廢。

其先民間尚稱便。

先造「中統鈔」，以銀爲率，名曰「銀鈔」，一貫值銀一兩，五十貫爲一錠。後造「至元鈔」，以一當五。至元寶鈔一貫文，當中統交鈔五貫文。子母相權，要在新者無冗，舊者無廢。凡歲賜、周乏、餉軍，皆以中統鈔爲準。中統尋以費工本多，不印行，而至元鈔獨行。

至其末，則鈔料十錠易斗粟不得。

武宗時以物重鈔輕，改造「至大銀鈔」。大抵至元鈔五倍於中統，至大鈔又五倍於至元。不五十年鈔法三變，而其價亦二十五倍。未期年，仁宗即位，以倍數太多，輕重失宜，有罷銀鈔之詔。及順帝至正中，又改造至正印造中統交鈔，名曰「新鈔」，二貫準舊鈔十貫。亦五倍。遂至鈔料十錠易斗粟不得，而元亦亡矣。

明起，鈔法竟不能復行，而銀幣代起，亦爲中國史上一重要之變更。

秦漢以來，民間交易，惟穀帛與錢，無用銀之例。銀爲器飾寶藏。唐代租出穀，庸出絹，調出繒布。兩稅法行，令出錢。宋代諸州歲輸緡錢，故後世相沿謂之「錢糧」。宋府庫輸入，錢、穀外爲絹、綢、絲、布、茶、蠟。惟閩、廣間許以銀易緡錢。元祐會計

錄：「歲入銀止五萬餘兩。」金章宗時。因錢鈔法弊，乃權以銀貨。繼復罷錢而專用銀鈔。鑄銀名「承安寶貨」，每兩折錢二貫。當時俸給軍須，皆銀鈔相兼。哀宗時，鈔竟不行，民間一以銀交易，是爲後世社會用銀之始。元貢賦仍徵穀帛，成宗本紀載，歲入銀數不過六萬兩。明初田賦亦未用銀。惟以銀爲坑冶之課。民間交易以銀，有厲禁。然鈔法既不行，銀終起而代之。英宗時始令南畿、浙江、江西、湖廣、福建、廣東、廣西，應輸米麥折銀，後概行於天下。「太倉銀庫」之名，起於明之中葉也。

五　元之軍隊與禁令

他們的軍隊，亦分爲各等級。

蒙古軍。

探馬赤軍。以諸部族爲之，乃鎮衞邊境者。

漢軍。以中原漢人爲之。

新附軍。南方宋人爲之。

正相當於蒙古、色目、漢人、南人之四級。

兵籍守祕密，漢人莫之知。

立里甲之制，二十家爲一甲，以蒙古人爲甲主。衣服飲食惟所欲，童男少女惟所命。見徐大焯燼餘錄。又多立防禁。禁漢人田獵，世祖紀，仁宗、英宗紀。成宗大德五年，有詔弛山澤之禁，聽民捕獵。禁漢人習武藝，英宗紀。禁漢人持兵器，世祖、武宗、仁宗、順帝歷代，各有禁令。按：遼、金亦禁民間兵器。禁集衆祠禱、元史一〇五刑法志。集衆買賣，元典章亦有「禁聚衆」。禁夜行。元史一〇五刑法志：「諸江南之地，每夜禁鐘以前點燈買賣，曉鐘之後，人家點燈讀書工作者並不禁。」元典章禁夜：「夜間禁通行。一更三點鐘聲絕，禁人行。五更三點鐘聲動，聽人行。」又屢次收括民間馬匹。世祖至元二十三年，民間收馬總計十萬二千匹。至元二十七年，九千一百匹。至元三十年，十一萬八千五百匹。成宗大德二年，十一萬餘匹。武宗至大三年，四萬餘匹。仁宗延祐四年，二十五萬五千匹。延祐七年，二萬五千匹。天順帝天曆元年，十一萬餘匹。數十年間，括民間馬七十餘萬匹。而文武分途之弊制，遂爲明清兩代所沿襲。

漢世良家子得以材力入官，或隸期門、羽林，或爲三署郎，而軍功大者爲卿大夫，小亦爲郎。後漢將帥罷兵，大抵內爲列卿，外爲郡守。魏晉將軍之官，多選清望之士居之。如裴頠、以國子祭酒爲右軍將軍。王恬以中書郎爲後將軍。等例是也。以至州鎮方伯，無不兼將軍、都督之稱。其爲州而無將軍者，謂之單車刺史。當時文武選授，尚不拘資格，迄南北朝皆然。至唐吏部、兵部分爲二選，文武始各有定闕。然諸州兵政掌之刺史，悉帶使持節，並無專閫武員。吏職、兵官，未嘗判然區別。宋太祖患五季藩鎮跋扈，命文臣出守列郡，而別置鈐轄都監以司軍旅屯戍之政令，遂分職而治。然當時內外官仍文武參用，願換授者亦許改職。自元世祖至元十五年定軍民異屬之制，以萬戶府、鎮撫司領戍兵，以知府、

縣尹領民事。明因其制，於是州縣、營衛，建置攸殊；出身既截然不同，銓注亦有一定之格；自督撫大吏外，武官除授，乃無一不歸於兵部。今按：元之軍民異屬，本自有其用意。吳萊淵穎集書急就章後謂：「國家起自北土，經理中原。中原豪傑，保有鄉里，因而降附，使據其境土如古諸侯。大開幕府，辟置官屬，錢穀獄訟，一皆專制，而不復關乎上。已而山東猘子，地富兵強，跳踉負固，卒貽誅滅。而後天下郡縣一命之官，悉歸吏部。兵則自近戍遠，尺籍伍符各有統帥。但知坐食郡縣租稅，不復繫守令事矣。」此蓋元人私武力以便宰制之用心。明襲元弊，不能大事蕩滌者多矣。至清則同爲盜憎主人，自樂於循用矣。

蒙古長於戰陣，而不善於理財，故賦斂之事則多委之色目、回人。其先軍隊所至，多掠人爲私戶。遼有「頭下軍、州」，大臣從征，俘掠人戶，自置郛郭。此頗近之。

張雄飛傳：「至元十四年，荊湖行省阿里海牙以降民三千八百戶沒入爲家奴，自置吏治之，歲責其租賦。」世祖紀：「至元十七年，詔覈阿爾哈雅等所俘三萬二千餘人，並赦爲民。」他如宋子貞、張德輝、雷膺、王利用、袁裕諸傳，皆有散見。

政府亦以分賜民戶爲恩典。

至元十八年，江南平，以江南民戶分賜諸王、貴戚、功臣。先後受賜者諸王十六人，后妃公主九人，勳臣三十六人。自一、二萬戶以上，有多至十萬戶者。勳臣自四萬戶以下，至數千、數百、數十戶不等。見食貨志。

奴隸的獻賜、鬻賣、投靠，成爲一時常態。

他們一面盛擁奴隸，一面又廣佔田地。

趙天麟上太平金鏡策，謂：「今王公大人之家，或占民田，近於千頃，不耕不稼，謂之草場，專放孳畜。」

牧場與農田雜糅，屢起衝突。

和尚傳：「諸王牧地、草地，與民田相間，互相侵冒，有司視强弱爲予奪。」又塔里赤傳：「南北民戶主客良賤雜糅，蒙古軍牧馬草地，互相佔據」云云。此均在至元時。

政府又盛行賜田。

尤著者爲江南平江田。張珪疏：「累朝以官田賜諸王、公主、駙馬，及百官、宦者、寺觀之屬。其

受田之家，各任土著姦吏爲莊官，巧名多取。又驅迫郵傳，折辱州縣。請令民輸租有司，有司輸省部，省部輸大都，以分給諸受田者。」不從。

蒙古人以軍人而兼貴族，既享有政治上種種特權，又多用回人爲之經營財利，剝削生息。

黑韃事略：「韃人只是撒花，找外快錢。無一人理會得賈販。只是以銀與回回，令其自去賈販以納息。回回或自轉貸與人，或自多方賈販，或詐稱被劫而責償於州縣民戶。」又曰：「其賈販則自韃主以至僞諸王、僞太子、僞公主等，皆付回回以銀，或貸之民而衍其息，一錠之本展轉十年後，其息一千二十四錠，錠五十兩。謂之『羊羔兒息』。民間普通以緡取三分爲常。」見牧庵集十三。

回民相率殖產卜居於中原，尤以江南爲盛。周密癸辛雜誌續集。

而漢、回待遇亦種種不平等。

成吉思汗法令，殺一回教徒罰黃金四十巴里失，殺一漢人其償價與一驢相等。世祖至元二十三年六月，括諸路馬，凡色目人有馬者三取其二，漢民悉入官。成宗大德四年，定諸職官廕敘之制，諸色目人視漢人優一等。

大抵回民地位，大體是代表的商人，而漢人則代表了佃戶與農民。漢人地位中較高者爲工匠。軍臨屠城，惟匠得免。

靜修文集二十一：「保州屠城，惟匠者免。予冒入匠中，如予者亦甚衆。」又蒙古入汴，依舊制，攻城不降則屠之，耶律楚材諫不聽，乃曰：「凡弓矢、甲仗、金玉等匠，皆聚此城，殺之則一無所得。」乃詔原免，汴城百四十萬戶得保全。

匠人特籍爲戶，得不與平民伍。

靜修文集十七：「金人南徙，遷諸州工人實燕京。」元史張惠傳：「滅宋，籍江南民爲工匠凡三十萬戶。選其有藝業者十餘萬戶爲匠戶。」事在至元二十一年。又至元十七年，詔江淮行中書省括巧匠。未幾，賜將作院工匠銀鈔幣帛。旋勅逃役之民竄名匠戶者復爲民。

元人設官，亦以軍、民、匠三者分列。

元官制分內、外任，外任中又分民職、軍職、匠職等名。匠職官甚多，與軍、民職官相等，亦謂

之「局院官」。世祖時，有渾源人孫成善爲甲，贈至神川郡公，謚忠惠。子拱世其業，亦贈至神川郡公，謚文莊。回回人阿老瓦丁以善製礮，世襲副萬戶。回回人亦思馬因亦以善製礮，世襲職。尼波羅國人阿尼哥以善裝塑，贈至太師涼國公，謚敏慧。劉元繼之，亦官至昭文館大學士。元人又頗重醫，醫人皆經選試著籍，故元代名醫特多。至天文星歷、陰陽卜筮，元人皆與匠、醫一例視之。

蒙古人的統治，在大體上說來，頗有一些像古代貴族封建的意味。（元初以宗正寺遙領諸路刑獄，則司法亦歸私戚。）只是春秋時代的貴族階級，自身有一種珍貴的文化修養，（即所謂「詩、書、禮、樂」。）而蒙古人無之。他們在武力的鎮壓與財富的攫佔之外，缺少一種精神生活的陶冶。他們只有一種宗教的迷信，算得是他們的精神生活。（元人崇奉佛教，乃今西藏之喇嘛教，與漢魏以來中土所行佛教亦有別。又按：重工匠，重僧道，此亦金人已然。據弔伐錄：「金人特檄宋發遣工匠教坊，又命宋共議薦舉異姓，列舉僧道耆壽軍人百姓」，可證。）

六　元代之僧侶

因此在蒙古的政治局面裏，僧侶佔到很高的位置。

如國師八思巴（於世祖至元六年。）爲蒙古創新字，（自此以前，蒙古尚爲一無文字之蠻族。遇其必需使用文字時，則借用畏兀兒文。）世祖號之曰「大寶法王」。泰

定帝泰定二年，以鮮卑僧言，爲全天下立祠比孔子。而楊璉真伽世祖時爲江南釋教總統，尤驕縱，發掘故宋趙氏諸陵在錢塘、紹興者及其大臣冢墓；凡一百零一所。私庇平民不輸公賦者達三萬二千戶。成宗大德三年，放江南僧寺佃戶五十萬爲編民，悉楊璉真伽冒入寺籍者也。又元制於帝師、國師下，僧侶有王公之封。

皇室佛事，佔國家政費之泰半。

世祖至元三十年間，醮祠佛事之目百有二。成宗大德七年，再立功德使司，增至五百餘。成宗至大時，張養浩上時政書，謂：「略會國家經費，三分爲率，僧居其二。宣徽院使歲會內庭佛事之費，以斤數者麵四十萬九千五百，油七萬九千，酥蜜共五萬餘。仁宗延祐五年，給書西天字維摩經金三千兩，歲費較大德又不知增幾倍。至明宗時，中書省言佛事以今較舊，增多金一千一百五十兩，銀六千二百兩，鈔五萬六千二百錠，幣帛三萬四千餘匹。」

寺廟亦擁有盛大之產業，與貴族王公等，同樣爲封建勢力之一種。

至元二十八年，宣政院上天下寺宇四萬二千三百一十八區，僧尼二十一萬三千一百四十八人。其著者如大承天護聖寺，順帝至正七年撥山東十六萬二千餘頃地屬之。前後兩次賜達三十二萬三千

頃。又有大護國仁王寺，水陸田地十萬頃，賜戶三萬七千五十九。元史刑法志：「諸庶民有妄以漏籍戶及土田於諸王、公主、駙馬呈獻者，論罪。諸投下輒濫收者，亦罪之。」又成宗紀：「大德六年詔：江南寺觀續置民田，及民以施入爲名者，並輸租充役。八年又詔免天下道士賦稅。」蓋僧道與貴族同樣有豁免田賦之優待。又世祖中統四年，令在京權勢家爲商賈及以官銀買賣之人，並須輸稅。至元三十年，敕僧寺邸店物貨，依例抽稅。仁宗元祐七年，禁京城諸寺邸舍匿商稅。又見僧寺與貴族同樣經營商業，又同樣有避免課稅之勢力也。

而僧侶之爲患於社會，更難盡述。

武宗至大三年，監察御史張養浩上時政書，九曰「異端太橫」。謂：「釋老之徒，畜妻育子，飲醇啗腴，萃逋逃游惰之民，爲暖衣飽食之計。」泰定帝二年監察御史李昌言：「臣嘗經平涼府靜會、定西等州，見西番僧佩金字圓符，絡繹道路。傳舍不能容，則假館民舍。因迫逐男子，姦污婦女。奉元一路，自正月至七月，往返者百八十五次，用馬至八百四十餘匹，較之諸王行省之使，十多六七。」

順帝父子竟以亡國。

順帝信西天僧演揲兒法，譯言大喜樂也。又有西番僧伽璘真，授帝祕密大喜樂禪定，帝皆習之。醜聲穢行，初爲太子所惡，帝曰：「祕密佛法，可以延壽。」令禿魯帖木兒以教太子，太子亦悅之。曰：「李先生教我儒書多年，我不省書中所言何事？西番僧教我佛法，我一夕便曉。」李先

生，太子諭德好文也。其時順帝父子既溺惑於西番佛法，而社會起事者如韓山童、劉福通等，亦以白蓮教爲號召。

元代社會上的上層階級，大體言之，有皇室、貴族、軍人、此與貴族不能十分分別，皆蒙古部族也。僧侶、商人、此皆色目西域人爲多。地主、凡皇室以下皆地主也。惟漢人、南人亦有爲大地主者，由其前承襲而來，而以非法手段保持之。此尤以江南爲多。王艮傳：「有詔中書省訴松江富民包隱田土，爲糧至一百七十萬石者。」元廷屢行經理之法，使民自實田。仁宗時，遂致召贛民蔡五九之亂。官吏，官吏來源即上列諸種。而一般平民之政治地位則甚低。

當時社會因有十色之傳説。

一官、二吏、三僧、四道、五醫、六工、七獵、八民、九儒、十丐，此見陶宗儀輟耕錄。「官、吏」爲貴族，「僧、道」爲宗教，亦相當於貴族。「醫、工」即平民中地位之較高者，如匠戶之類。「七獵、八民」者，元特有捕獵鷹人，籍隸鷹房總管府，蘇天爵滋溪集十九：「中原甫定，江左未下，朝廷嘗因畋狩閱武功，鷹師所至，威若神明。或旁緣爲姦而下不勝其虐。」又十五謂：「國家草昧之初，南北未一，政教未洽，常因畋狩講武功，鷹師之職，貴幸隆寵。承平既久，猶恐武備寖弛。或者不究其意，馳騁豪縱，因以爲利，民始不勝其困。」元史兵志謂：「元制自御位及諸王，皆有昔寶赤，蓋鷹人也。是故捕獵有戶，使之致鮮食，以薦宗廟，供天庖，而齒革羽毛又皆足以備用，此殆不可闕焉。」又云：「打捕鷹房人戶，多取析居、放良及漏籍孛蘭奚、還俗僧道，與凡曠役無賴者，及招收亡宋舊役等戶爲之。」此雖賤民，而爲貴族所御用，故較之農民猶高。春秋時工、商、虞人，亦視農民爲高也。所謂「民」，則漢人、南人之業農者也。「九儒、十丐」者，「儒」爲民間自由學者，而與僧侶宗教不同，本由春秋時代封建社會漸次破壞後所產生，爲中國社會自秦漢以後一特別重要之流品。惟就蒙古人眼光及其政治設施言之，則不能了解其地位。

彼輩既不能執干戈入行伍，又不能持籌握算爲主人殖貨財，又不能爲醫匠打捕，供主人特別之需求，又不能如農民可以納賦稅，故與「丐」同列。（黑韃事略：「蒙古賦斂謂之差發。漢地差發，每戶每丁以銀折絲綿之外，每使臣經從，調遣軍馬、糧食、器械，及一切公上之用，又逐時計其合用之數科率民戶。諸亡國之人，甚以爲苦，怨憤徹天，然終無如何。」又曰：「韃主不時自草地差官出漢地定差發，霆在燕京，（宋端平二年）見差胡丞相（胡土虎）來，黷貨更可畏，下至教學行及乞兒行亦出銀作差發。」教學行即儒，乞兒行即丐，此皆窮行，無力作差發，宜乎其相爲類。）別有一說爲「官、吏、僧、道、醫、工、匠、娼、儒、丐」十色，既有「工」，又重出「匠」，列「娼」於「儒、丐」之前，蓋由不明獵民之意義而妄易之。

大概當時的社會階級，除卻貴族軍人（此乃二而一、一而二者。）外，做僧侶信教最高，其次是商人，再其次是工匠，（包括各種特殊技能如醫生等。又按：金代於天文、醫術等頗造精妙，元亦承金遺緒。）又次是獵戶與農民。（獵戶所以在農民之上者，以蒙古貴族眼光視之當如此。）而中國社會上自先秦以來甚佔重要位置的士人，（當時稱「儒」，即讀書人。）卻驟然失卻了他們的地位。

七　元代之士人與科舉制度

最初的士人與普通平民一樣的被俘掠爲奴隸。

黑韃事略：「亡金之大夫，混於雜役，墮於屠沽，去爲黃冠者，皆尚稱舊官。王宣撫家有推車數人，呼運使，呼侍郎。長春宮（今北平之白雲觀。）多有亡金朝士，既免跋焦，（薙髮。）免賦役，又得衣食，最令人

慘傷也。」蓋蒙古初入中國，其野蠻最甚。長春真人邱處機以宗教得成吉思汗之信仰，其徒得免賦役，全真教遂大行，文人不能自存活者多歸之。

經有懂得漢化者之勸告而稍得解放。

太宗時，免儒士之被俘爲奴者，立校試儒臣法。得淮、蜀士遭俘没爲奴者凡四千三十人，免爲奴者四之一。見耶律楚材傳。又憲宗四年，制爲士者無隸奴籍。世祖取鄂州，俘獲士人贖還者五百餘人。中統二年，詔軍中所俘儒士，聽贖爲民。至元十年，勅南儒爲人掠賣者，官贖爲民。又廉希憲傳：「世祖以廉爲京兆宣撫使，國制爲士者無隸奴籍，京兆多豪强，廢令不行。希憲至，悉令著籍爲儒。」

他們對士人的觀念，似乎亦是一種仿佛的工匠。

太宗時，耶律楚材言：「制器者必用良工，守成者必用儒臣。儒臣之事業，非積數十年殆未易成。」因此遂令隨郡考試儒人被俘爲奴者。

而終於在這些俘虜中間，偶然把南宋的儒學流到北方去。

蒙古破許州，先得金軍資庫使姚樞。時北庭無漢人士大夫，惟樞特加重。及闊端南侵，命即軍中求儒、釋、道、醫卜之人。拔德安，得趙復，其徒稱江漢先生。樞挾以北行，建太極書院，河朔始知道學。許衡、竇默皆從姚樞得程朱書。衡爲國子祭酒，教蒙古諸貴人子弟，稍稍知中國禮義。

結果於國族勳舊之外，亦有科舉取士之制。

元科舉定制於仁宗皇慶二年。其考試程式，蒙古、色目人第一場經問五條，大學、論語、孟子、中庸内設問，用朱氏章句集註。第二場策一道，以時務出題。漢人、南人第一場明經、經疑二問，大學、論語、孟子、中庸内出題，並用朱氏章句集註。經義一道，各治一經，詩以朱氏爲主，尚書以蔡（沈）氏爲主，周易以程（頤）氏、朱氏爲主。以上三經兼用古注疏。春秋用三傳及胡（安國）氏傳，禮記用古注疏。第二場古賦、詔、誥、章、表内科一道。古賦、詔、誥用古體，章、表四六，參用古體。第三場策一道，經、史、時務内出題。今按：科舉以四書義取士始此。自此相承直至清末，實中國近世一至要之創制也。與四書取士同爲明、清所因襲者，尚有行省制。此二制度影響明、清兩代六百年之歷史。

然此僅有名無實，在實際政治上極少影響。

一、舉行時間不久，次數甚少。 開科取士，定制在仁宗皇慶二年，始開科在延祐二年，已在宋亡後近四十年。科場三歲一開，至順帝至元元年科舉即罷，前後共二十年。嗣於至元五年（選舉志謂「六年詔復科舉」。）復有科舉，共不過二十次。

二、科舉出身者實際並不多。 續通典：皇慶、延祐中，由進士入官者僅百之一，由吏致顯要者常十之九。順帝時罷科舉，許有壬爭之，謂：「通事、知印等，天下凡三千三百餘名，今歲自四月至九月，白身補官受宣者七十三人，而科舉一歲僅三十餘人。」

三、科場舞弊，全失考試本意，亦全無考試真相。（詳見輟耕錄卷二十八。至正四年有長篇四六文揭發江、浙鄉試黑幕，又至正二十二年復有作彈文者，舉此可例其餘。）

四、蒙古、色目人與漢人、南人分榜考試，右榜爲蒙古、色目人，恐多屬具文；左榜爲漢人、南人，其真才實學多不屑應舉。 陶氏輟耕錄卷二謂：「今蒙古、色目人爲官者，多不能執筆，花押例以象牙或木，刻而印之。宰輔及近侍官至一品者，得旨則用玉圖書押字，非特賜不敢用。」陶氏生當元、明之際，其書刊於明代，則所謂「今」者，指元之晚季。其時蒙古、色目人在官者尚多不能執筆，則科舉取士之爲效可想。余闕曰：「至元以下浸用吏，中州之士見用者浸寡，南方尤寡。其久則南北之士亦自畦町相訾。故夫南方之士微矣。延祐中，初設科目，亦有所不屑而甘自沒溺於山林之間者，不可勝道也。」（惟元代政治，雖學術的氣味極薄，而社會上則書院遍立，學術風氣仍能繼續南宋以來，不致中輟。明祖崛起，草野績學之士，乃聞風而興，拔茅彙征，羣集新朝，各展所蘊，以開有明一代之規模。如劉基、宋濂、章溢、陶安、錢用壬、詹同、崔亮、劉三吾等彬彬文雅，郁乎其盛，一時何止數十百人，皆元代之所貽也。）

可見元代入主中國，經歷一百餘年，中國自秦漢以來傳統的文治政權的意識，始終未接受過去。他們的政治，始終不脫古代貴族封建、武裝移殖的氣味。然而當時一般社會文化、經濟的水準，卻比春秋時代在貴族封建下的農民，高出百倍。蒙古人的倒退政治，到底不能成功，因此社會變亂百出。

至元二十年，崔彧上疏，謂：「江南盜賊，相挺而起，凡二百餘所。」又至元二十四年詔：「江南歸附十年，盜賊迄今未靖。」世祖至元時如此，其他可知。

蒙古人震鑠亞、歐兩洲的武力，終於在漢人的蜂起反抗下，退讓出他們的統治。

第三十六章　傳統政治復興下之君主獨裁（上）明代興亡

除卻漢高祖，中國史上由平民直起為天子的，只有明太祖。元末羣雄，如河南韓山童、韓林兒，乃白蓮教師。湖廣徐壽輝，為販布者。其部將陳友諒，乃漁父。江蘇張士誠，為運鹽舟人。浙江方國珍，乃販鹽者。安徽郭子興，則賣卜者之子。朱元璋，皇覺寺僧。四川明玉珍、福建陳友定，及明太祖部下徐達，皆農民。常遇春則為盜。元末羣雄，較之秦末，更見其為平民色彩。這是說明蒙古人的政權之下，絕沒有漢人的地位。因此在蒙古政權被推翻的過程中，沒有讓政權之自身醞釀出權臣或軍閥來操縱這個變局。如東漢以來歷史上之慣例。

一　明代帝系及年歷

（一）太祖（三一）
封建諸子。
誅戮功臣。
廢宰相。
（　）——（二）惠帝（四）
靖難之變。

- （三）成祖（二二）
  - 遷都燕京。
  - 北破蒙古、瓦剌，西服哈密，
  - 南併安南。鄭和出使，招致南洋諸國。
- （四）仁宗（一）
- （五）宣宗（一〇）
  - 廢交趾。
  - 棄開平。
  - 中衰。
- （六）英宗（一四）復辟（八）
  - 九歲即位。
  - 王振用事。
  - 土木之變。
- （七）景帝（七）
  - 于謙擁立。
  - 奪門之變。
- （八）憲宗（二三）
  - 寵汪直，
  - 設西廠。
- （九）孝宗（一八）
  - 政治較清明。
- （一〇）武宗（一六）無子
  - 寵劉瑾，
  - 東、西廠外別立內廠。
  - 宸濠之變。
- （興獻王）
- （一一）世宗（四五）
  - 大禮議。
  - 二十餘年不視朝。
  - 嚴嵩柄政，吏治始壞。
  - 棄哈密，棄河套。
  - 俺答入寇。
  - 倭寇爲患。

（一二）穆宗（六）
- 張居正爲相。
- 倭寇平。
- 俺答和。

（一三）神宗（四八）
- 張居正爲相。
- 親政後怠荒，二十餘年不視朝。
- 東林講學。
- 滿洲始起。
- 梃擊之案。

（一四）光宗（一）
- 紅丸之案。

（一五）熹宗（七）
- 移宮之案。
- 寵魏忠賢與客氏。

（一六）毅宗（莊烈帝）（一七）
- 流寇大起。
- 明亡。

明代共十六主，二百七十七年。若並南明三帝，計當爲十九帝，二百九十四年。

二　傳統政治之惡化

明代是中國傳統政治之再建，然而惡化了。惡化的主因，便在洪武廢相。

太祖是一個雄猜之主。

天下大定，年已六十餘，太子死，孫孱弱，故為身後之慮。一面封建諸子，各設衞兵三千，乃至一萬九千，一面盡誅功臣宿將。

洪武十三年左丞相胡惟庸誅，遂廢宰相。

太祖詔：「以後嗣君毋得議置丞相，臣下有奏請設立者，論以極刑。」朱國禎皇明大訓記卷九謂：「臣下敢有奏請設立宰相者，羣臣即時劾奏，將犯人凌遲，全家處死。」

自秦以來輔佐天子處理國政的相位，至是廢去，遂成絕對君主獨裁的局面。

第二個惡化的原因，在於明代不惜嚴刑酷罰來對待士大夫。此亦起於太祖。

史稱：「太祖懲元政廢弛，治尚嚴峻。」胡惟庸之獄，株連被誅者三萬餘人。又藍玉之獄，株連一萬五千餘人。史又稱：「太祖懲元季貪冒，重繩贓吏。戶部侍郎郭桓，贓七百萬，而自六部侍郎下連直省諸官吏，繫死者數萬人。覈贓所寄借徧天下，民中人之家大抵皆破。」草木子謂：「京官每旦入朝，必與妻子訣。及暮無事，則相慶以為又活一日。」故其時文人多不仕。據明詩綜，如汪廣洋、魏觀、高啓、朱冏、蘇伯衡、張孟兼、王彝、楊基、張羽、徐賁、王行、孫賁、黃哲、郭奎諸人咸死非命。如李仕魯、王朴之死，尤暴殘。太祖又有「士大夫不為君用」之科。靖難之變，方孝孺夷十族，坐死者八百四十七人。

鞭笞捶楚，成為朝廷士大夫尋常之辱。

洪武九年，葉伯巨上書：「今之爲士者，以混迹無聞爲福，以受玷不錄爲幸。以屯田工役爲必獲之罪，以鞭笞捶楚爲尋常之辱。」伯巨竟以此死獄中。又解縉疏：「今內外百司，捶楚屬官，甚於奴隸。」是明初捶辱官吏之風，又不僅於朝廷之上矣。

終明之世，廷杖逮治不絕書。

廷杖亦始太祖時，如永嘉侯朱亮祖父子皆鞭死，工部尚書夏祥斃杖下，其後流而愈甚。武宗正德三年，劉瑾矯詔百官悉跪奉天門外。頃之，下朝官三百餘人獄。及（十四年）諫南巡，命朝臣一百零七人罰跪午門五日，晚並繫獄，晨出暮入。又各杖三十。餘繼疏爭者，杖四十、五十，有死者。廷杖者百四十六人，死者十一人。世宗時（嘉靖三年）大禮議，逮下詔獄廷杖者一百三十四人，編修王恩等病創卒者十八人。四十餘年間，杖殺朝士倍蓰前朝。有杖畢趣治事者，有朝服予杖者。公卿之辱，前此未有。十一年徐石麟疏言：「皇上御極以來，諸臣麗丹書者幾千，圜扉爲滿。」十四年，大學士范復粹疏請清獄，言：「獄中文武纍臣至百四十有奇，大可痛。」不報。莊烈帝時，用刑頗急，大臣多下獄。明廷之濫刑、濫殺，終使其自陷於不救之地。明史流寇傳評莊烈帝，謂：「敗一方即戮一將，隳一城即殺一吏，賞罰太明，而至於不能罰。制馭過嚴，而至於不能制。」其甚者如袁崇煥之見殺，則并非罰之明而馭之嚴矣。

其慘酷無理，殆爲有史以來所未見。

魏叔子集載廷杖事，言：「每廷杖，必遣大璫監視，衆官朱衣陪列。左中使，右錦衣衛，各三十員，下列旗校百人，皆衣襞衣，執木棍。宣讀畢，一人持麻布兜，自肩脊下束之，左右不得動。

一人縛其兩足，四面牽曳。惟露股受杖。頭面觸地，地塵滿口中。受杖者多死；不死，必去敗肉斗許，醫治數月乃愈。」

而監杖用內官，行杖用衛卒，遂使士大夫懸命其手。

而尤甚者在使內監審獄。（此如漢之黃門北寺，而酷毒恐猶過之。）

史稱：「成化以後，凡大審錄，太監齎勅，張黃蓋，於大理寺爲三尺壇，中坐。三法司左右坐。御史中郎以下捧牘立，唯諾趨走惟謹。三法司視成案有所出入輕重，俱視中官意，不敢稍忤。」

宋太祖懲於唐中葉以後武人之跋扈，因此極意扶植文儒。明太祖則覺胡元出塞以後，中國社會上比較可怕的只有讀書人。（功臣、宿將多已誅死，兵卒多已散歸田畝。）但是所謂傳統政治，便是一種士人的政治。明太祖無法將這一種傳統政治改變，（這是廣土衆民的中國爲客觀條件所限的自然趨向。）於是一面廣事封建，希望將王室的勢力擴大。（古代封建只如後世一小縣，故可以宗法統治。後人封建，連州接郡，依然是一個中央政府之縮影。於封建區域內，依然得用士人政治，非一宗一族所能統。）一面廢去宰相，正式將政府直轄於王室。（秦、漢以來，中國政治之長進，即在政府漸漸脫離王室而獨立化。王室代表貴族特權之世襲，政府代表平民合理之進退，而宰相爲政府領袖，君權、相權，互爲節制。李德裕謂：「宰相非其人，當亟廢罷，至天下之政，不可不歸中書。」宋蔡承禧神宗時上疏：「乞除命大臣、臺諫之外，事無巨細，非經二府（中書、樞密），不得施行。」此中國傳統政治之精神也。明祖惡宰相弄權，謂可以篡奪王室之統緒，故深忌之。）既不能不用士人，（宗室同姓不足恃，軍人而非宗室更可慮，宦官、外戚則明祖早見其更不可用。而當時士人在社會上之勢力，亦更非漢、唐、宋初年可比。除非如蒙古、滿洲爲整個部族之統治，（然亦需借用社會士人力量合作。）否則一姓一家，捨援用士人，即無他道。）遂不惜

時時用一種嚴刑酷罰，期使士人震慴於王室積威之下，使其只能爲吾用而不足爲吾患。及王威漸弛，則以太監代帝王。這是明太祖一人的私意。一人的私意，不足以統治一個天下，只有使明代的政治，走上歧途。

張居正屢言祖宗法度，謂：「本朝立國規模與前代不同。宋時宰相卑主立名，違道干譽之事，直僕之所薄而不爲者。」又曰：「迂闊虛談之士，動引晚宋衰亂之政以抑損上德，撟扞文網。不知我祖宗神威聖德，元與宋不同。哺糟拾餘，無裨實用。」蓋中國自宋以下，貴族門第之勢力全消，宋儒於科舉制度下發揮以學術領導政治之新精神。尊師相，抑君權，雖亦有流弊，要不失爲歷史之正趨。明太祖、張居正則皆此潮流下之反動也。黃宗羲明夷待訪錄置相篇，謂明「閣下之賢者，盡其能事則曰法祖，非爲祖宗必足法，其位既輕，不得不假祖宗以壓後王，以塞宮奴」。若張居正此論，則又假祖宗以抗朝議矣。既不敢以師相自居，即不得爲大臣。無論何事，非託王命，則只有上述祖旨也。

三 廢相後之閣臣與宦官

明代廢相以後，析中書政歸六部。

去中書省，特存中書舍人，爲七品官，職書翰而已。去門下省，特存給事中，雖七品官，而有封駁之權。尚書省不復設令、僕，升六司尚書分爲六部，秩二品。

以尚書任天下事，侍郎副之。六部之上，更無領袖，而天子總其成。

其外有都察院司糾劾，通政司達章奏，大理寺主平反，爲九卿。然惟都察院權較重，並六部尚書爲七卿。明官蓋有卿而無公。明初立中書省總文治，都督府統兵政，御史臺振紀綱，略師漢丞相、太尉、御史大夫三公分職之意。及罷中書省，同時罷御史臺，（後更置都察院。）又分大都督府爲五，而征調隸於兵部。外省設都、布、按三司，分隸兵、刑、錢穀，而考核聽之府部。如是則吏、兵、戶三部之權稍重，而總裁則歸之皇帝也。

另設内閣大學士，爲天子襄理文墨。

授餐大内，常侍天子殿閣下，故名「内閣」。時設大學士者共四殿：中極、舊名「華蓋」。建極、舊名「謹身」。文華、武英；兩閣：文淵閣、東閣。

並正五品，朝位班次在尚書、侍郎下。

洪武時，大學士特侍左右備顧問，奏章批答，皆御前傳旨當筆。

孫承澤春明夢餘錄載洪武十七年九月，給事中張文輔言：「自十四日至二十一日，八日之間，内外

諸司奏箚凡一千一百六十件，計三千二百九十一事。」故君主獨裁，非精力過絕人，其勢必不可久。

成祖以後，始有「內閣」之稱。

由翰林院侍講、侍讀、編修、檢討等官簡用，無定員，使參預機務。不置官屬，不得專制諸司。

永樂、洪熙兩朝，每召內閣造膝密議，然批答亦出自御筆，不委他人。

成祖時，解縉、胡廣等既直文淵閣，猶相繼署院事。

仁宗後，閣權漸重。

楊溥、楊士奇、楊榮稱「三楊」，以東宮師傅舊臣，領部事，兼學士職，地位漸隆，禮絕百僚，始不復署院事。

至宣德時，始令內閣用小票墨書，貼各疏面以進，謂之「條旨」。此由君主生長深宮，一兩代後，精力智識皆不如前，遂漸漸不親政事，懶於接見大臣；愈懶愈疏，愈不明白外面事理，遂愈不敢與大臣直接對面辦事。「條旨」始宣德，據弇山堂別集、明史宰輔年表，謂「至仁宗而後，裁決機宜，悉由票擬」是也。又王瓊雙溪雜記云：「英宗九歲登極，有詔：凡事白於張太后（英宗祖母），然後行。太后令付內閣議決

，每數日必遣中官入閣，問連日曾有何事商榷，具帖開報驗看。不付閣議者，即召司禮監責之。內閣票旨始此。」則謂始正統。殆至是始成定制耳。

詔誥起草，唐時屬中書舍人，後翰林學士越職代之。內閣擬旨，正似翰林之知制誥，並非宰相職也。至明代中書舍人乃七品官，專職書寫而已。

中易紅書批出。

太祖定制，內侍毋許識字。至宣宗時，始立內書堂，內官始通文墨，掌章奏，照閣票批硃，與外廷交結往來。

然遇大事，尚猶命大臣面議。

其後始專命內閣條旨。皇帝深居內殿，不復常與大學士相見。

甚至憲宗成化以後，迄於熹宗天啟，前後一百六十三年，其間延訪大臣者，僅孝宗弘治之末數年，而世宗、神宗則並二十餘年不視朝。羣臣從不見皇帝之顏色。

野獲編卷一有明代召對趣話一則云：「先是憲宗以微吃，賜對甚稀。一日，召閣臣萬眉州(安)、劉博野(吉)、劉壽光(珝)等人，訪及時政，俱不能置對，即叩頭呼『萬歲』，當時有『萬歲相公』之誚。今上(萬曆)淵默歲久，自庚寅元旦召吳門(申時行)、新安(許國)、太倉(王錫爵)、山陰(王家屏)入對以後，又二十五年而爲乙卯之四月，以張差闖宮一事，召方德清(從哲)、吳崇仁(道南)二相入內商榷。方唯叩首唯唯，不能措他語，吳則噤不能出聲。及上怒，御史劉光復越次進言，厲聲命拏下，羣閹閧聚毆之。事出倉卒，崇仁驚怖，宛轉僵仆，乃至便液並下。上回宮，數隸扶之出，如一土木偶，數日而視聽始復。蓋崇仁自登第後，尚未覿穆若之容，一旦備位政本，不覺失措至此。」又趙翼陔餘叢考，有「明中葉天子不見羣臣」條，可參看。

大學士王鏊論視朝，曰：「上下不交，未有如近世之甚者。君臣相見，不過視朝數刻。君或不識其臣，臣或不交一言於君。上下不過章疏批答相關接，刑名法度相把持而已。非獨沿襲故常，亦其地使然。何也？本朝視朝於奉天門，未嘗一日廢。明常朝有御殿儀、御門儀。每日晨興，御奉天門，午、晚復出坐朝，一日而三朝焉，可謂勤政。其後御殿禮廢，午、晚朝亦廢，世宗、神宗，則並常朝御門，亦數十年不一舉。然堂陛懸絕，威嚴赫奕，將軍持鈲，御史糾儀，鴻臚舉不如法，通正司奏上，特是之，命所司知之而已。謝恩見辭，惴惴而退，上何嘗聞一事？下何嘗進一言？欲上下之交，莫若復古内朝之法。周時有三朝，庫門之外爲『外朝』，詢大事在焉。非常朝。路門之外爲『治朝』，日視朝在焉。常朝。路門之内曰『内朝』，亦曰『燕朝』。視朝而見羣臣，所以通上下之情。聽政而適路寢，所以決可否之計。漢制，大司馬、左右前後將軍、侍中、散騎諸吏爲『中朝』，丞相以下至六百石爲『外朝』。蓋外朝爲尊，中朝爲親。周制常朝旅揖、特揖，其儀甚簡。漢常朝儀不著，殆亦近古。叔孫通朝儀，非常朝之儀。唐、宋重常朝，其儀特備，已非秦、漢之舊。唐皇城之南一門曰承天，正旦、冬至取萬國之朝貢則御焉，蓋古之外朝也。其北曰太極門，其内曰太極殿，朔、望視朝在焉，蓋古之治朝也。又北曰兩儀門，其内曰兩儀殿，常日聽朝而視事，蓋古之内朝也。貞觀初，每日臨朝，十三年三日一朝，永徽中五日一朝，文官中五品以上號「常參官」。玄宗怠於政事，乃有紫宸殿入閤，所見惟大臣，百官俟朝正衙者無復見天子。中葉以還，又有開延英召對，則並非正殿。宋時常朝則文德殿，五日一起居則垂拱殿，正旦、冬至、聖節稱賀則大慶殿，賜宴則紫宸殿，或集英殿，試進士則崇政殿。侍從以下五日一員上殿，謂之『輪對』，則必及時政利害。内殿引見，亦或賜坐，漢、唐君臣決事殿廷，皆列坐。宋初范質爲相，始請皆立。漢、唐有不時之朝，如汲黯見武帝於武帳，魏徵見太宗於便殿。宋以下則待召而入。蓋亦三朝之遺意。太

祖、太宗時，華蓋、謹身、武英殿筵宴奏事，則內朝也。今久不御，上下之交絕而不通，天下之弊由是而積。外朝或可間歇，內朝必以時舉。六部諸司以次奏事，大臣五日一次起居，侍從、臺諫五日一員上殿輪對，或不時召見。咫尺相對，略去威嚴。上不難於問，下不難於對。人才賢否、政事得失、風俗善惡、閭閻疾苦、古今治亂，皆得畢陳於前，則上下之情可通，內外之壅蔽可決，天下之事有何不可爲者？」王鏊之言，特欲復明初之規模，而明室帝王之昏惰，則並有不止如鏊之言者，明政烏得不亂？

獨裁的皇帝不問政事，最著者自推神宗。

萬曆二十九年，兩京缺尚書三、侍郎十、科道九十四。天下缺巡撫三、布按監司六十六、知府二十五。朝臣請簡補，不聽。三十四年，王元翰疏：「朱賡輔政三載，猶未一覲天顏。九卿强半虛懸，甚者闔署無一人。監司、郡守亦曠年無官，或一人綰數符。兩都臺省，寥寥幾人。行取入都者，累年不被命。庶常散館，亦越常期。御史巡方事竣，遣代無人。九邊歲餉缺至八十餘萬。天子高拱深居，章疏一切高閣。」四十一年葉向高疏：「自閣臣至九卿臺省，曹署皆空。南都九卿，亦止存其二。天下方面大吏，去秋至今，未嘗用一人。陛下萬事不理，以爲天下常如此，臣恐禍端一發不可收也。」俱不省。全國政事歸皇帝獨裁，皇帝又不向任何人負責，朝政嬾廢墮弛至此，

亦歷史中奇聞也。

自然有權臣應運而生。

世宗時，夏言、嚴嵩遂弄大權。（嚴嵩柄政達二十年。世宗初亦威柄自操，用重典以繩下，而弄權者即借以行私。明代君主非重法即怠荒，皆足以敗事。）

自此以後，內閣學士朝位班次升六部上。（惟終明世，大學士秩止正五品，其官仍以尚書爲重。署銜必曰「某部尚書兼某殿閣大學士」，本銜轉在下，兼銜反在上。）

然皇帝與內閣不相親接，其間尚隔著一層太監的傳遞。閣權最高僅止於票擬。

朝廷命令傳之太監，太監傳之管文書官，管文書官傳之內閣。內閣陳說達之管文書官，管文書官達之太監，太監乃述之御前。

於是實際相權（或竟稱君權。）一歸寺人。

皇帝不赴內閣親視政務，故令閣臣票擬。皇帝在內寢仍不親政務，則批紅亦由太監代之。（或皇帝降旨，由司禮監在旁寫出事目，付閣臣繕擬。）

因此明代司禮監，權出宰輔上。

英宗時王振，（其時票擬尚在內閣，然涂棐疏已言，英宗時批答多參以中官。）武宗時劉瑾，（則專攬益甚。劉健疏：「近者旨從中下，略不與聞。有所擬議，竟從改易。」則正德初已然。）皆是。

以後司禮監遂擅權。瑾每奏事，必偵帝爲戲弄時。帝厭之，亟麾去，曰：「吾用若何事？乃溷我！」自此遂專決，不復白。每於私第批答章奏，辭率鄙冗，焦芳爲之潤色，李東陽頫首而已。

李氏嘗有疏自白，謂：「臣備員禁近，與瑾職掌相關。凡調旨撰勅，或被駁再三，或逕自改竄，或持回私室，假手他人，或遞出謄黃，逼令落稿，真假混淆，無從別白。臣雖委曲匡持，期於少濟，而因循隱忍，所損亦多。」此正可見內閣票擬，必經皇帝批答，司禮監既竊此權，自可箝制閣臣也。又按：洪武十七年鑄鐵牌，置宮門中，曰：「內臣不得干預政事。」宦官出使、專征、監軍、分鎮、刺臣民隱事諸大權，皆自永樂間始。又太祖制，內臣不許識字。宦官通文墨，自宣宗時設內書堂始。然非朝臣附麗羽翼之，虐燄亦不若是烈。首以閣臣比內侍，則焦芳也。

因此宦官逐漸驕橫跋扈。

張東白云：「自余登朝，而內閣待中官之禮幾變。天順間，李文達賢爲首相，司禮監以議事至者，便服接見之。事畢，揖之而退。彭文憲時繼之，門者來報，必衣冠見之。與之分列而坐，閣老面西，中官面東。中官第一人，對閣老第三人，虛其上二位。後陳閣老文則送之出閣。後商文毅輅又送之下階。後萬閣老安又送至內閣門矣。今凡調旨議事，掌司禮者間出，使少監並用事者傳命而已。」文震孟傳則謂：「大臣入閣，例當投刺司禮大奄，兼致儀狀。」又嘉靖中，有內官語朝臣云：「我輩在順門上久，見時事凡幾變。昔日張先生璁進朝，我們要打恭。後來夏先生言，我們只平眼看看。今嚴先生嵩與我們恭恭手纔進。」世宗馭內寺最嚴，其先後不同已如此。

而閣臣中想實際把握政權者，最先便不得不交結內監。時謂：「大臣非夤緣內臣不得進，非依憑內臣不得安。」即如張居正，亦交結內侍馮保也。其次又須傾軋同列。

閣臣不止一人，職任上並無嚴格分別之規定。嚴嵩傾去夏言，與許瓚、張璧同爲大學士，而瓚、璧不得預票擬，大權遂一歸嵩。自是以後，票擬專首揆，餘旁睨而已。萬曆十一年，御史張文熙言閣臣專恣，其一即指票擬不使同官預知。申時行爭之曰：「票擬無不與同官議者。」可見閣臣票擬權，在當時理論上仍不許首揆專制也。萬曆之季，疏多留中，首揆亦閒坐終日。

國家並未正式與閣臣以大權，閣臣之弄權者，皆不免以不光明之手段得之。此乃「權臣」，非「大臣」。權臣不足服衆。楊繼盛劾嚴嵩，謂：「祖宗罷丞相，設閣臣，備顧問、視制章而已。嵩乃儼然以丞相自居。」御史劉臺劾張居正，亦謂其「偃然以相自處」。又曰：「祖宗朝，一切政事，台有奏陳，部院題覆，撫按奉行，未聞閣臣有舉劾也。居正定令撫按考成章奏，每具二册，一送內閣，一送六科，撫按延遲則部臣糾之，六部隱蔽則科臣糾之，六科隱蔽則內閣糾之。夫部院分理國事，科臣封駁奏章，舉劾其職也。內閣銜列翰林，止備顧問，從容論思而已。居正創爲是說，欲脅制科臣，拱手聽令，祖宗之法若是乎？」居正因此上書乞休，自謂：「臣之所處者危地，所理者皇上之事，所代者皇上之言。今言者方以臣爲擅作威福。」可見一切癥結，實在內閣制度之本身也。又明史七卿年表：「洪、宣以後，閣體既尊，權亦漸重，於是閣部相持，凡廷推考察，各騁意見，以營其私，而黨局分焉。科道庶僚，乘其間隙，參奏紛拏。馴至神宗，厭其囂聒，置而不論。」此豈非政體失調有以致之乎？故雖如張居正之循名責實，起衰振敝，爲明代有數能臣，而不能逃衆議。

張居正爲相，治河委潘季馴，安邊委李成梁、戚繼光、俞大猷。太倉粟支十年，太僕積貯至四百萬。及其籍没，家貲不及嚴嵩二十之一。然能治國，不能服人。法度雖嚴，非議四起。繼之爲政

者，懲其敗，多謙退緘默以苟免。因循積弊，遂至於亡。

黃梨洲謂：「有明一代政治之壞，自高皇帝廢宰相始。」明夷待訪錄。真可謂一針見血之論。

明代一面廢去宰相，一面又用嚴刑繩下。錦衣衛、錦衣衛獄又稱「詔獄」，始太祖時。東廠、永樂設，掌緝訪謀逆妖言、大奸惡等，由宦者領之，與錦衣衛均權。西廠，憲宗寵汪直設，命詗刺外事，所領緹騎倍東廠。武宗時，劉瑾又設之。神宗時，馮保擅權，又建「內廠」，即西廠之變相。於是名東廠曰「外廠」。魏忠賢秉政，內、外廠備極刑慘。成爲皇帝的私法廷，可以不經政府司法機關刑部、都察院、大理寺，稱三法司。刑部受天下刑名，都察院糾察，大理寺駁正。而擅自逮捕鞠訊朝臣，乃至於非刑虐殺，其權全操於內寺。

初領五都督府者，皆元勳宿將。永樂間，始設內監監其事。沿習數代，勳戚紈絝司軍紀，而內監添置益多。邊塞皆有巡視，四方大征伐皆有監軍，而內監之權又侵入於軍事。其他明代如皇莊、礦稅、上供、採造種種擾民事，亦皆奄寺主之，則奄權又侵及於財政。明祖著令：內官不得預政事。永樂中，遣鄭和下西洋，侯顯使西番，馬騏鎮交趾，且以漠北諸將皆洪武舊人，以中人參之。又設東廠預事，宦官浸任用。明祖之廢宰相，與永樂之任宦寺，皆出一時私意。明代規模定於二君，禍根亦胥種於是矣。

內寺之權，極盛於熹宗時之魏忠賢。

天啓六年，浙撫潘汝楨始爲忠賢立生祠，天下爭廢書院應之。監生陸萬齡請祀忠賢於國子監，又請以忠賢配孔子。崇禎時定逆案，首逆凌遲者二人，爲忠賢、客氏。首逆同謀決不待時者六人，

交結近侍秋後處決者十九人，結交近侍次等充軍者十一人，又次等論徒三年贖爲民者一百二十九人，減等革職閒住者四十四人，共二百零九人。忠賢本族及內官黨附者又五十餘人。其時文臣有崔呈秀等「五虎」，武臣有許顯純等「五彪」，又有「十狗」、「十孩兒」、「四十孫」之號。自內閣六部至四方督撫，無非逆黨，駸駸乎可成篡弒之禍。忠賢目不識丁，弄權至多不過六、七年，少僅三、四年，蟠結攀附之盛已如此，則其時士風官方，亦可知矣。

在一種黑暗的權勢下面，鼓盪出舉世諂媚之風，而同時激起名節之士之反抗，而黨禍於此興。

明朝一種諂媚結附之風，蓋由中葉以後，政治混濁而引起。嚴嵩當國，朝士爲乾兒義子者至三十餘輩。張居正臥病，六部大臣九卿、五府公侯伯俱爲設醮。翰林、科、道繼之，部屬、中、行繼之，諸雜職又繼之，外官南京、楚、閩、淮、漕又競起應之。黠者以獻媚，次亦避禍不敢立崖岸。時獨一顧憲成，削名不屈。無論爲張居正，爲魏忠賢，自趨權附勢者視之，則同樣爲權勢之代表。而自守正不阿者論，則此等權勢亦同樣應該反對。反對此等權勢者，醞釀於講學，結集於書院。而張居正亦盡力摧毀天下書院，魏忠賢則前後兩次殺六君子十二人，黨禍至於不可收拾矣。

又按：黑暗政權之普通象徵，厥爲賄賂。王振時，每朝覲官來見，以金爲率，千金者始得醉飽而出。稗史類編。振籍沒時，金銀六十餘庫，玉盤百，珊瑚六、七尺者二十餘株。振傳。李廣歿後，孝宗得

其賂籍，文武大臣餽黃、白米各千百石，蓋隱語，黃者金，白者銀也。廣傳。劉瑾時，天下三司官入覲，例索千金，甚有至四、五千金者。蔣欽傳。稗史則謂「布政使須納二萬金」。科、道出使歸，亦例有重賄。許天錫傳。瑾敗後，籍沒之數，大玉帶八十束，黃金二百五十萬兩，銀五千萬餘兩，他珍寶無算。據王鏊筆記。瑾竊柄不過六、七年耳。其後錢寧籍沒時，亦黃金十餘萬兩，白金三千箱，玉帶二千五百束。寧傳。魏忠賢史不載其籍沒之數，其富當更勝於瑾也。顧不必宦官爲然。嚴嵩爲相二十年，籍沒時黃金三萬餘兩，白金二百餘萬兩，他珍寶不可數計。嵩傳。又稗史載：「嚴世蕃與其妻窖金於地，每百萬一窖，凡十數窖。」當時文武遷擢，但問賄之多寡。楊繼盛疏。吏、兵二部持簿就嵩填註。董傳策疏。邊臣失事納賕，無功可賞，有罪不誅。文武大臣贈謚遲速予奪，一視賂之厚薄。周冕疏。雖州縣小吏，亦以貨取。沈鍊疏。戶部發邊餉，朝出度支門，暮入嵩府。輸邊者四，餽嵩者六。邊鎮使人伺嵩門下，未饋其父子，先饋其家人。家人嚴年已踰數十萬。張翀疏。政府帑藏不足支諸邊一年之費，而嵩所積可支數年。王宗茂疏。水陸舟車載還其鄉，月無虛日。董傳策疏。又徐學詩疏謂：「都城有警，密運財南還，大車數十乘，樓船十餘艘。」嵩本籍袁州，乃廣置良田美宅於南京、揚州，無慮數十所。鄒應龍疏。其後陳演罷相，以貲多不能行，遂爲闖賊所得。賄隨權集，貪黷黑暗，諂媚趨附，胥可於此見之。然則又何怪於黨禍之興與流寇之起也！

直待全國正人都捲入黨禍，而國脈亦遂斬。

第三十七章　傳統政治復興下之君主獨裁（下）

一　明初的幾項好制度

但明初政治，亦有幾點特長處。

(一)明初之學校貢舉制度

明祖一面廢宰相，用重刑，一面卻極看重學校。明祖蓋知政治不得不用讀書人，故一面加意培植養成，一面卻設法削其權任，殺其氣燄。

洪武八年，頒行學校貢舉事宜。此據永樂大典，見全祖望集。

生員分二等。

一、府州縣學舍之生員。有定額，自四十人以下爲差，日給廩餼。

二、鄉里學舍之生員。無定額，三十五家置一學，名「社學」。

府、州、縣學舍生員之資格，以官員子弟，及民俊秀、年十五以上、讀過四書者充之。

其學科有經、史、分九經、四書、三史、通鑑、莊老、韜略等。禮、律、樂、射、算等項。晨習經、史、律，飯後治書、禮、樂、算，晡後習射。餘力學爲詔誥、箋表、碑版、傳記等應用文字。

其考試分按月考驗，及三年大比。

貢至行省，拔尤送京師，並妻、子資送。

貢士天子臨軒召見，說書一過，試文字、射、算。分科擢用。有經明行修、工習文詞、通曉四書、人品俊秀、言有條理、精習算法諸科，以諸科備者爲上，以次降，不通一科者不擢。

其任用有爲御史、知州、知縣、教官、經歷、縣丞、部院書吏奏差、五府掾史不等。

其鄉里學舍之師資，由守令擇有學行者教之。在子弟爲師訓，在官府稱「秀才」。教科自百家姓、千字文以至經、史、律、算。

考試亦三年一大比，師生皆有升進。行省拔秀才之尤者貢之朝，守令資送其妻、子入京。天子臨軒試，加以錄用。生員俊秀者入學，補缺食餼。不成材者聽各就業。

學校之盛，爲唐宋以來所不及。

明府、州、縣、衞所皆建儒學，教官四千一百餘員，弟子無算。又凡生員入學始得應舉，則學校與考試兩制度已融合爲一，此實唐宋諸儒所有志而未逮者。至其末流，漸廢漸壞，有名無實，則

又當別論。

至國子監有「歷事監生」之制。

國子學改稱「國子監」，監生分赴諸司先習吏事，謂之「歷事監生」。亦有遣外任整理田賦、清查黃册、興修水利等事，學十餘年，始撥歷出身。

出身優異。

洪武二十六年，盡擢國子生六十四人爲布政、按察兩使，及參議、副使、僉事等官，爲四方大吏者尤多。臺諫之選，亦出於是。常調亦得爲府、州、縣六品以上官。

布列中外，一時以大學生爲盛。

明代國學，即至後來，亦比唐宋較見精神。

學生既得歷事，又有優養，而尤重司成之選，特簡大學士、尚書、侍郎爲之。及至中葉，名儒輩出。如李時勉、陳敬業、章懋、羅欽順、蔡清、崔銑、呂柟分教南北。晝則會饌同堂，夜則燈火徹旦，如家塾之教其子弟。故成材之士，多出其門。

(二)明代之翰林院制

明制中尤堪稱述者，在其翰林院。

翰林院之設始於唐，其先本內廷供奉藝能技術雜居之所。

此猶秦漢初年之博士及郎官。舊唐書職官志言：「翰林院有合練、僧道、卜祝、術藝、書弈，各別院以廩之。」其見於史者，天寶初，嵩山道士吳筠。乾元中，占星韓穎、劉烜。貞元末，弈棋王叔文，侍書王伾。元和末，方士柳泌，浮屠大通。寶曆初，善弈王倚，興唐觀道士孫準。並待詔翰林是也。亦有名儒學士，時時任以草制。此亦視為藝能之一。乾封以後，始號「北門學士」。因其常於北門候進止。玄宗初，置「翰林待詔」，以張說、陸堅、張九齡、徐安貞、張垍等為之。掌中外表疏批答、應和文章。此則猶漢武帝侍中內朝多任文學之士也。嗣乃選文學士號「翰林供奉」，分掌制誥、書敕。此則以內廷漸分外朝之權，正與漢武以侍中諸文士參預國政奪宰相權相似。

玄宗時，開元二十六年。別置學士院，在翰林院之南，始正式與翰林院分而為二，然猶冒翰林院之名。因唐別有弘文館學士、麗正殿學士故也。自此學士與待詔有別。

趙璘因話錄：「文宗賜翰林學士章服，續有待詔欲先賜，本司以名上，上曰：『賜君子小人不同日，且待別日。』」又文紀寶曆二年，省「教坊樂官、翰林待詔、技術官」云云。此種分別，猶如漢

博士專尊五經儒士，而百家盡黜也。

專掌內命。凡拜免將相，號令征伐，皆用白麻。其後選用益重，禮遇益親，至號爲「內相」。

此則相權內移，正如漢代尚書代三公之實權矣。興元元年，翰林學士陸贄奏：「學士私臣，玄宗初待詔內庭，止於應和詩賦文章。詔誥本中書舍人職，軍興之際，促迫應務，權令學士代之。今朝野乂寧，合歸職分。」識者是之。

宋代則翰林學士，亦掌制誥、侍從備顧問，並有侍讀、侍講、說書等經筵官，亦與翰苑同爲政府中清美的缺分。

而館閣之選，更爲士人榮任。

凡直昭文館、直史館、直集賢院、此爲國史三館。太宗時新建三館，賜名「崇文院」。直祕閣，端拱初，就崇文院中堂建。與集賢殿修撰、史館修撰、直龍圖閣，皆爲館閣高等。其次曰集賢校理，曰祕閣校理。官卑者曰館閣校勘，曰史館檢討。均謂之「館職」。記注官闕，必於館職取之。非經修注，不除知制誥。元豐以前，館職非名流不可得。凡狀元制科一任還，及大臣論薦，乃得召試，入格乃授，謂之「入館」。時人語曰：「寧登瀛，不爲卿。寧抱槧，不爲監。」其貴如此。

實爲當時政府一種儲才養望之清職。

劉安世謂：「祖宗之待館職，儲之英傑之地，以飭其名節。觀以古今之書，而開益其聰明。稍優其廩，不責以吏事。所以滋長德器，養成名卿賢相也。」

至於明代，翰林院規模，益臻崇宏，經筵官、史官均歸入翰苑，翰林院更明顯的變成一個中央政府裏面惟一最高貴的學術集團。這一個集團，與王室在在保有很緊密的關係。內閣學士，即從翰林院分出。

英宗正統七年，翰林院落成，學士錢習禮不設楊士奇、楊榮座，曰：「此非三公府也。」二楊以聞，乃命工部具椅案，禮部定位次，以內閣固翰林職也。嘉、隆以前，文移關白，猶稱「翰林院」，以後始遝稱「內閣」。

至詹事府（主輔導太子。）官職，亦爲翰院旁支，與侍講、侍讀等同爲王室導師。

而明代翰林院一個更有意義的創制，則爲庶吉士之增設。

翰林院有庶吉士，正如國子監有歷事生，以諸進士未更事，俾先觀政，候熟練然後任用。大率進士第一甲得入翰林，而二甲、三甲則得選爲庶吉士。

進士徑入翰林，始洪武十八年。永樂以後，惟第一甲例得入翰林，二甲、三甲必改庶吉士，乃得銓注。

自有庶吉士而翰林院遂兼帶有教育後進之性質。

其先庶吉士命進學於內閣。

永樂三年，命學士兼右春坊大學士解縉等，新進士中選材質敏美者，俾就文淵閣進學。其先洪武六年，已有鄉貢舉人免會試，擇年少俊異者肄業文華堂之制。又洪武十四年六月，詔於國子諸生中選才學優等、聰明俊偉之士，得三十七人，命之博極羣書，講明道德、經濟之學，以期大用，稱之曰「老秀才」，禮遇甚厚。此皆為後來庶吉士制度之先聲。可見明祖未嘗不思作育人才，後人謂明祖創為八股文以愚世，非也。後景帝時，又有東閣進學之事。

並時經帝王御試。

永樂中，召試庶吉士多在文華殿。宣宗時，又有齋宮考藝。正德後，庶吉士止隸翰林，遂罕御試。

其間有經長時期之教習。

遠則八、九年，近則四、五年，而後除授。有不堪者，乃改授他職。永樂四年，庶吉士陳孟潔、曾春齡輩卒於京師，或以教習已近十年爲言，上怒，於是張叔穎等皆除通判。

學成每得美擢。

大抵以授翰林院編修、檢討諸職爲常。宣德以前兼授部屬、中書等官，正統間始有授科、道者。

翰林院本爲儲才養望之地，明初（洪武、永樂兩代。）尤能不斷注意到社會上的名儒耆俊，網羅擢用。皇帝以及儲君，時時與翰林學士接近，既可受到一種學術上之薰陶，又可從他們方面得到很多政治上有價值的獻議或忠告。

翰林學士除爲講官、史官、修書、視草等規定的職務外，如議禮、審樂，定制度、律令，備顧問，評得失，論薦人才，指斥姦佞，以常獲從幸，尤見親密，實多有匡捄將順之益也。

而一輩翰林學士，又因並不負有行政上實際的責任，（無專掌，無錢穀簿書之煩。明代翰林亦無青詞齋文等無聊文字之應酬。當時稱之爲「玉堂仙」。一甲三人爲「天上生仙」，庶吉士則「半路修行」也。）而望榮地密，從容中祕，得對古今典章沿革，制度得失，恣意探討，以備一旦之大用。而庶吉士以英俊後起，亦得侍從臺閣，受一種最名貴而親切的教育。實在是國家

培植候補領袖人才之一種好辦法。（庶吉士亦得建言白事。）

在貴族門第的教育（此種教育，對於政治傳統，特有關係。）消失以後，在國家學校教育未能切實有效以前，此種翰林院教習庶吉士的制度，實在對於政治人才之培養，極爲重要。（國子監歷事生則與翰林院庶吉士並行兼濟。）

元代許衡罷中書，爲國子師，所教習蒙古族人侍御貴近子弟，其後皆爲重臣。明制實模倣於此。洪武六年開文華堂肄業，太祖謂宋濂等曰：「昔許魯齋諸生多爲宰相，卿其勉之。」可證。翰林院制度後爲清代所沿襲。清代政治上人物以及學術上之貢獻，由此制度助成者，尚不少也。

（三）其他

明初又厲行察舉之制，（罷科舉者凡十年，至十七年始復，而薦舉之法仍並行不廢。）

中外大小臣工，皆得推舉。下至倉、庫、司、局諸雜流，亦令舉文學才幹之士。其被薦而至者，又令轉薦，以故山林巖穴、草茅窮居，無不獲自達於上。（吏部奏薦舉當除官者多至三千七百餘人，少亦至一千九百餘人。）

拔用人才，不拘資格。

由布衣登大僚者不可勝數。有徑拜爲大學士者，有起家爲尚書、侍郎者。永樂間，薦舉起家，猶有

內授翰林、外授藩司者。

又俾富戶、耆民皆得進見，奏對稱旨，輒予美官。

又獎勵人民上書言事。

凡百官、布衣、百工、技藝之人，皆得上書。並許直至御前奏聞。沿及宣、英，流風未替。雖升平日久，堂陛深嚴，而逢掖布衣、刀筆掾史、抱關之冗吏、荷戈之戍卒，朝陳封事，夕達帝閽。採納者榮顯，報罷者亦不罪。英、景之際，尚不可勝書。

有六科給事中掌封駁，謂之「科參」。

給事中原屬門下省，明代罷去門下省長官，而獨存六科給事中。旨必下科，其有不便，給事中得駁正到部，謂之「科參」。六部之官，無敢抗科參而自行者。又廷議大事、廷推大臣、廷鞫大獄，給事中皆預。

位雖低而權重。

如此，只要上面有精明强幹的皇帝，如洪武、永樂。下面學校貢舉制度能繼續不懈，社會優秀分子逐漸教養成才，逐漸加入政府。又有翰苑制度，爲政府特建一個極富學術意味的衙門，做

政府的領袖人才的迴翔地。既以通上下之志，又以究古今之變，使常爲全部政治的一個指導機關。又使下級官僚乃至地方民衆，常得風厲奮發，在政府中有不時參加及相當發言的地位。此種政治，宜可維持一個相當時期，不致遽壞。明祖鑒前代女禍，首嚴內教。終明一代，宮壼肅清，論者謂其超軼漢、唐。刑法已寬於建文，而重峻於永樂。援用宦豎，亦始成祖。若明無靖難之變，其政制或可不如以後之所至。

故洪武以來，吏治澄清者百餘年。

其時地方官每因部民乞留而留任，且有加擢者。守牧稱職，增秩或至二品，監司入爲卿貳者比比。又常特簡廷臣出守，有尚書出爲布政使，而侍郎爲參政者。又常由大臣薦舉，又時遣大臣考察黜陟。府、州、縣官廉能正直者，必遣行人齎勅往勞，增秩賜金。仁、宣之際猶然。又重懲貪吏。故明之吏治，且駕唐、宋而上之，幾有兩漢之風。英、武之際，雖內外多故，而民心無土崩之虞，由吏鮮貪殘故也。惟英宗天順以後，巡撫之寄漸專，監司、牧守不得自展布，乃成重內輕外之勢。

其他又如明初衛所制度，頗得唐府兵遺意。

自京師達於郡、縣，皆立衛所。地係一郡者設所，連郡者設衛。大率以五千六百人爲一衛，千一百二十八人爲一千戶所，一百一十二人爲百戶所。外統於都司，內統於五軍都督府。征伐則命將充總兵官，調衛所軍領之。既旋，則將上所佩印，官軍各回衛所。每

軍給田五十畝爲一分。（或百畝、七十、三十、二十畝，以土地肥瘠爲差。）最盛時，中外衛所軍百餘萬。（洪武二十三年，京師二十萬六千二百八十人，外九十九萬二千一百五十四人，爲最盛。）歲得糧五百餘萬石，官俸兵糧皆於是出。太祖曰：「吾養兵百萬，要不費百姓一粒米。」（税額：官給牛者十税五，自備者税四或三。亦較魏、晉爲優。）

黃册、魚鱗册整頓賦役，清代因之不能革。

魚鱗册始行於洪武二十年。（其全國完成，當在二十六年。故明會典有洪武二十六年全國土田統計。）時兩浙富民畏避徭役，以田產寄他戶，謂之「貼脚詭寄」。是年命國子生武淳等分行州、縣，隨糧定區，區設糧長。（元制，民夏輸絲絹，秋送米粟，鄉推一人總其事，若鄉官然。明糧長即仿此。糧長以田多者爲之。其先，歲七月，州、縣委官偕詣京，領勘合以行。糧萬石，長、副各一人。輸以時至，得召見。語合，輒蒙擢用。然其制頗多流弊。其後官軍兌運，糧長不復輸京師，而在州里間頗滋害。）量度田畝方圓，次以字號，悉書主名，及田之丈尺，編類爲册，狀如魚鱗，號曰「魚鱗圖册」。先是，詔天下編黃册，（在洪武十三年。）以戶爲主，詳具舊管、新收、開除、實在之數爲四柱式。而魚鱗圖册以土田爲主，諸原坂、墳衍、下濕、沃瘠、沙鹵之別畢具。魚鱗册爲經，土田之訟質焉。黃册爲緯，賦役之法定焉。

明初武功亦足方駕漢、唐。

安南自唐後淪於蠻服者四百餘年，永樂時復隸版圖，設布政司。（暹羅、緬甸，亦通朝貢。）朝鮮在明，雖稱屬國，

而無異域内。朝貢絡繹，錫賚便蕃。迄於明亡，猶私心嚮明不已。成祖親征漠北，遠使南洋，季年朝貢者，殆三十國。

故明代的政治設施，雖論其用心，未得爲當，而亦與兩漢、唐、宋諸朝並爲中國史上之一段光昌時期。嘉、隆以後，吏治日媮，民生日蹙，國遂以亡矣。

二　明代政制之相次腐化

惟承平日久，科舉進士日益重，而學校貢舉日益輕。學校可以造成所欲期望之人才，科舉則只就社會已有人才而甄拔之。又薦舉亦益稀，出身全由場屋。顧亭林謂：「明科舉尤重進士，神宗以來遂有定例。州、縣印官以上中爲進士缺，中下爲舉人缺，最下乃爲貢生缺。舉貢歷官雖至方面，非廣西、雲、貴不以處之。以此爲詮曹一定之格。間有一、二舉貢受知於上，拔爲卿貳大僚，則必盡力攻之，使至於得罪譴逐，且殺之而後已。於是不由進士出身之人，遂不得不投門戶以自庇。資格與朋黨二者，牢不可破，而國事大壞。邱橓疏：「薦則先進士，劾則先舉監。同一官也，不敢接席而坐，比肩而立。」賈三近疏：「撫、按諸臣，遇州、縣率重甲科而輕鄉舉。同一寬也，在進士爲撫字，在舉人爲姑息。同一嚴也，在進士爲精明，在舉人爲苛戾。是以爲舉人者，非頭童齒豁不就選。」二氏之説，皆可與顧語相證。今按：科目之弊，自宋已見。項安世謂：「科目盛自李唐，而唐之取士，猶未盡出於此。有上書得官，有隱逸召用，有出於辟舉，有出於延譽。自太平興國以來，科名日重，至於今二百餘年，舉天下人才，一限於科目之内。入是科者，雖檮杌、饕餮

必官之。出是科者，雖周公、孔子必棄之。上不以爲疑，下不以爲怨。一出其外有所取捨，則上蓄縮而不安，下睥睨而不服。共知其弊而甘心守之。使諸葛亮、王猛處此，必當自出意度，別作罏鞴，以陶鎔天下之人物，以收拾天下之才智，以共了當時之事。自王導、謝安以下，隨世就事之人，欲於妥帖平靜中密致分數劑量之效，則必不敢變今之說矣。」此南宋時人議論也。中間斷於元，至明而其弊又漸滋。昔人謂「自宋以來爲舉子之天下」，此固與東漢以下至於唐中葉之門第勢力不同，而同樣足以操縱一時之世界也。至於翰林之官，又以清華自處，而鄙夷外曹。科第不與資格期而資格之局成，資格不與朋黨期而朋黨之形立。」

英宗天順以後，非進士不入翰林，非翰林不入內閣。翰林人才亦爲科目所限。

時南、北禮部尚書、侍郎及吏部右侍郎，非翰林不任；而庶吉士始進，已羣目爲儲相。明一代宰輔一百七十餘人，由翰林者十九。科舉已視前代爲盛，而翰林之盛，則又前代所絕無。此明史選舉志語。

而教習庶吉士漸漸變成有名無實。

庶吉士在外公署教習，始自正統初年，寖與文華堂、文淵閣時舊規不同。內閣仍有按月考試，僅詩文各一篇，第高下，揭帖開列名氏，發院立案。有志者甚或謝病去。天順八年庶吉士，於次年相率入內閣求解館。大學士李賢謂曰：「賢輩教養未久，奈何遽欲入仕？」計禮應聲對曰：「今日比永樂時教養何等？且老先生從何處教養來？」賢大怒，請旨，各授職，罰禮觀政刑部。弘治六年，學士李東陽、程敏政教庶吉士，至院閱會簿，悉注病假。其流弊至此。

庶吉士散館，則資格已成，便可坐望要職。

明代甚拘資格，一與詞林之選，便可坐躋華膴，往往優遊養望。進士散館後，率請假回籍。吏部輒案原資起用。有家居數十年，遷至尚書、侍郎，始入朝供職者。偶有一、二調外及改部郎，輿論喧嘩，互相袒徇。謝肇淛謂：「唐宋之代，出爲郡守，入爲兩制，未嘗有此格。」（邱樽疏。）

翰林爲貯才之地，吏部爲掄才之所，此兩官特爲明世所重。

明制，六部吏、兵爲貴，以主文、武之銓選也。而吏部執掌尤重。吏部凡四司，文選掌銓選，考功掌考察，其職尤要。明史選舉志言：「選舉之法，大略有四：曰學校，曰科目，曰薦舉，曰銓選。學校以教育之，科目以登進之，薦舉以旁招之，銓選以布列之。天下人才，盡於是矣。」可見明吏部之權重。霍韜疏：「邇年流弊，官翰林院者不遷外任，官吏部者不改別曹，陞京官者必由吏部。人輒以二官爲清要，中外臣工不畏陛下而畏吏部，百官以吏部以內閣爲腹心。」

及翰林院既不能培養人才，而吏部選舉，又漸漸有拈鬮、掣籤之法，而選舉遂不可問。

明史選舉志：「在外府、州、縣正佐，在內大、小九卿之屬員，皆常選官，選授遷除，一切由吏

部。其初用『拈鬮法』，萬曆間文選員外郎倪斯蕙條上銓政十八事，其一曰『議掣籤』。尚書李戴擬行，報可。孫丕揚踵而行之。」陳鼎東林列傳孫丕揚傳：「先是大選外官，競爲請託，丕揚創爲『掣籤法』。分籤爲四隅：曰東北，北京、山東爲主。東南，南京、浙江、福建、江西、廣西爲主。西北，陝西、山西爲主。西南。湖廣、四川、雲南、貴州爲主。」于慎行筆麈謂：「一時宮中相傳以爲至公，下逮閭巷，翕然稱頌。」

至於科舉方面，經義漸漸變成爲八股。

元皇慶二年考試程式，始以四書義取士。明制考三場。初場四書義三道，依朱注。經義四道。大率用程、朱，永樂時編四書五經大全。二場論一道，判五道，詔、誥、表內科一道。三場經、史、時務策五道。惟主司閱卷多就初場所中卷，而不深求其二、三場，因此學者精力全集中於四書義、經義。八股文者，乃一種有格律的經義，有一定之體裁與格式，猶之唐之有律詩、律賦。其體蓋起於成化以後。顧炎武謂：「經義之文，流俗謂之八股，蓋始成化以後。股者，對偶之名。天順以前，經義之文不過敷演傳注，或對或散，初無定式。其單句題亦甚少。成化二十三年會試，『樂天者保天下』，起講先提二句，即講『樂天』四股。中間過接四句，復講『保天下』四股。復收四句，再作大結。弘治九年會試，『責難於君謂之恭』，起講先提三句，即講『責難於君』四股。中間過接二句，復講『謂之恭』四股。復收二句，再作大結。每四股之中，一反一正，一虛一實，一淺一深。其兩扇立格，則每扇之中各有四股。其次第之法亦復如之。故今人相傳謂之八股。若長題則不拘此。嘉靖以後，文體日變，問之儒生，皆不知八股之何謂矣。」

昔人謂：「八股之害等於焚書，而敗壞人才，有甚於咸陽之坑。」顧炎武語。

科舉推行既久，學者只就四書一經中，擬題一、二百道，竊取他人文記之，富家延師，一經擬數十題，譔文論價。入場抄謄一過，便可僥倖中式。本經全文有不讀者。禮喪服不讀、檀弓不讀，書五子之歌、湯誓、盤庚、西伯戡黎、微子、金縢、顧命、康王之誥、文侯之命不讀，詩淫風、變雅不讀，易訟、否、剝、遯、明夷、睽、蹇、困、旅諸卦不讀。

丘濬謂：大學衍義補。在天順、成化時。「士子登名朝列，有不知史册名目、朝代先後、字體偏旁者。」王鏊謂：制科議。在弘治十四年。「人才不如古，原於科舉。」楊慎謂：「士子專讀時義，一題之文必有坊刻。明坊刻凡四種：一曰程墨，三場主司及士子之文。二曰房稿，十八房進士之作。三曰行卷，舉人之作。四曰社稿，諸生會課之作。一科房稿之刻有數百部，皆出於蘇、杭，而中原北方之賈人市買以去。天下惟知此物可進取科名、享富貴，此之謂「學問」，此之謂「士人」，而他書一切不觀。稍換首尾，强半雷同。使天下盡出於空疏不學，不知經史爲何物，是科舉爲敗破人才之具也。」顧炎武謂：「舉天下惟十八房之讀，明制，會試用考試官二員總裁，同考試官十八員分閱五經，謂之「十八房」。其事始萬曆。後增至二十房。匯其範作，供士子之揣摩。讀之三年、五年，而一幸登第，則無知之童子，儼然與公卿相揖讓，而文、武之道，棄如弁髦。故八股盛而六經微，十八房興而廿一史廢。此法不變，則人才日至於消耗，學術日至於荒陋，而五帝、三王以來之天下，將不知其所終。」又曰：「時文敗壞天下之人才，而至士不成士，官不成官，兵不成兵，將不成將，夫然後寇賊姦宄得而乘之，敵國外患得而勝之。」

學問空疏，遂爲明代士人與官僚之通病。顧亭林日知錄稱：「石林燕語：『熙寧以前，以詩賦取士，學者無不先徧讀五經。余見前輩雖無科名人，亦多能雜舉五經。蓋自幼時習之，故終老不忘。自改經術，人之教子者，往往以一經授之，他經縱讀亦不能精。其教之者亦未必皆通五經，故雖經書正文亦多遺誤。若今人問答之間，稱其所習爲「貴經」，而自稱爲「敝經」，尤可笑也。』」今按：元袁桷國學議謂：「自宋末年尊朱熹之學，脣腐舌弊，止於四書之注。

凡刑獄簿書、金穀戶口，靡密出入，皆以爲俗吏而爭鄙棄。清談危坐，卒至國亡而莫可救。近江南學校教法，止於四書，髫齔諸生，相師成風，尚甚於宋之末世。知其學之不能通，大言以蓋之。議禮止於誠敬，言樂止於中和。其不涉史者，謂自漢以下皆霸道。不能辭章，謂之玩物喪志。」是學風之陋，南宋以來已然。荊公早自悔：「本欲變學究爲秀才，不謂變秀才爲學究。」學究者，即學究一經之謂也。朱子有學校貢舉私議，亦謂：「人材日衰，風俗日薄，朝廷、州、縣，每有一事之可疑，則公卿大夫、官人百吏，愕眙相顧而不知所出。必欲乘時改制，以大正其本而盡革其末流之弊」云云。袁桷所舉，固非朱子所逆料也。蓋朱、王皆欲提倡一種新學風，而皆爲科舉功利所掩，其提倡之苦心深意皆失，而流弊轉無窮。陽明繼起，力倡良知而斥功利。然良知之說，仍爲空疏不學者所逃。荊公、朱子、陽明皆有驅虛就實之意，而皆不勝世變之滔滔，則以學校之教不立故也。在上者僅知懸一標準以取士，而不知教育，則無論東漢之察孝廉，隋、唐之考詩賦，宋、明之試經義，其末流之不能無弊皆一矣。

掌握獨裁權的皇帝，往往深居淵默，對朝廷事不聞不問，舉朝形成羣龍無首之象，而明代風習又獎勵廷臣風發言事。於是以空疏之人，長叫囂之氣，而致於以議論誤國。

明自正德、嘉靖以後，羣臣言事漸尚意氣。時論言路四弊：一曰傾陷，二曰紛更，三曰苛刻，四曰求勝。至萬曆末，怠於政事，章奏一概不省，廷臣益務爲危言激論自標異。明末以廷議誤國，事不勝舉。要之不度時勢，徒逞臆見，是非紛呶，貽誤事機。舉其要者，流寇既起，內外相乘，若暫和關外，猶可一意治內；而思宗迫於言路，不敢言和，廷臣亦無敢主和事者。陳新甲主兵部，力持議款，帝亦嚮之；事洩於外，羣臣大譁，爲殺新甲。孫傳庭守關中，議者責其逗撓，朝廷屢旨促戰；傳庭曰：「往不返矣，然大丈夫豈能再對獄吏！」遂敗死。賊既渡河，有請撤吳三桂兵迎擊者，議者責其自蹙地，遂不果。及賊勢燎原，或請南幸，或請以皇儲監國南京，議者又斥其邪妄。明事終至於一無可爲而止。

諂媚與趨附，奮發與矯激，互爲摩盪，黨禍日烈。

至於地方生員，則有養無教，日益滋增，徒蠹公帑。

宣德中，生員定增廣之額，初食廩者謂之「廩膳生員」，增廣者謂之「增廣生員」。嗣後又於額外增取，附於諸生之末，謂之「附學生」。人愈多，習愈惡。遐陬下邑，亦有生員百人。俊士之效賒，遊手之患切。

又在地方仗勢爲惡，把持吞噬，實做土豪劣紳。

崇禎之末，開門迎賊，縛官投僞，皆出生員。

當時比之「魏博之牙軍，成都之突將」。此顧亭林語，猶今人擬學生爲「丘九」也。

士習官方，至於萬曆之末而極壞。

顧亭林日知錄痛論之，謂：「萬曆以上，法令繁而輔之以教化，故其治猶爲小康。萬曆以後，法令存而教化亡，於是機變日增而材能日減。」又曰：「孔子對哀公，以老者不教，幼者不學，爲俗之不祥。自余所逮見五、六十年國俗民情舉如此。不教、不學之徒，滿於天下，而一、二稍有才知者，皆少正卯、鄧析之流。」又曰：「昔之清談談老莊，今之清談談孔孟。不習六藝之文，不考百

王之典，不綜當代之務，以明心見性之空言，代修己治人之實學。股肱惰而萬事荒，爪牙亡而四國亂。神州蕩覆，宗社丘墟。」又曰：「舉業至於鈔佛書，講學至於會男女，考試至於鬻生員，此皆一代之大變，不在王莽、安祿山、劉豫之下。」又曰：「萬曆間人看書不看首尾，只看中間兩三行。」又曰：「今代之人，但有薄行而無雋才，不能通作者之意，其所著書，無非盜竊。」又曰：「科名所得，十人之中八、九皆白徒。一舉於鄉，即以營求關說爲治生之計。在州里則無人非勢豪，適四方則無地非游客。欲求天下安寧，斯民淳厚，如卻行而求及前人。」又曰：「自神宗以來，黷貨之風，日甚一日。天下水利碾磑，場渡市集，無不屬之豪紳，相沿以爲常事。」又曰：「萬曆以後士大夫交際，多用白金，乃猶封諸書冊之間，進自閽人之手。今則親呈坐上，徑出懷中。交收不假他人，茶話無非此物。」又曰：「世尚通方，人安媟慢。搖頭而舞八風，祝欽明。連臂而歌萬歲。閻知微。按：祝、閻皆唐人，顧氏引以況晚明也。去人倫，無君子，而國命隨之。」又曰：「今世士大夫纔任一官，即以教戲唱曲爲事。官方民隱，置之不講。」又曰：「自萬曆季年，搢紳之士，不知以禮飭躬，而聲氣及於宵人，詩字頒於輿皁。至於公卿上壽，宰執稱兒，而神州陸沉，中原塗炭矣。」又曰：「嚴分宜之僕永年，號曰鶴坡。張江陵之僕游守禮，號曰楚賓。不但招權納賄，而朝中多贈之詩文，儼然與搢紳爲賓主。名號之輕，文章之辱，異日媚閹建祠，此爲之嚆矢。」

而承平既久，武備亦弛。「本兵」高踞在上，武臣氣折。

明自英、憲以還，軍伍廢弛，而兵政盡歸於兵部，疆埸有警，調兵撥餉及戰守事宜皆主之。武臣自專閫以下皆受節制，黜陟進退胥由之。總兵官領勑，至長跪部堂，而弁帥奔走盡如鈴卒。兵部權重，時號「本兵」。其後衞所漸空，至於無軍可交，而有募兵。

明室政治之支撐點，上面靠有英明能獨裁的君主，下面靠有比較清廉肯負責的官僚。逮至君主不能獨裁，則變成宦官擅權。官僚不能負責，則變成官僚膨脹。於是政治教育破產之後，兵制、田賦（明末屢次加賦，見後。）等相繼崩潰，而緊接著的便是一個經濟破產。

明室財政，自英宗後即告絀。其弊端之大者，一曰內府。

明自孝宗以後，內府供奉漸廣。單舉膳食一項言之。明制，額解光祿寺銀米，皆直送本寺，不由戶部，清釐無法。又令中官提督寺事，每以片紙傳取錢糧，寺官即如數供億。弘治十四年，劉健疏：「今光祿歲供增數十倍，諸方織作務爲新巧，齋醮日費鉅萬。至嘉、隆間，光祿歲用逾四十萬，廚役多至四千一百餘名。提督中官杜泰，乾没歲鉅萬，爲少卿馬從謙所發。」再以建築言之。武宗修乾清宮，至於加徵田賦一百萬。蓋內寺奪工部權，擅興工役，侵漁乾没，不可殫計。世宗中葉後，營建齋醮，用黃、白蠟至三十餘萬斤，沉、降、海、漆諸香至十餘萬斤。採木、採香、採珠玉寶石，天下大騷。王室之驕奢，與內官之跋扈相爲因果，牽引至於無極。乃至如傳奉冗官之薪俸，成化十一年王瑞、張稷等競言之。二十一年，李俊又言：「祈雨雪者得美官，進金寶者射厚利。方士獻煉服之書，伶人奏曼延之戲。掾史胥徒皆叨官祿，俳優僧道亦玷班資。一歲而傳奉或至千人，數歲數千人，其祿歲以數十萬計。」內府工匠之餼廩，曾鑑孝宗時上疏：「往年尚衣監、兵仗局、軍器局、司設監，各收匠一、二千人不等。今針工局又乞收千人。弊源一開，其流

無已。」武宗時，蔣瑤上疏：「內府軍器局軍匠六千，中官監督者二人，今增至六十餘人，人占軍匠三十。他局稱是。」世宗初立，裁汰錦衣諸衛、內監局旗校工役，爲數十四萬八千七百人。歲減漕糧百五十三萬二千餘石。至穆宗隆慶初，內府工匠數又至萬五千八百人。萬曆時，畢鏘陳言：「錦衣旗校至萬七千四百餘人。內府諸監局匠役數亦稱是，此冗食之尤。」

皆歲增月積，有加無減。神宗益黷貨，礦稅之害遍天下。富者編爲礦頭，貧者驅之墾采。中使四出，橫索民財。自萬曆二十五年至三十三年詔罷開鑛，凡九年，諸璫所進礦銀幾三百萬兩，金珠寶玩、貂皮名馬，雜然並進。

二曰宗藩。

唐宋宗親，或通名仕版，或散處民間。明則分封列爵，不農不仕。明制，諸王子嫡長襲爵，支子爲郡王；郡王支子爲鎮國將軍，遞次輔國、奉國將軍，又鎮國、輔國、奉國中尉。自親王至奉國中尉八世拜爵，而奉國中尉以下亦世世拜中尉，傳無窮。衣冠祿食，不與四民之業。凡嫁娶、喪葬、生子、命名，必聞朝廷厚贍焉。正德間，已有親王三十，郡王二百十五，將軍、中尉二千七百。嘉靖四十一年，御史林潤言：「天下歲供京師糧四百萬石，而各藩祿米歲至八百五十三萬石。山西、河南存留米二百三十六萬石，而宗室祿米五百四萬石。全輸不足供諸府祿米之半。」隆、萬之際，郡王二百五十一，將軍七千一百，中尉八千九百五十一。郡主、縣主、郡君、縣君七千七十三。此林潤所謂「年復一年，愈加繁衍，勢窮弊極，將何以支」也。諸藩又多賜莊田。太祖時，親王得賜莊田千頃。其後及神宗時，福王封國河南，傳旨非莊田四萬頃不行。後詔賜田二百萬畝，跨山東、湖廣境。又奏乞淮鹽數千引，開市洛陽。中州舊食河東鹽，以改食淮鹽，河東引遏不行，邊餉因此大絀。又福王婚費三十萬，營洛陽邸二十八萬，其奢縱至此。諸藩又多使夫役。孝宗時，馬文升上疏：「湖廣建吉、興、岐、雍四王府，江西益、壽二府，山東衡府，通計役夫不下百萬。諸王之國，役夫供應亦四十萬。」

三曰冗官，而尤冗者則在武職。

景泰中張寧言：「京衛帶俸武職，一衛至二千餘人，通計三萬餘員。歲需銀四十八萬，米三十六萬，他折俸物動經百萬。耗損國儲，莫甚於此。而其間多老弱不嫻騎射之人。」嘉靖中劉體乾疏：「歷代官數，漢七千八百員，唐萬八千員，宋極冗，至三萬四千員。本朝自成化五年，武職已踰八萬，合文職蓋十萬餘。至正德世，文官二萬四百，武官十萬，衛所七百七十二，旗軍八十九萬六千，廩膳生員三萬五千八百，吏五萬五千。吏、士分途始於明。天下有以操守稱官者矣，未聞以操守稱吏者。吏無高名可慕，無厚祿可望，夙夜用心，惟利是圖。官或朝暮更易，吏可累世相傳。官深居府寺，吏散處民間。官之强幹者，百事或察其二、三。至官欲侵漁其民，未有不假手於吏。究之入官者十之三，入吏者已十之五。吏胥爲害，明、清兩朝爲烈。然明制乃激於元之重用吏胥而矯枉過正者。其祿俸糧約數千萬。明官吏制祿之薄，亦前代所未有。最高正一品月俸八十七石，最下從九品月俸五石。洪武時，錢、鈔兼給。錢一千、鈔一貫，抵米一石。永樂以還，米、鈔兼支。其折鈔者，每米一石，給鈔十貫。嗣鈔價日賤，初猶增鈔隨高下損益，成化中，以十貫爲例。時鈔法久不行，新鈔一貫，時估不過十錢。舊鈔一貫，僅一、二錢。十貫鈔折俸一石，實得數十錢。又準鈔二百貫，折布一匹，匹布價僅值二、三百錢；而折米二十石，是石米僅值十四、五錢。久之，又定布一匹折銀三錢。又幹役、職田皆廢，官吏恃俸，絕不足自活，勢必至於貪墨。及明之中葉而風漸盛，嚴嵩當國而大熾。徐階承嚴嵩後，號能矯其弊。然致政歸，尚連舟百餘里，簏載囊裹，不可勝計。（相傳徐階有田二十四萬。）隆、萬以下，無缺不鑽，無官不賣。縉紳家高甍大廈，良田美池，並一切金寶珍玉，歌舞宴戲，皆以非分非法得之。則明之應有李自成、張獻忠久矣。天下夏、秋稅糧大約二千六百六十八萬四千石，出多入少。」王府久缺祿米，衛所缺月糧，各邊缺軍餉，各省缺俸廩。此後文、武官益冗，兵益竄名投占，募召名數日增，實用日減。積此數蠹，民窮財盡。於是明代便非亡不可。

第三十八章　南北經濟文化之轉移（上）自唐至明之社會

唐中葉以前，中國經濟文化之支撐點，偏倚在北方。（黃河流域。）唐中葉以後，中國經濟文化的支撐點，偏倚在南方。（長江流域。）這一個大轉變，以安史之亂爲關捩。

一　經濟方面

（一）論漕運

以漕運一事而言，漢初只言漕山東粟給中都官。（漢書食貨志：「五鳳中，大司農耿壽昌奏言：『故事，歲漕關東穀四百萬斛以給京師。』」）

三國鼎立，乃至南北朝對峙，各自立國，不聞北方仰給南方。

隋煬帝大開運河。（大業元年開通濟渠，自西苑引穀、洛水達於河，又引河通於淮海。四年開永濟渠，引沁水南達於河，北通涿郡。置洛口回洛倉，穿三千三百窖，窖容八千石，以納東南、東北兩渠所輸。）

他把北齊、北周與南朝三分鼎足的形勢打通一氣。東南、東北，均興水運，並不是北方要

仰賴南方粟。

唐代江南戶口日多，租、調日增，漕運遂幾成問題。

開元十八年裴耀卿言：「江南戶口多，而無征防之役，然送租、庸、調物，以歲二月至揚州，入斗門，四月以後，始渡淮入汴，常苦水淺。六、七月乃至河口，而河水方漲，須八、九月水落，始得上河入洛。而漕路多梗，船檣阻隘。江南之人不習河事，轉雇河師水手，重爲勞費。其得行日少，阻滯日多。可於河口置武牢倉，鞏縣置洛口倉。使江南之舟不入黃河，黃河之舟不入洛口。水通則舟行，水淺則寓於倉以待。則舟無停滯，物不耗失。」開元二十二年裴耀卿爲江淮、河南轉運使，凡三歲，運米七百萬石。

開元二十五年，始用「和糴法」，令江南諸州租竝迴納造布。可見當時中央賴北方粟已夠。

新唐書食貨志：「韋堅開廣運潭，歲漕山東粟四百萬石。」只云山東，不言吳、越江南。

天寶八年諸道倉粟表

道名＼倉名	正倉	義倉	常平倉
關內	一、八二一、五一六石	五、九四六、二一二石	三七三、五七〇石
河北	一、八二一、五一六	一七、五四四、六〇〇	一、六六三、七七八
河東	一、五八九、一八〇	七、三〇九、六一〇	五三五、三八六
河西	七〇二、〇六五	三八八、四〇三	三一、九〇〇
隴右	二七二、七八〇	二〇〇、〇三四	四二、八五〇
劍南	二二三、九四〇	一、七九七、二二八	七〇、七一〇
河南	五、八二五、四一四	一五、四二九、七六三	一、二一二、四六四
淮南	六八八、二五二	四、八四〇、八七二	八一、一五二
江南	九七八、八二五	六、七三九、二七〇	六〇二、〇三〇
山南	一四三、八八二	二、八七一、六六八	四九、一九〇

據上表，知天寶八年前，諸道米粟最盛者首推河南、河北，次則關內與河東，更次乃及江南、淮南。就此以推南北經濟情況，明明北勝於南尚遠。

安史亂起，唐室遂專賴長江一帶財賦立國。直至以後河北、山東藩鎮割據，租稅不入中央，唐室的財政命脈，遂永遠偏倚南方。

其時則自江入河之漕運，尤為軍國重事。德宗時，緣江、淮米不至，六軍之士，脫巾呼於道。

劉晏為肅、代時理財名臣，主要的便在能整理漕運。

晏之辦法，大體仍是裴耀卿遺規，使江船不入汴，江南之運積揚州。使汴船不入河，汴河之運積河陰。河船不入渭，河船之運積渭口。渭船之運入太倉。又史稱：「晏為河南、江淮以來轉運使，每歲運米數十萬石給關中，或至百餘萬斛。」

然此乃一時政治形勢所致，北方經濟依然可以自立，其仰賴於南方者尚不甚大。

貞元八年陸贄奏：「頃者每年自江、湖、淮、浙運米百一十萬斛至河陰，留四十萬斛貯河陰倉，至陝州又留三十萬斛貯太原倉，餘四十萬斛輸東渭橋。今河陰、太原倉見米猶有三百二十餘萬斛，京兆諸縣斗米不過直錢七十，江淮斗米直百五十錢。請令來年江淮止運三十萬斛。」文宗太和以

後，歲運江淮米不過四十萬斛。宣宗大中時，裴休爲轉運使，乃增至百二十萬斛。

宋都汴京，主要原因，即爲遷就漕運。石晉自洛遷汴，已爲此。據當時定制，太平興國六年。漕運凡有四線。

一、汴河　米三百萬石，景德中至四百五十萬石。至道初，至五百八十萬石。大中祥符初，至七百萬石。大率以六百萬石爲常。菽一百萬石。來自江南、浙東西、淮南、荊湖南北，自江入淮，自淮入汴。

二、黃河　粟五十萬石，後歲漕益減耗，纔運粟三十萬石。嘉祐四年詔罷之，以後惟漕三河。菽三十萬石。來自陝西，自三門、白坡轉黃河入汴。

三、惠民河　粟四十萬石，治平二年，二十六萬七千石。菽二十萬石。來自陳、蔡，自閔河、蔡河入汴。

四、廣濟河　粟十二萬石。治平二年，至七十四萬石。來自京東，自五丈河歷陳、濟及鄆。

江、淮所運謂之東河，亦謂裏河。即第一線。懷、孟等州所運，謂之西河。即第二線。潁、壽等州所運，謂之南河，亦謂外河。即第三線。曹、濮等州所運，謂之北河。即第四線。

宋代在全國統一的局面下，國家財賦，始正式大部偏倚在南方。南宋歲收，轉更超出於北宋之上。

宋初歲入千六百餘萬緡，已兩倍唐代。熙寧時至五千餘萬緡。南渡後，更增至六千餘萬。地狹而

賦轉多。

元代建都燕京，米粟依然全賴江南，當時遂創始有海運。海運自秦已有，唐人亦轉東吳粳稻以給幽、燕，（見杜詩。）惟僅以給邊而已。

元海漕其利甚溥，其法亦甚備。船三十隻爲一綱，大都船九百餘隻，漕米三百餘萬石。船戶八千餘戶，又分其綱爲三十。每綱設押官二人。正八品。行船又募水手，移置揚州，先加教習。領其事者則設專官，秩三品，有加秩，無易人。創議者朱清、張瑄，本海盜，自用事，父子致位宰相，弟姪甥壻皆大官，田園宅館遍天下，庫藏倉庫相望，巨艘大舶交番夷中。成宗大德七年，封籍其家貲，拘收其軍器、船舶等，並命其海外未還商舶，至亦依例籍没。蓋二人仍皆營盛大之海外貿易也。

元世祖至元二十八年，海運二百五十餘萬石。其後累增至三百五十餘萬石。文宗天曆二年爲最高額。

元代歲入糧數總計

腹裏 今河北、山東、山西及内蒙等地。	二、二七一、四四九石
遼陽	七二、〇六六（8）
河南	二、五九一、二六九（2）

陝西	二二九、〇二三（6）
四川	一一六、五七四（7）
甘肅	六〇、五八六（9）
雲南	二七七、七一九（5）
江浙	四、四九四、七八三（1）
江西	一、一五七、四四八（3）
湖廣	八四三、七八三（4）

據上表，除江西外，其他自遼陽以下七地糧數總計，尚不及江浙一處；而江浙、江西、湖廣三處合計，又恰當其他六地之一倍。亦又超出於腹裏及其他六地，即全國總數之上。

就西晉時言，下游糧食多仰給於荊襄。至此則江浙遠超湖廣之上矣。又若以整個南方江浙、江西、湖廣、四川、雲南。與北方比，則南北相差更遠。

明漕運凡五變：一、河運。兼用水陸，自淮入河，始永樂元年。二、海陸兼運。永樂四年。三、支運。九年開會通河，十三年始興支運。四、兌運。宣德六年。五、改兌。

支運規定蘇、松、常、鎮、杭、嘉、湖諸地糧，撥運淮安倉。揚州、鳳陽、淮安撥運濟寧倉。以三千艘支淮安糧運到濟寧，以二千艘支濟寧糧運赴通州。自淮至徐以浙、直軍，自徐至德以京衛軍，自德至通以山東、河南軍，以次遞運。歲四次，可運三百餘萬石，謂之支運。自後又寖增五百萬石。終明世，其定制爲四百餘萬石。

兌運者，民間但運至淮安、瓜州，兌與衛所官軍，運載至京，給與運費及耗米。初皆支運，後漸爲兌運。

改兌者，令裏河官軍運赴江南水次交兌，而官軍長運，遂爲永制。

運船在天順以後，永樂至景泰，大小無定，爲數甚多。定數萬一千七百七十隻，三年小修，六年大修，十年更造。官軍十二萬人。

以糧數比：成化八年定額。

北糧　七五五、六〇〇石。

南糧　三、二四四、四〇〇石。內兌運米，計蘇州一府六十五萬五千石，超過浙江全省（六十萬石）之上。松江一府二十萬三千石，超過江西全省（四十萬石）之半數。常州一府一十七萬五千石，超過湖廣全省（二十五萬石）之半數。蘇、松、常三府合計，占南糧全數三之一。

北糧幾只及南糧五之一。地荒、人荒，遂爲北方二患。日知錄卷十七。整個的中央，幾乎全仰給於

南方。而自南赴北之糧食運輸，亦成國家每年一次大耗費。

清代漕運額，亦定四百萬石。據清初漕運例纂規定，各省漕運原額，約爲南四北一之比。惟據清會典乾隆十八年奏銷册計之，則爲南八北一。又據戶部則例，乾隆四十四年漕運額則爲南十北一之比也。

(二)論絲織業與陶業

耕、織爲農事兩大宗，粟米與布帛亦爲國家租、調兩大類。蠶桑事業，中國發明甚早，其先皆在北方。春秋時北方地名用「桑」字者，散見各處。漢代絲織物，在黃河流域，已有幾個著名的中心地點。如山東之臨淄、河南之襄邑，此已超過家庭手工業之上。故曰「兗、豫：漆、絲、絺、紵」。蜀錦亦極有名。惟江南則絕不見有蠶絲事業。北魏均田制，特有「桑田」，可證當時種桑養蠶、調絲織帛，爲北方農民一極普遍之生業。顏氏家訓謂：「河北婦人織紝組紃之事，黼黻錦繡羅綺之工，大優於江東。」貴族如此，平民諒亦爾也。隋代以清河絹爲天下第一。唐代桑土調絹絁，麻土調布。開元二十五年，令江南諸州納布折米，可見其時江南諸州尚不爲桑土。又令河南、河北不通水利處，折租造絹。

越人的機織，由北方傳授。

李肇國史補：「初，越人不工機杼，薛兼訓爲江東節制，乃募軍中未有室者厚給貨幣，密令北地娶

織女以歸。由是越俗大化，更添風樣，綾紗妙稱江左。」左思吳都賦有「八蠶之緜」。宋文帝亦極獎桑麻。沈瑀令民每家植桑十五株。南方蠶事，起源甚早。惟精進美盛，則在後也。

唐代全國各州郡貢絲織物數量，以定州爲第一。品質列第四。

太平廣記引朝野僉載：「定州何明遠資財巨萬，家有綾機五百張。」續通鑑長編四十三：「宋開封官綾錦院綾機四百張。」

如亳、如滑，皆爲當時絲織要地。

景龍三年，宋務光疏：「自頃命侯，莫居墝埆，專擇雄奧。滑州地出縑紈，人多趨射。列縣爲七，分封有五。」唐六典：開元時，絹分八等，宋、亳第一。二、三、四、五等皆在黃河南北，不及淮水流域。六、七、八等皆在四川境內外。大江以南僅泉、建、閩三州，位居最末。又大中六年中書、門下奏：「州府絹價，除果、閬州外，無貴於宋、亳州。」

唐十道貢賦絲布織物表

據唐六典，開元十道貢賦，擇其有關衣織者錄之。

地點名稱		備考
關內道	賦絹、綿、布、麻。	開元二十五年敕：「關輔既寡蠶桑，每年庸、調，折納粟米。其河南、河北不通水運州，宜折租造絹以替關中。」
河南道	賦絹、絁、綿、布。	貢紬、絁、文綾、絲葛。
河東道	賦布、繭。蒲州調以繭，餘並用麻、布。	
河北道	賦絹、綿及絲。	貢羅、綾、平紬、絲布、綿紬。
山南道	賦絹、布、綿、紬。	貢布、交梭白縠、紬紵、綾、葛、綵綸。
隴右道	賦布、麻。	貢白氎。
淮南道	賦絁、絹、綿、布。	貢交梭、紵、絺、熟絲布。
江南道	賦麻、紵。	貢紗、編、綾、綸、蕉、葛。
劍南道	賦絹、綿、葛、紵。	貢羅、綾、綿、紬、交梭、彌牟布、絲、葛。
嶺南道	賦蕉、紵、落麻。	貢竹布。

大體論之，重要的蠶桑織作，在北不在南。

五代河南北皆俵散蠶鹽斂民錢。石晉尚能歲輸契丹絹三十萬匹。

史稱：「五代時，湖南民不事桑蠶，楚王殷用高郁策，命民輸稅以帛代錢，民間機杼大盛。吳徐知誥令稅悉輸穀、帛、紬、絹，匹直千錢，當稅三千。由是江淮間曠土盡闢，桑柘滿野。」知其時南方蠶事漸盛。

汴宋錦織，尤爲有名。

博物要覽載宋錦名目多至四十二種。陸游老學菴筆記載：「靖康初，京師織帛及婦人衣服花紋，皆四時景物，謂之『一年景』。」又載：「定州有刻絲煙霧紗。」靖康元年，金兵入汴，索絹一千萬疋，河北積歲貢賦爲之掃地。浙絹悉以輕疏退回。

宋、金分峙以後，宋歲幣以銀、絹分項。是絲織品又漸漸地要北仰於南之證。又按：宋、遼議和後，遼於振武軍及保州置榷場，歲以羊皮毛易南絹。

金泰和六年，尚書省奏：「茶，飲食之餘，非必用之物。商旅多以絲絹易茶，所用不下百萬。」又泰和八年，言事者以「茶乃宋土草芽，而易中國絲、綿、錦、絹有益之物，不可」。是其時中原絲織物尚有輸於江南者。惟恐多係民間粗品，不敵南宋政府歲幣所輸於金政府者遠甚矣。

元代北方尚見有大規模之種桑區域。

至順二年，冠州有蟲食桑四十餘萬株。元冠州於漢爲館陶縣地，明屬山東東昌府。又按：金有徵桑皮故紙錢者，明代遷安蓺桑甚盛，然皆剝皮造紙。惟遷安有蠶姑廟，是其先曾治蠶，而後稍廢耳。

元初並有按戶稅絲之制。

太宗八年，耶律楚材爲元定制，每戶出絲一斤供官用，五戶出絲一斤給受賜貴戚、功臣之家。

然而蠶桑絲織事業之自北南遷，在大勢上終於不可挽。明初南北絹稅數，恰成三與一之比。

洪武二十六年各布政司并直隸府州夏稅絹數表

地點	數量
浙江	一三九、一四〇疋
江西	一五、四七七

湖廣	二六、四七八
福建	二七三
四川、廣東、廣西、雲南四省	無
南直	三二、九九九
(內蘇州一府)	(占一四、一五七)
總計	二一四、三六七

以上南方。

地點	數量
北平	三二、九六二疋
山東	二三、九三二
河南	一七、二三六
山西、陝西二省	無
總計	七四、一二〇

以上北方。

此後更是照著南進北退的趨勢進行。

萬曆六年各布政司并直隸州府夏稅絲絹大數表

地點	名稱	數量
浙江	絲棉并荒絲	二、七一五、〇四七兩
	農桑絲折絹	三、五〇九疋
江西	絲棉折絹	八、〇二五疋
	農桑絲折絹	三、四八六疋
	本色絲	八、二〇九斤
湖廣	稅絲折絹	二三、八九〇疋
	農桑絲折絹	四、九九七疋
福建	絲棉折絹	二八〇疋
	農桑絲折絹	三一九疋

廣西	本色絲	一四八斤
南直	絲棉折絹	三、八〇九疋
	農桑絲折絹	八、九一〇疋
	稅絲折絹	一六、九七六疋
	稅絲	一〇二、四七八兩

以上南方。

地點	名稱	數量
山東	絲棉折絹	二三、一六五疋
	農桑絲折絹	三三、八二五疋
	稅絲	二、〇八九斤
山西	農桑絲折絹	四、七七一疋
河南	稅絲	三五二、九〇一兩
	農桑絲折絹	九、九六三疋

陝西	農桑絲折絹	九、二二一疋
北直	人丁絲折絹	二五、二六二疋
	農桑絲折絹	一二、五〇八疋

以上北方。

按：此表北方各省折絹數乃過於南方，然折絹未必實納。正統八年，令各處不出蠶絲處所，每絹一疋，折銀五錢，解京支用。蓋唐以前北方輸絹，至是相承，僅爲一種名色而已。如單論絲兩，則南北幾至八一之比。弘治十五年數與此大同。惟四川有荒絲六三三斤，而此無之。

又明代織染局有浙江、杭州、紹興、嚴州、金華、衢州、台州、溫州、寧波、嘉興。江西、福建、福州、泉州。四川、河南、山東、濟南。南直鎮江、蘇州、松江、徽州、寧國、廣德。各處。至嘉靖七年，以江西、湖廣、河南、山東等省不善織造，令各折價，惟浙江與南直每年徵本色至二萬八千餘疋。至清代，惟有江寧、蘇州、杭州三織造。而兩稅盡納銀糧，亦無折絹名色。於是令人漸忘河域自古爲絲織先進之區矣。

又如陶磁，亦是北方農民很早就發明的一種副業。唐代河南府有貢瓷，至宋，精美著名的陶業，尚多在北方。

定窯在河北定州，以宋政和、宣和間爲最良。南渡後稱南定，北貴於南。汝窯在河南，柴窯亦在河南。惟昌窯即景德鎮。在江西，龍泉窯、哥窯在浙江處州。

至元明則最精美的磁業，全轉移到江南來。

元有浮梁磁局，見元史職官志，專掌景德鎮磁器，世稱「樞府窯」。民間有宣州、臨川、南豐諸窯。明景德窯最盛。宜興陶業始萬曆間。

木棉亦爲宋後大利所在，而其種植，亦南盛於北。元世祖至元二十六年，置浙東、江西、湖廣、福建木棉提舉司，可見木棉盛植於此諸處也。又邱濬大學衍義補謂：「漢、唐之世，木棉雖入貢中國，未有其種，民未有以爲服也。宋、元間，始傳其種。關陝、閩、廣，首得其利。」是關陝亦植木棉，惟不如南之盛。

這是北方經濟情形漸漸不如南方的顯徵。換辭言之，亦可說北方農人的聰明精力，及其品性習慣，似乎在各方面都漸漸地轉變到不如南方。

再以商業情況而論，亦是南方日見繁榮，北方日見萎縮。

此有關於天然界之出產者：如鹽、茶爲唐以後國利兩大項，鹽以兩淮爲主，茶則均產於南方。茶飲至唐始盛，茶稅始唐德宗時。銅鐵礦冶，亦南盛於北。漁業尤爲南方所獨擅。此亦至清代猶然。礦課，北惟山西一省，南則湖南、兩廣、雲、貴。茶課，北惟甘肅一省，南則江西、兩湖、四川、雲、貴、江蘇、安徽、浙江。（據戶部則例，乾隆間十省歲辦茶引數，約當於南十北一之比。）漁課，北惟奉、吉，南則蘇、皖、贛、閩、浙、兩湖、廣東、四川、雲、貴。亦有關於交通者：南方

水利日興，舟楫之便遠超北地。亦有關於人工製造者：如前舉絲織、陶磁之類。文獻通考載宋熙寧十年以前天下諸州商稅歲額，四十萬貫以上者有三處，北占其二，南占其一。（在蜀。）二十萬貫以上者五處，皆在南方。（皆在蜀。）十萬貫以上者十九處，北得其一，南得十八。五萬貫以上三十處，北十二，南十八。五萬貫以下者五十一處，北得二十五，南得二十六。三萬貫以下者九十五處，北得四十五，南得五十。一萬貫以下者三十五處，北得二十，南得十五。五千貫以下者七十三處，北得十九，南得五十四。南北相較，已見北絀南贏。及明代有「市肆門攤稅」，共設於三十三處，南得二十四，北得其九。（南：應天、蘇州、松江、鎮江、淮安、常州、揚州、儀真、杭州、嘉興、湖州、福州、建寧、武昌、荊州、南昌、吉安、臨江、清江、廣州、桂林、成都、重慶、瀘州。北：順天、開封、濟南、濟寧、德州、臨清、太原、平陽、蒲州。）又明代商稅開始有「船鈔」，（此見商業全走入水路交通。）設關處所凡七：曰河西務，（直隸。）曰臨清，曰九江，曰滸墅，曰淮安，曰揚州，曰杭州。全國商業，漸漸集中至長江下游與運河兩條線上。萬曆六年，各地商稅課鈔數，南直各府、州全數達一千三四百萬貫，殆占全國四分之一。而淮安一府獨有二百餘萬貫，浙江省又三百萬貫。可證當時全國經濟集中在長江下游太湖流域，而由運河貫輸到北方的大概。（四川在宋代極盛，而元、明兩代則劇跌，亦由全國經濟狀態之變動。）此種演進，直到清代，大體仍舊。據清會典，光緒十三年全國各省釐金冊報，南方各省幾占北方之八倍。（又據光緒二十九年戶部報告，則超過十二倍。）

二　文化方面

這一種趨勢，反映在社會文化上，亦可見北方人物在逐漸減少，而南方則在逐漸增多。（此只就數量上論之。）

如以應科舉人數論。

唐武宗會昌五年限定各地應送明經進士額數表

	明經	進士	明經隸名
國子監	二〇〇人 舊三五〇人	三〇	二〇〇
宗正寺		二〇	
東監、同、華、河中。	五〇	三〇	
鳳翔、山南東道、山南西道、荊南、鄂岳、湖南、鄭滑、浙西、浙東、宣商、鄜坊、涇邠、江南、江西、淮南、西川、東川、陝虢等道。	二〇	一五	
河東、陳許、汴、徐泗、易定、齊德、魏博、澤潞、幽孟、靈夏、淄青、鄆曹、兗海、鎮冀、麟勝等道。	一五	一〇	
金汝、鹽豐、福建、黔府、桂府、嶺南、安南、邕、容等道。	一〇	七	

這已在唐代晚年。南方地位已高，但並不能跨駕中原之上。北宋則南人考進士，人數又多；北人考明經，人數又少；顯分優劣。不得不限定南北名額以求平衡。詳見前。元代一樣逃不出南盛北衰之象。蘇天爵滋溪集十四：「國家既以文藝取士，於是人人思奮於學，而中州老師存者無幾，後生或無從質正。」又曰：「江南三行省，每大比，士多至數千人，考官必得碩儒，士方厭服。」此記延祐、至治間事，南北學風盛衰皎然。明代亦定南北取士額。

明列朝鄉試額數表

	洪武3	洪熙1	正統5	景泰4	嘉靖14	嘉靖19	嘉靖25
南京國子監并南直隸	100	80	100	135			
江西	40	50	65	95			
浙江	40	45	60	90			
福建	40	45	60	90			
湖廣	40	40	55	85		90	

廣東	四川	雲南	廣西	貴州	交阯	北京國子監并北直隸	河南	陝西	山西	山東	比數
25			25			40	40	40	40	40	200/310
40	35	10	20		10	50	35	30	30	30	178/370
50	45	20	30			80	50	40	40	45	255/485
75	70	30	55			135	80	65	65	75	420/725
		40		25							
				30							

按：此表北直額數，其中實多南人。又兩廣、雲、貴西南人文之激進，亦可注意。

明會試額數表

南卷 浙江、江西、福建、湖廣、廣東、應天(直隸)、松江、蘇州、常州、鎮江、徽州、寧國、池州、太平、淮安、揚州，十六省府。廣德，一州。	55%
北卷 山東、山西、河南、陝西、順天(直隸)、保定、真定、河間、順德、大名、永平、廣平，十二省府。延慶、保安，二州。遼東、大寧、萬全，三都司。	35%
中卷 四川、廣西、雲南、貴州、廬州、鳳陽、安慶，七省府。徐、滁、和，三州。	10%

洪熙元年，定南卷取十之六，北卷取十之四。後復以百名爲率，南北各退五卷爲中卷，然中卷其實即南卷也。又北卷中順天額亦多南人，則北卷之見絀多矣。景泰初，禮部請「取士不分南北」，給事中李侃等奏，謂：「江北之人文詞質直，江南之人文詞豐贍，故試官取南人恒多，北人恒少。向制不可改。」後竟復分南、北、中卷，則分卷正爲北人。又李侃等所言，以「江南」、「江北」爲別，南北界線，較之宋歐陽、司馬爭論時，又見南移矣。

洪武二十年，以北方學校無名師，生徒廢學，特遷南方學官教士於北，復其家。

又洪武四年至萬曆四十四年，凡二百四十六年間，每科狀元、榜眼、探花及會元，共計二百四十四人，其籍貫如次表。據陳建皇明通紀。

北方	人數	南方	人數
北直隸	七	南直隸	六六
山東	七	浙江	四八
山西	四	江西	四八
河南	二	福建	三一
陝西	九	湖廣	八
		四川	六
		廣東	六
		廣西	二
合計	二九		二一五

清乾隆丙辰詔舉博學鴻詞，先後舉者二百六十七人。滿洲五、漢軍二、直隸三、奉天一、江蘇七十八、安徽十九、浙江六十八、江西三十六、湖北六、湖南十三、福建十二、河南五、山東四、山西三、廣東六、陝西四、四川一、雲南一。可見此種演進，至清無變。

再就宰相籍貫言之，唐宰相世系多在北方。唐宰相世系表，三百六十九人，九十八族，十九皆北人。

宋中葉以後，南方便多，北人便少。

明宰輔一百八十九人，此據明史宰輔年表計。南方占了三分之二强。明江、淮以北，鼎甲甚不易得，蓋以科第影響及於仕宦。

地點	人數	備註
江南	三五	
浙江	三二	
江西	二六	
直隸	二〇	

湖廣	一三	
山東	一三	
河南	一一	
四川	一〇	
福建	一〇	
山西	七	
廣東	五	
陝西	二	
廣西	二	
雲南	一	貴州無。不知籍貫者一人。

三　南北政治區域之劃分及戶口升降

社會南北文化經濟之升降，還可以政治劃分區域的大小繁簡來看。茲將唐、宋分道列一簡表如下：

唐太宗時十道（及轄州數）	玄宗時十五道	宋太宗時十五路（及轄府軍州數）	神宗時二十三路
關內22	關內	京東23	京東東
河東18	京畿	京西19	京東西
河南28	河東	河北39	京西南
河北23	河南	河東25	京西北
山南33	都畿	陝西31	河北東
淮南14	河北	淮南23	河北西
江南42	山南東	江南20	河東
			永興
			秦鳳
			淮南東
			淮南西
			江南東
			江南西

隴右20	山南西	荊湖南8	荊湖南
劍南26	淮南	荊湖北12	荊湖北
嶺南68	江南東	兩浙16	兩浙
	江南西	福建8	福建
	黔中	西川29	成都
	隴右	陝西24	梓
	劍南	廣南東16	利
	嶺南	廣南西26	夔
			廣南東
			廣南西

觀上表，即知自唐至宋的政治區分，大體上是南方愈見衝繁，故分割愈細。北方無分而有併。

與政治區域相隨而可知者，最要爲戶口之盈縮。

開元州郡等級，所謂「六雄」、陝、懷、鄭、汴、魏、絳。「十望」，虢、汝、汾、晉、宋、許、滑、衛、相、洛。皆在北方。時望縣八十五，而南方只有二十縣。二十縣中在四川省占其九，江浙、荊襄僅占十一縣。

宋代北方戶口，即遠遜南方。

宋元豐三年四京十八路戶口主客數目表

	戶（主客）	口（主客）	丁
東京 開封 二十二縣	一七一、三三四	二九五、九一二 八五、一八〇	二一二、四九三
京東 十五州 七十八縣	(2) 八一七、九八四 五五二、八一七	(5) 一、六六〇、九〇三 八八五、七七四	(2) 九五七、五五四 五六五、六九三
京西 十四州 七十九縣	(11) 三八三、二二六 二六八、五一六	(14) 六四四、七五七 四五八、一三〇	(14) 四〇〇、七四〇 二六九、六二三
河北 二十三州 一〇四縣	(7) 七六五、一三〇 二一九、〇六五	(9) 一、四七三、六八三 四〇七、五〇一	(9) 七七三、八九一 二〇五、四六七
陝府西 二十六州 一一八縣	(8) 六九七、九六七 二六四、三五一	(4) 二、〇一五、四三六 七四六、三六八	(3) 一、〇六七、九三六 四二五、六五一
河東 十四州 七十三縣	(14) 三八三、一四八 六七、七二一	(16) 七五二、三〇一 一三八、三五八	(16) 三七二、三九〇 七七、四六二
淮南 十八州 六十九縣	(4) 七二三、七八四 三五五、二七〇	(7) 一、三九三、五五五 六三七、三二六	(4) 一、三二〇、三〇六 一五二、三〇〇
兩浙 十四州 七十九縣	(1) 一、四四六、四〇六 三八三、六九〇	(2) 二、六〇五、四八四 六一八、二一五	(1) 一、六二九、五三二 二九八、〇二七
江南東 七州 四十八縣	(5) 九〇二、二六一 一七一、四九九	(8) 一、六〇九、六一二 二八九、八四三	(6) 一、〇一九、一三四 一八六、〇二七
江南西 六州 四十七縣	(3) 八七一、七二〇 四九三、八一三	(3) 二、〇一〇、六四六 一、〇六五、二〇一	(7) 八八四、三二九 三八〇、七九八
荊湖南 七州 三十三縣	(9) 四五六、四三一 三五四、六二六	(10) 一、一五三、八七二 六七四、二五八	(11) 六二二、九三三 三二二、五四六
荊湖北 九州 四十五縣	(12) 三五〇、五九三 二三八、七〇九	(12) 七〇二、三五六 五〇九、六四四	(15) 二八五、五二六 二〇七、六二四

福建 六州 四十五縣	(6) 六四五、二六七 三四六、八二〇	(6) 一、三六八、五九四 六七四、四三八	(5) 七九〇、七一九 五六〇、二三〇
成都 十二州 五十八縣	(10) 五七四、六三〇 一九六、九〇三	(1) 二、七八九、二二五 八六四、五二三	(10) 六八五、〇二〇 二七〇、七二四
梓州 十一州 四十九縣	(16) 二六一、五八五	(11) 八八五、五〇一 五二八、二一四	(13) 三七四、六六九 三〇五、五二九
利州 九州 三十九縣	(15) 一七九、八三五 一二二、一五六	(17) 四〇二、八七四 二四五、九九二	(17) 一九五、三八七 一四四、五九一
夔州 九州 三十一縣	(18) 六八、三七五	(18) 二一五、五九五 二五二、四七二	(18) 一四九、〇七〇 一七一、〇一七
廣南東 十四州 四十縣	(13) 三四七、四五九 二一八、〇七五	(13) 八一二、一四七 三二二、五一二	(8) 七三五、七四七 二六二、〇五九
廣南西 二十四州 六十縣	(17) 一六三、四一八 七八、六九一	(15) 五八四、六四一 四七〇、九四六	(12) 二七三、六七四 四一九、三一六
總計	北 四、五九一、二四九 南 九、九五二、〇一六	九、五六四、三〇三 二三、六八七、六八六	五、三二八、九〇〇 一二、六四六、八三四

按：有隋盛時，總江、浙、閩中不盈三十萬戶。自唐以來，浸以孳息，更五代至宋，增至五百餘萬戶。而中原戶口之數，因五代亂亡相繼，周顯德六年，總簡戶僅二百三十萬九千八百一十二。宋熙、豐盛時，分天下爲二十三路，淮、漢以北居其八，（京西北路、京東兩路、陝西兩路、河北兩路、河東路，共八路。）淮、漢以南居其十有五。（即東晉、南朝十五路之地。）總天下戶千有六百五十萬，而淮、漢以北纔當五百餘萬戶，淮、漢以南乃當千有百餘萬戶。大率當天下三之二。不出東晉、南朝之地，而增十五倍之人。

范仲淹十事疏謂：「唐會昌中，河南府有戶一十九萬四千七百餘戶，置二十縣。今河南府主、客

戶七萬五千九百餘戶，仍置一十九縣。鞏縣七百戶，偃師一千一百戶，逐縣三等，而堪役者不過百家。請依後漢故事，遣使先往西京，併省諸邑爲十縣。所廢之邑，並改爲鎮。候西京併省，則行於大名府。」據是言之，北方政治區域，若以實際戶口衡之，在北宋盛時，其可省并者已多矣。

又按：以主、客戶比數而言，諸路情形大率略似。客戶俱當主戶三之一乃至半數以上。獨兩浙、江南東及成都三路不然，客戶比數，只當主戶之四之一乃至五之一。又可見其經濟狀況之獨優矣。北方河東一路，客戶比數亦少。此恐由其特爲貧瘠之故，不得與南方三路比。

再就元明兩代之行中書省及布政司之區分，列表如下：

元十一中書省：

嶺北	遼陽	河南
陝西	四川	甘肅
雲南	江浙	江西
湖廣	征東	

明兩京十三布政司：

京師八府二州。　南京十四府四州。　山東六府。　山西五府三州。
陝西八府。　河南八府一州。　江西十三府。　湖廣十五府二州。
四川八府六州，及羈縻軍民等府。　浙江十一府。　福建八府一州。　廣東十府一州。
廣西七府及羈縻諸府。　雲南五府及軍民羈縻等府。　貴州八府及羈縻軍民等府州。

唐初十道，南北各半。明十三布政司，南得其九，北僅得四。南佔一倍以上。即此已見南北經濟文化輕重之不平衡。

元代南北戶口，成十與一之比。

戶	北	一、四三五、三六〇
	南	一一、三九五、九〇九
口	北	四、五五八、二三五
	南	五一、八二八、六五一

明代北方情形較佳，但依然趕不上南方。

明萬曆六年天下戶口南北計數

地區	戶	口
浙江	一、五四二、四〇八（2）	五、一五三、〇〇五（6）
江西	一、三四一、〇〇五（4）	五、八五九、〇二六（2）
湖廣	五四一、三一〇（7）	四、三九八、七八五（8）
福建	五一五、三〇七（9）	一、七三八、七九三（12）
四川	二六二、六九四（12）	三、一〇二、〇七三（10）
廣東	五三〇、七一二（8）	二、〇四〇、六五五（11）
廣西	二一八、七一二（13）	一、一八六、一七九（14）
雲南	一三五、五六〇（14）	一、四七六、六九二（13）
貴州	四三、四〇五（15）	二九〇、九七二（15）
南直	二、〇六九、〇六七（1）	一〇、五〇二、六五一（1）
總計	七、二〇〇、一八〇	三五、七四八、八三一

以上南方。

山東	戶	一、三七二、二〇六（3）
	口	五、六六四、〇九九（3）
山西	戶	五九六、〇九七（6）
	口	五、三一九、三五九（4）
河南	戶	六三三、〇六七（5）
	口	五、一九三、六〇二（5）
陝西	戶	三九四、四二三（11）
	口	四、五〇二、〇六七（7）
北直	戶	四二五、四六三（10）
	口	四、二六四、八九八（9）
總計	戶	三、四二一、二五六
	口	二四、九四四、〇二五

以上北方。

按：上表戶口比數，特見增進者，莫如東南，而西南次之。戶口比數特見凋落者，西北爲甚，而東北次之。

又按：南直蘇州府戶六〇〇七五五，口二〇一一九八五。松江府戶二一八三五九，口四八四四一四。常州府戶二五四四六〇，口一〇〇二七七九。蘇、松、常三府合計，戶數超過於湖廣、福建、四川、廣東、廣西、雲南、貴州、山西、河南、陝西、北直諸省，口數超過於福建、四川、廣東、廣西、雲南、貴州諸省，其繁榮可見。又按：清代以江南（江蘇、安徽）、浙江、江西、福建、湖南、湖北爲大省，順天（河北）、山東、山西、河南、陝西、甘肅、四川、廣東爲中省，廣西、雲南、貴州爲小省。

萬曆六年十三布政司並南北直隸府州實徵夏稅秋糧約數

浙江（夏稅小黍 秋糧米）	一五二、八六三石（8） 二、三六九、七七六四石（3）
江西（麥米）	八八、○七二（10） 二、五二八、二六九（2）
湖廣	一三一、九七六（9） 二、○三○、二○七（4）
福建	七○六（14） 八五○、四四七（10）
四川	三○九、八九二（6） 七一八、六五二（11）
廣東	六、一二二（12） 九九三、八二四（9）
廣西	二、四九四（13） 三六九、二○二（13）
雲南	三五、五六七（11） 一○七、一二三（14）
貴州	二六六（15） 五○、五四一（15）
南直	九四三、七一一（1） 五、○六八、一四五（1）
總計	一、六七一、六六九 一五、○八六、一七四

以上南方。

山東	八五五、一七二石(2)	一、九九五、七六四石(5)
山西	五九一、九五一(5)	一、七二二、八五一(7)
河南	六一七、三二二(4)	一、七六三、四三七(6)
陝西	六九〇、七四七(3)	一、〇四四、九四三(8)
北直	一七八、六三九(7)	四一九、九八三(12)
總計	二、九三三、八三一	六、九四六、九七八

以上北方。

按：蘇州一府秋糧二〇三八八九四石，超過湖廣以下任何諸省，而與浙江、江西二省相彷彿。松江、常州秋糧合一五四六一八〇石，亦超過陝西、廣東、福建、四川、北直、廣西、雲南、貴州諸省，而與山西、河南兩省相彷彿。若蘇、松、常三府秋糧合計，則超過江西、浙江以下任何諸省矣。

自漢迄明南北戶數增減簡表

	西漢元始二年（據漢書地理志）	晉太康元年（據晉書地理志）	唐天寶元年（據新唐書地理志）（又舊唐書、通典）	宋元豐三年（文獻通考畢仲衍中書備對）	明隆慶六年（續文獻通考）
北	九六五萬	一四九	四九三	四五九	三四四
南	一一一萬	六五	二五七	八三〇	六五〇
比率（北：南）	9^{-}：1^{+}	7：3	6.5：3.5	3.5：6.5	3.5^{-}：6.5^{+}

按：諸表中數字難盡精確，然取明大體之升降。

而明代西南諸省之開發，以及南海殖民之激進，尤爲中國國力南移之顯徵，而爲近世中國開新基運。

斯二者，皆爲明代南方繁榮之要徵。西南開發之尤顯見者，則爲湖廣、四川、貴州、廣西諸行省土司之設置。西南諸疆，雖早隸國土，然川、滇、湘、嶺嶠之間，盤踞數千里，苗、蠻、僰、爨之屬，種類殊別，自相君長。秦漢以來，雖設郡縣，仍令自保。歷代相沿，（宋謂之「羈縻州」。）至於明世，

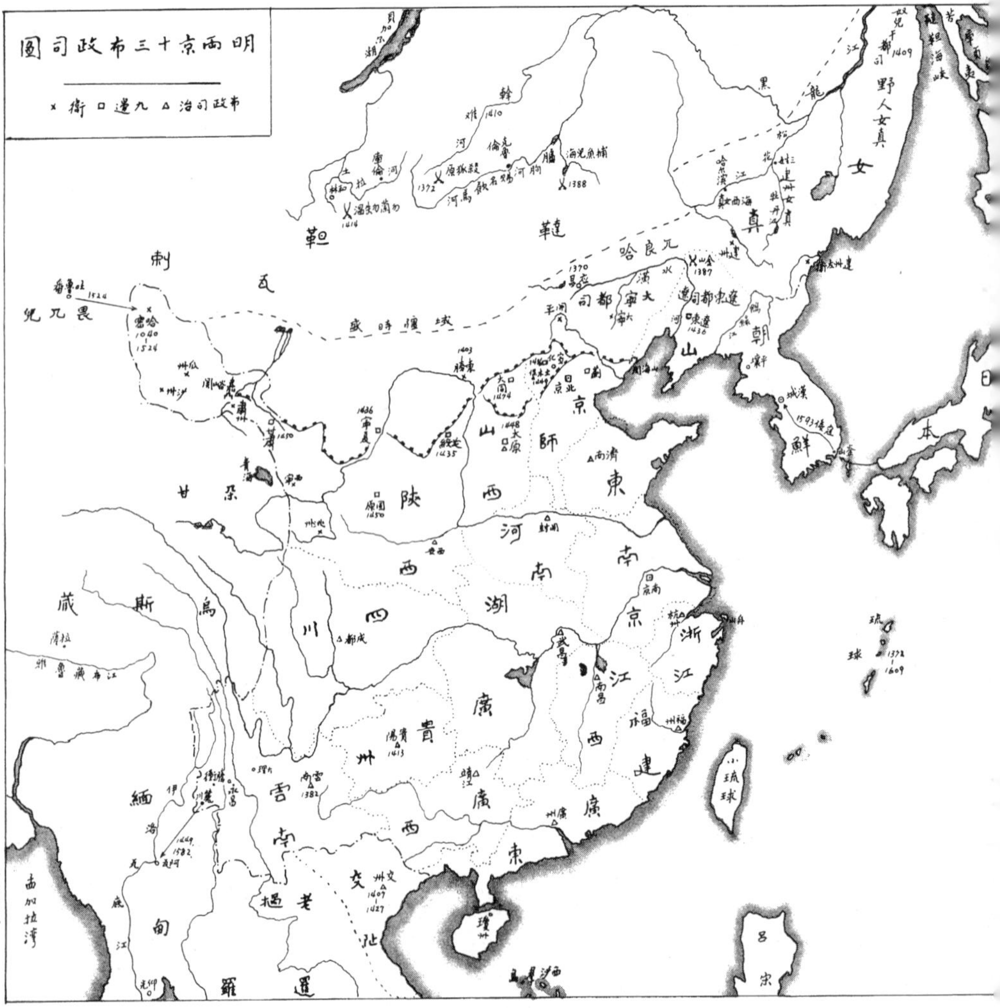
明兩京十三布政司圖
布政司治 △　九邊 □　衛 ×
韃靼
瓦剌
兀良哈
京師
山西
陝西
河南
山東
南京
湖廣
四川
浙江
江西
福建
廣東
廣西
雲南
貴州
交阯
朝鮮
日本
琉球
小琉球
呂宋
暹羅
老撾
緬甸
烏斯藏
朶甘
奴兒干都司
野人女真
建州女真
海西女真
遼東都司
大寧都司
哈密
畏兀兒
北京
南京
成都
武昌
南昌
杭州
福州
廣州
桂林
雲南
貴陽
濟南
開封
西安
太原
大同
寧夏
甘肅
榆林
宣府
遼東
漢城
瓊州

踵元故事，爲設土官土吏，而視元益恢廓。分別司郡州縣，額以賦役，聽我驅調。漸次規置，爲宣慰司者十一，爲招討司者一，爲宣撫司者十，爲安撫司者十九，爲長官司者百七十有三。此爲明代開發西南一大事。蓋亦隨諸地經濟民戶之自然展擴而俱起。其間如播州、藺州、水西、麓川，皆動大軍數十萬，殫天下力而後剗平。下及清代，漸次「改土歸流」，而近世中國開發西南之大業，遂告完成。至論海外殖民，其起當亦甚早。南海、象郡，已列於秦郡，而漢因之。東漢末季，中國士大夫浮海往交阯者，夥頤至多。東晉、南朝，交、廣海舶，目爲利藪。南史王琨傳：「南土沃實，在任者常致巨富。世云：廣州刺史，但經城門一過，便得三千萬。」梁書王僧孺傳：「海舶每歲數至，外國賈人以通貨易。舊時州郡以半價就市，又買而即賣，其利數倍。」唐代始有市舶之稅，然領以宦寺，尚不以爲國家之正收。此如秦、漢初以山海池澤稅歸少府也。而宋市舶特設官司，乃爲國家度支一要項。明代海上交通日盛，而我民之貨殖海外，立家室、長子孫者乃日衆。成祖時，命太監鄭和造大舶修四十四丈，廣十八丈。六十二，將士卒二萬七千八百餘人，通使海外。先後七奉使，所歷占城、爪哇、真臘、暹羅、滿剌加、蘇門答剌、錫蘭等三十餘國。其第三次越過印度南境而抵波斯灣。其第四、第五次，且橫跨印度洋而至非洲之東岸。以較西方發現新地之甘馬與哥倫布等，鄭和遠跡，尚在彼輩數十年前也。俗傳三保太監下西洋，爲明初盛事。與鄭和奉使同行者尚有王景弘。其後有石顯，亦兩度奉使。皆宦者也。明之聲威既遠居南海諸國，亦會閩、廣商民能自殖其勢力於海外，如南海人梁道明王據三佛齊，陳祖義亦爲舊港頭目。其後閩人某亦據婆羅國而王之，皆見明史。又梁啓超中國八大殖民偉人傳，尚舉廣東人張璉王三佛齊，廣東人某王爪哇順塔國，潮州人鄭昭王暹羅，嘉應人吳元盛王戴燕，嘉應人羅大王昆甸。又嘉應人葉萊，爲今英屬海峽殖民地之開闢者。風生勢長，不徒朝廷一使之力也。明中葉受倭寇之患，而海外發展遂致頓挫。直至近世，南海殖民，仍爲中國民族進展一大事。

第三十九章　南北經濟文化之轉移（中）

中國社會經濟文化之重心，何以有自北移南之傾向，此事論者不一。

或疑北方氣候，古代較溫煖，以後逐漸寒冷。此層據謂古代北方多竹及水稻，而後代之北方竹、稻均少。惟此亦可由於雨量及地土之水分等而異，不必爲氣候之轉變。且古代即稱江南之枏、梓、竹箭，竹盛於南，自古已然。後代北方亦未嘗不產竹。杜甫秦州雜詩，詠竹已三見。金章宗明昌三年，定司竹監歲采入破竹五十萬竿，春、秋兩次輸都水監備河防。元河南、懷孟，陝西京兆、鳳翔，皆有在官竹園，掌於司竹監，發賣皆給引至一萬道。（至元四年。）民間住宅內外，竹不成畝，本主自用外，貨賣依例抽分。明代通州、蘆溝、真定等處，皆設抽分竹木局。此皆黃河流域依然產竹之證，直至近時猶然。至稻田，苟有水利即可得。今北方有水處即可有稻田，是其證。如宋代洛陽以牡丹名，今牡丹轉盛於北平，此是人事，不關氣候。觀月令、豳風及古今詩人歌詠，未見北方氣候有顯著或嚴重之變化。

或疑北方雨量古代較多，以後逐漸減退。此層亦以農田水利及土地性質逐步後退推想。然北方之水患，後盛於前，不應雨量轉爲前多於後。

或疑北方民族血統，後代混雜漸多，故見退步。此層亦出臆測。唐代爲中國史上之極盛期，唐代北方人已多混血，何以轉較東漢以下爲盛？南方先有夷獠蠻俚，北方人避難來南，未見不有混合。

以上諸說，均無切證。

或疑黃河爲中國之患，長江爲中國之利。此層就歷史言，亦似適得其反。

一　黃河與北方之水患

殷代的文化，孕育長成於黃河之下流。

湯居亳，距河尚遠。其後渡河而北，乃畷就黃河，非畏避。故仲丁遷隞，河亶甲居相、祖乙居耿，殷之都城，始終近河。

自盤庚至紂二百餘年的殷墟，（南距朝歌，北據邯鄲及沙邱。）建築在黃河下游淇、洹交灌的大三角洲上。西周的文化，脫離不了河、渭流域的灌溉。春秋中原一、二百個侯國的田邑城郭，都錯落散布在大河兩岸。涇、渭、汾、涑、伊、洛、淇、洹、淄、汶、泗廣大的水利網，纓絡其間，做了他們養長文化的血液。

當時的溝洫制度，必然很可觀。（只看以後江、浙水利便知。）

明嘉靖中，汪鋐奏：「春秋之世，如山東、陝西、河南等處，皆爲列國。其時干戈俶擾，一國之

賦，足供一國之用，未嘗取給他邦。良以溝洫之制尚存，故旱澇有備，而國用日充。」

黃河水患，始見於周定王五年。是年爲魯宣公七年，入春秋已一百二十年。此乃河北岸的衛國乃殷之故墟，詩邶、鄘、衛風所詠，淇澳綠竹，淇上桑田，檜楫松舟，泉源考槃，是一個最可愛的水鄉。而文化在列國中亦最高，觀風詩即知。爲狄所滅，至河決已六十年。農田水利失修以後應有的現象。

以後魏文侯居鄴，西門豹、史起大修水利，這一帶依然是樂土。

第二次的河徙在漢武帝元光三年。上距周定王五年，又已四百七十年。這一次河患的來歷，蓋因戰國以來長期戰爭，競築堤防。

漢賈讓說：「隄防之作，近起戰國。壅防百川，各以自利。齊與趙、魏，以河爲竟。趙、魏瀕山，齊地卑下，作堤去河二十五里。河水東抵齊堤，則西泛趙、魏。趙、魏亦爲堤，去河二十五里。雖非其正，水有所游盪。水去則填淤肥美，民耕田之。稍築室宅，遂成聚落。大水時至漂沒，則更起隄防以自救。今隄防去水陿者數百步，遠者數里。」

又各以決水浸敵國。

趙世家：「趙肅侯十八年，決河水灌齊、魏之師。」竹書紀年：「梁惠成王十二年，楚決河水灌長垣之外。」趙世家：「趙惠文王十八年，決河水伐魏氏，大潦。」秦始皇本紀：「秦引河灌大梁城，城

壞。」孟子云：「以鄰爲壑。」

又有壅塞水源以害鄰。

國策：「東周欲爲稻，西周不下水。」故始皇碣石刻辭云：「決通川防。」

河道與水利，爲兵事所犧牲。遂成西漢間嚴重的水患。直到東漢王景治河功成，明帝時。此後又九百年未見河患。

這正因北方經濟文物，尚在盛時，溝洫河渠，時有興修，故水不爲害而爲利。觀酈道元水經注，知元魏時北方水道，後世湮絕難尋者，不知凡幾。

黃河爲中國患，其事始於宋，歷元、明、清三代千年不絕，卻正是北方社會經濟文化已在逐漸落後的時期。可見水患由於人事之不盡。

宋代河患，遠因則在唐中葉以後河朔一帶之藩鎮割據。

宋敏求謂：「唐河朔地，天寶後久屬藩臣，縱有河事，不聞朝廷，故一部唐書所載，僅滑帥薛平、蕭倣二事。」閻若璩謂：「河災羨溢首尾亙千里外，非一方可治。當四分五裂之際，爾詐我

虞，惟魏、滑同患，故田弘正從薛平請，協力共治。否則動多掣肘，縱有溢決，亦遷城邑以避之而已。此河功所以罕紀也。」此皆謂唐中葉以後未必無河患，然亦可謂未必有大患。若遇大潰決，朝廷豈有不知？史書豈有不錄？惟如春秋狄踞衞地，黃河下游兩岸農田水利在藩鎮統治下，失修必多，則可斷言。

近因則在五代時之長期兵爭。

梁、唐夾河相持，決水行軍，事又屢聞。如梁貞明四年、龍德三年、唐同光二年，皆決河。

自此河決時聞。五代時河已屢決，至宋而遽發。而黃河下游一、二千里的河床，遂致屢屢遷移。

河道自春秋以迄近代凡六大變：

一、周定王五年，河決宿胥口，東行漯川，至長壽津與漯別行，東北合漳水，至章武今河北鹽山縣西北。入海。水經謂之「大河故瀆」。

二、王莽始建國三年，自周定王五年，至是凡六百一十二年。河徙魏郡，從清河、平原、濟南至千乘。後漢永平十三年，自王莽始建國三年至是復五十九年。王景修之，遂爲大河經流。水經稱「河水」。

三、宋仁宗慶曆八年，商胡決，（自永平十三年至是，凡九百七十八年。）河分二派。北流合永濟渠至乾寧軍（今河北青縣。）入海。東流合馬頰河至無棣縣入海。二流迭爲開閉。

四、金章宗明昌五年，（慶曆八年至是，凡一百四十六年。）河決陽武故堤，一由南清河（即泗水。）入淮。（自此河水大半入淮，而北流猶未絕。）

五、元世祖至元二十六年，會通河成，北派漸微。（自明昌五年至是，凡九十五年。）及明弘治中，築斷黃陵岡支渠，遂以一淮受全河之水。（北流至是永絕。）

六、清咸豐三年，（自至元二十六年至是，凡五百六十四年。）河決銅瓦廂，（河南蘭封西北。）再得改道北徙，由大清河（即濟水。）入海。（自大清河至利津口，爲古漯水道，即漢之千乘也。）

其間鉅變劇患，多在宋後。蓋自大伾以東，古兗、青、徐、揚四州之域，皆爲其縱橫糜爛之區，而北方元氣爲之大耗。

黃河水患的起落，恰與北方社會經濟文化的盛衰，成一平行線。足徵互爲因果，非自始黃河即爲中國之害。

宋後河患不絕，約有幾因：

一、常爲他種原因而犧牲了河流的正道。

宋初河道與唐、五代略同。（歐陽修謂之「京東故道」。）景德、景祐兩決澶州橫隴埽，（今濮陽東。）遂爲大河經流。（歐陽修謂之「橫隴

故道」。以今地大略言之，乃自河北濮陽東經山東鄆城縣，北出東平、范縣、東阿、陽穀之間也。至長清而下，與京東故道會。決商胡後河道，以今地理言之，大體自河北濮陽、大名入山東冠縣、館陶、臨清以至河北之清河，又入山東武城、德縣以至河北之吳橋、東光、南皮、滄青、靜海、天津諸地入海，謂之「北流」。

商胡決口後，有主開六塔河，六塔，地名，今河北清豐縣西南境六塔集是也。引商胡決河復歸橫隴故道者。事在至和二年。嗣六塔河復決，嘉祐元年。京東故道遂廢。乃有主開二股河，二股河乃商胡決河別派，自清豐、朝城、莘縣、堂邑、清平、夏津、恩縣、平原、陵縣、德平、樂陵，至無棣境入海，爲唐馬頰河、古篤馬河故道。導水東行者。治平二年、熙寧二年皆開之。宋人謂之「東流」。元符二年河決復北，東流竟絕。北流通快，海口廣深，有合於黃河之古道，而宋人必欲回河使東。六塔、二股相繼失敗。哲宗時，復有主回河者。大意謂：「河尾北向，恐入契丹，則其界踰河而南。彼必爲橋梁，守以州郡，中國全失險阻。」蘇轍駁之，謂：「地形北高，河無北徙之道。又海口深浚，勢無移徙。」而紹聖諸臣力主東流，蓋借河事以伸其紹述之說。王安石用宋昌言、程昉議，主開二股河，在熙寧二年。元符時，河既決而北，而建中靖國初，尚有獻東流之議者。發言盈庭，以河爲戲。金明昌五年，宋紹熙五年。河決陽武灌封邱而東，歷長垣、東明、濮、鄆、范諸縣，至壽張，注梁山濼，分二派，北由北清河入海，濟水故道，即今之黃河道。南派由南清河入淮。即泗水故道。金以宋爲壑，利河之南而不欲其北，自是河道去古益遠。

元明兩代，以黃濟運，更不願河道之北。元末河道北徙，而明人以畏運道涸，力塞之。弘治中，二年、五年。兩決金龍口，直衝張秋，議者爲漕計，遂築斷黃陵岡支渠。明代二百餘年間，被大害、興大役者，至五十餘見。役夫自五、六萬乃至三十萬。自此以下，迄於清代，莫不以人力强河流。河水日失其性，遂潰決不已。清道光五年，東河總督張井言：「河底日高，堤身遞增，城郭居民，盡在水底。惟仗歲積金錢，擡河於最高之處。」可謂說盡後代治河方策與成績也。今按：明代大河北決者十四，南決者五。清順、康以來，北決者十九，南決者十一。又河自三代以來，行北地者三千六百餘年，南行不過五百餘年也。直至咸豐銅瓦廂之決，河道終於北去。鄭曉吾學編餘謂：「我朝黃河之役，比之漢、唐以後不同。逆河之性，挽之東南行，以濟漕運，故河患時時有之。」又按：其他如宋高宗建炎二年，杜充決黃河，自泗入淮，以阻金兵。明末流寇掘堤灌開封，河底墊高。至清順治初，河遂決河南荊隆口。以兵爭毀壞河流之事，後世尚亦時見。

二、政治之腐敗，河工之黑暗，政府常化最多的財力，而收最少的功程。最要者還是北方整個水利網之破壞。

徐貞明潞水客譚：「昔禹播九河入海，而溝洫尤其盡力。周定王後，溝洫漸廢，而河患遂日甚。河自關中入中原，涇、渭、漆、沮、汾、涑、伊、洛、瀍、澗及丹、沁諸川，數千里之水，當夏、秋霖潦之時，無一溝一澮可以停注。於是曠野橫流，盡入諸川。諸川又會入於河流，則河流安得不盛？其勢既盛，則性愈悍急而難治。今誠自沿河諸郡邑，訪求古人故渠廢堰，師其意，不泥其迹，疏爲溝澮，引納支流，使霖潦不致汎濫於諸川，則並河居民得資水成田，而河流亦殺，河患可弭。」周用亦曰：「以數千里之黃河，挾五、六月之霖潦，建瓴而下，乃僅以河南蘭陽以南之渦

河，與徐州、沛縣百數里之間，拘而委之於淮；其不至於橫流潰決者，實徼萬一之幸。夫今之黃河，古之黃河也。其自陝西西寧至山西河津所謂積石、龍門，合涇、渭、汭、漆、沮、汾、沁及伊、洛、瀍、澗諸名川之水，與納每歲五、六月之霖潦，古與今無少異。然黃河所以有徙決之變者，特以未入於海，霖潦無所容也。溝洫之用以備旱潦者，容水而已。故溝洫與海，其爲容水一也。天下有溝洫，天下皆容水之地，黃河何所不容？天下皆修溝洫，天下皆治水之人，黃河何所不治？水無不治，則荒田何所不墾？一舉而興天下之大利，平天下之大患矣。」明副書亦云：「河能爲災，亦能爲利。故不知河之利者，則不能抑河之害。禹平水土，亦盡力溝洫。東南無不耕之土，分畦列畛，畝自爲澮，頃共爲渠，疏而成川，窪而成淵。漏者坊，塞者濬。四野溝洫，皆治水之處。三時耕斂，皆治水之日。家家自力本業，皆治水之人。沿江圩田，重重連隄，即有衝決，詎至爲損？故能束橫流而注之海，而利九害一。西北多荒土，種亦黍麥，水不爲利，遂反爲害。稍暘則傾瀉無所停，淫雨則肆溢無所約。寧夏沿河套地，最號沃壤，神何獨庇此一方？」又謂：「西北不可以稻，則三代之盛都於雍、冀，曷嘗仰給東南？夫天人互勝，利害旋轉。墾田受一分之利，即治河減一分之患。使方千里之水，各有所用，而不至助河爲虐，此十全之利也。使方千里之民，各因其利而不煩官府之鳩，此執要之理也。土著之民，各識其水性，因以順爲功；其與不習之吏，驟而嘗試，逆施而倒行者，又相萬也。」今按：明代以來治河理論，皆主潘季馴「河

不分流，高築堤岸，束水刷沙」之説。然潘説特主河之下游，為救一時之潰決而言。若就北方全水量而為治本之計，莫逾於上述之三家矣。

即據關中水利言之，唐已不如漢，而唐後又更不如唐。

漢書：「鄭渠成，溉舄鹵之地四萬餘頃，關中始為沃野。」其後又有輔渠、白渠、龍首渠之役。後漢都雒，諸渠漸廢。杜佑云：「秦漢時鄭渠溉田四萬餘頃，白渠溉田四千五百餘頃。唐永徽中，所溉惟萬許頃。洎大歷初又減至六千頃。」蓋因「沃衍之地，占為權豪觀游林苑，水利分於池榭碾磑」。此張方平語。唐書屢有議毀碾磑，保水田之利之記載。宋人以鄭渠久廢，惟修三白渠，溉涇陽、富平等六縣田三千六百頃。熙寧中，更穿豐利渠，溉田二萬五千餘頃。元至正初，以新渠堰壞，復治舊渠口，溉田四萬五千頃。其數乃不減於漢，然未幾即廢。黃河水患，一因於河汛時期水量之突然盛漲，一由於水中挾帶泥沙量太多。然此二者，主要並不全在黃河之上源，而多為晉、陝、豫諸省之支流所促成。代表中國漢、唐全盛時長安、洛陽兩都會之没落，其附近四圍一般經濟狀況之衰頹，與夫農田水利之失修，又是促成上述兩因之大原因也。

其他各地，大率皆然。

日知錄謂：「歐陽永叔作唐書地理志，凡一渠之開，一堰之立，無不記其縣之下，實兼河渠一志，可謂詳而有體。然志之所書，大抵在天寶前者居什之七，至河朔用兵之後，則催科為急，農功水

道，有不暇講求者。」

觀明人所說河南、山東困於水旱的情形，可見一斑。

周用理河事宜疏：「臣竊見河南府、州、縣密邇黃河地方，歷年親被衝決之患，民間田地決裂破壞，不成隴畝。耕者不得種，種者不得收。中土之民，困於河患，實不聊生。至於運河以東，山東濟南、東昌、兗州三府，雖有汶、沂、洸、泗等河，然與民間田地，支節脈絡，不相貫通。每年泰山、徂徠諸山水發之時，漫爲巨浸，漂没廬舍，耕種失業，亦與河南河患相同。或不幸值旱暵，又無自來修繕陂塘渠堰，蓄水以待雨澤，遂至齊、魯之間，一望赤地。於時蝗蝻四起，草穀俱盡。東西南北，橫亙千里。天災流行，往往有之。」今按：河南、山東在漢、唐時，正猶如江浙之在元、明。所謂「歲漕關東粟數百萬石」者，大部即在此兩省。將明人記載一對比，可見中國南北社會經濟文化轉移之劇烈，而其原因則多半在人事，不必遠推至氣候雨量或人種血統等種種渺茫之臆測也。

而運河的開濬，其目的既專在通漕，對於北方原來水利，亦有損無益。

隋煬汴渠，溝通河、淮，説者已謂利害不相掩。

宋丁謂談錄謂：「汴渠派分洪河，自唐迄今，皆以爲莫大之利。然迹其事實，抑有深害。凡梁、宋之地，畎澮之利，湊流此渠，以成其大。至隋煬帝將幸江都，遂析黄河之流，築左右堤三百餘里。舊所湊水，悉爲横截，散漫無所。故宋、亳之地，遂成沮洳卑濕。且昔之安流，今乃湍悍。昔之漕運，冬、夏無阻，今則春開秋閉，歲中漕運，止得半載。矧每歲霖澍，決溢爲患。自斯觀之，其利安在？」按：東漢王景治河，正使河、汴分流。河東北入海，汴東南入泗。煬帝溝通江、淮、河、汴，雖有南北水運聯貫之利，然如丁説，亦復不掩其害矣。

至元、明會通河，直貫南北，更逆自然之地形。

邱濬大學衍義補云：「運河由江入邗溝，由邗溝亂淮而渡上清口，經徐、呂二洪，沂、沁、泗水，至濟寧。濟寧居運道之中，所謂天井牐者，即元史所謂會源牐也。泗、（出泗水縣。）沂、（出曲阜縣。）洸、（出陽寧縣。）汶（源有二：一出萊蕪縣，一出泰山南。）諸水畢會於此，而分流於南北。北至安民山入於新河，地降九十尺，爲牐十有七而達於漳、御。南至沽頭，地降百十有六尺，爲牐二十有一而達於河、淮。此蓋居兩京之間，南北分中之處。迤南接濟之水，有自武陟來之沁，有自瑯琊來之沂。迤北接濟之水，有自金龍口之河，有分滹沱河之水。通論諸牐，天井居其中，臨清總其會，居高臨下，水勢泄易而涸速。凡三千七百里之漕路，此其要害也。」

築壩堰，建堤閘，歲糜巨帑，而鑿者不勝淤，築者不勝潰。堤密於田畔，地破於壞瓜。人力已盡，水患方烈。皆明人語。因運河而牽連損害及於旁近之水系。山東濱海，水勢自宜東注，而元代為以濟運，盡逆之使西。清季沈葆楨謂：「舍運道而言水利易，兼運道而籌水利難。民田於運道勢不兩立。兼旬不雨，民欲啓涵洞，官必閉以養船。運河水溢，官又開閘壩以保堤。堤下民田，立成巨浸。」尤其甚者，為顧全運河水量，而强抑黃水南行，與淮合流。不惟河患頻仍，即淮水亦成大害。

大河自北宋時合泗入淮，淮下游為河所奪者七百七十餘年。淮本無病，此七百七十年中河病而淮亦病。又按：日知錄云：「宋史宦者傳：『梁山濼，古鉅野澤，綿亘數百里，濟、鄆數州，賴其蒲魚之利。』金史食貨志：『黃河已移故道，梁山濼水退，地甚廣，遣使安置屯田。』自此以後，鉅野、壽張諸邑，古時瀦水之地，無尺寸不耕，而忘其昔日之為川浸矣。」按：北方諸湖澤，因黃水倒灌，淤填平滿者甚多。河經河南中部，土益鬆，泥益多，泛濫橫決，而數百里間水利盡為破壞，又不獨一淮受其害也。上游因水利失修，各支流挾帶多量泥沙之黃水，驟然灌注於黃河，激起黃河下游之潰決。又因下游潰決，淤泥停滀，使下游諸湖澤漸次填平，更無蓄水之用，如是而河決之患更烈。此皆互為因果，以造成中國史上愈後愈烈之河患。

豫、魯、蘇、皖四省，天產民力，消耗犧牲於黃、淮、運三水之泛濫防禦方面者，不知凡幾。

若當時一面能改行海運，元人海運，已十達六、七，若自淮口揚帆，不經月即至天津，更無可虞。此事明人主之者，如邱濬、羅洪先、鄭曉等，殊不乏人。而屢議屢格，寧歲擲無量巨金於會通無底之牝，真可惜也。

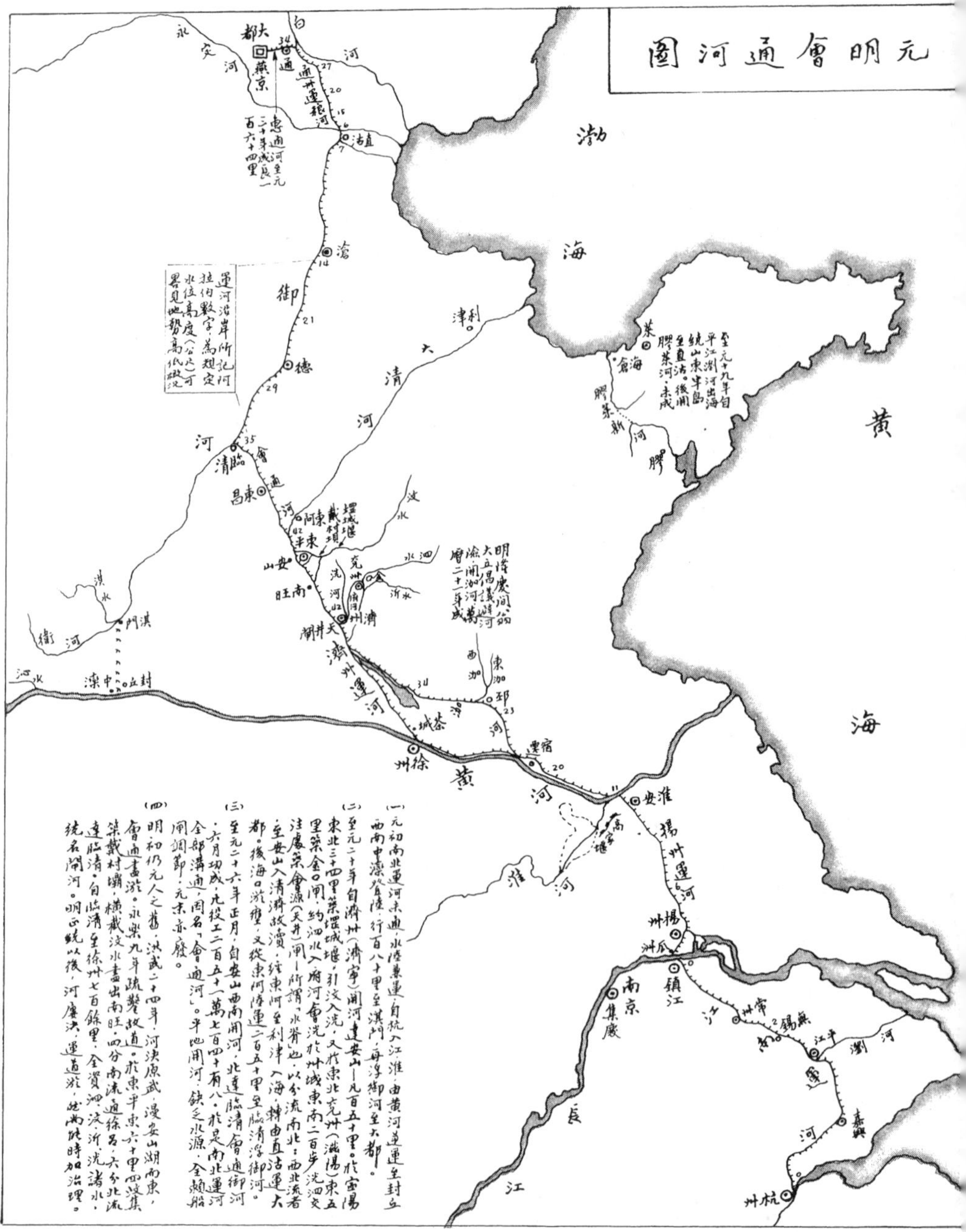
元明會通河圖
(一)元初南北運河未通，水陸兼運，自杭入江、淮，由黃河逆運至封丘，西南中灤，登陸，行百八十里至淇門，再浮御河至大都。
(二)至元二十年自濟州(濟寧)開河達安山，凡百五十里。於寧陽東北三十四里築堽城堰，引汶入洸，又於東北兗州(滋陽)東五里築金口閘，約泗水入府河，會洸於州城東南二百步，洸泗交注處築會源(天井)閘——所謂「水脊」也，以分流南北：西北流者至安山入清濟故瀆，經東阿至利津入海，轉由直沽運大都。後海口淤塞，又從東阿陸運二百五十里至臨清浮御河。
(三)至元二十六年正月，自安山西南開河，北達臨清會通御河。六月功成，凡役工二百五十一萬七百四十有八。於是南北運河全部溝通，因名「會通河」。平地開河，缺乏水源，全賴船閘調節，元末亦廢。
(四)明初仍元人之舊。洪武二十四年，河決原武，漫安山湖而東，會通盡淤。永樂九年疏鑿故道。於東平東六十里四汶集築戴村壩，橫截汶水盡出南旺，四分南流達徐呂，六分北流達臨清。自臨清至徐州七百餘里，全資泗、汶、沂、洸諸水，統名閘河。明正統以後，河屢決，運道淤，然尚能時加治理。
運河沿岸所記阿拉伯數字，為規定水位高度(公尺)，可略見地勢高低概況
惠通河至元三十年成，長一百六十四里
至元十九年自平江劉河出海，繞山東半島至直沽。後開膠萊河，未成
明隆慶間翁大立倡議開泇河，萬曆二十一年成
大都
燕京
通州
通州運糧河
白河
永定河
直沽
滄
御河
德
利津
大清河
臨清
會通河
東昌
東阿
東平
戴村壩
堽城堰
汶水
泗水
沂水
洸河
兗州
濟州
安山
南旺
天井閘
淇門
淇水
衛河
中灤
封丘
沁水
濟州運河
泇河
邳
宿遷
徐州
黃河
淮安
高家堰
淮河
揚州運河
揚州
瓜洲
鎮江
南京
集慶
常州
無錫
平江
劉河
嘉興
杭州
運河
長江
萊
海倉
膠萊新河
膠
渤海
黃海

一面縱河北去，明人防河之北，如防盜賊，强逆其性，必挽之於東南，故河患終不能弭。則河、淮皆可安瀾，而豫、魯、蘇、皖四省，凡河、淮潰瀾之區，皆復變爲膏腴沃土。一面廣興京東、河北之水利，如虞集、徐貞明所計劃。一面再能移民遼、瀋，墾闢漸遠。北京正在陸海之中心，何至必仰哺於江南，爲此嗷嗷之態？明馬文升已謂：「交納之費，過於所需。」至清代約計運米一石入倉，費銀至十八兩、二十兩乃至三十四兩者。而倉米出售，則一石一兩。（見鄭觀應停漕議。）如此漏巵，而不思爲之計，真可歎也。

二　北方社會所受外族及惡政治之摧殘

北方水利之逐步變壞，既如上述。而北方社會之疊受摧殘，猶不止此。始見於唐中葉以後藩鎮之長期割據，再見於五代之兵爭。五代兵爭，北方烈於南方。而石晉所遭契丹南侵之禍爲更甚。此兩期間的政治黑暗，蓋達極點。

三、見於遼、宋之對峙，邊界受蹂躪，不得生聚種養。

遼史兵衛志：「遼每點兵，多在幽州北千里鴛鴦泊。皇帝親征，至幽州，分兵三路，至宋北京，三路兵皆會。出兵不過九月，還師不過十二月。帝不親征，則以重臣統率。進以九月，退以十二月。若春以正月，秋以九月，則不命都統，只遣騎兵六萬，於界外三百里，耗蕩生聚，不令種養

而已。」

四、見於宋、夏之對峙，東北與西北，受同樣命運。關中、河北社會元氣，在外寇壓迫下，不斷降低。

五、見於金人之統治，一般的政治情況之退步。呼必烈問張德輝：「遼以釋廢，金以儒亡，有諸？」對曰：「遼事未周知，金季乃所親覩。宰執中雖用一、二儒臣，餘皆武弁世爵，及論軍國大事，又不使預聞；大抵以儒進者三十之一。」在兵爭中簽兵制度之騷擾。簽兵正如五胡北朝時發丁爲兵。

而尤甚者，爲金之屯田兵所加於北方農村之損害。一因種姓之別，二因耕稼游牧生活習慣之異。由屯田兵之雜處，北方村落受害極大。

屯田兵始於金熙宗時。

熙宗天眷三年十二月，慮中原士民懷貳，始置屯田軍。凡女真、奚、契丹之人，皆自本部內徙，與百姓雜處。

計口授田，自燕南至淮、隴之北，皆有之，皆築壘村落間。其千夫長曰「猛安」，百夫長曰「謀克」。朝廷則不斷括民戶良田與之。

大定十七年，世宗謂省臣曰：「女真人戶自鄉土三、四千里移來，若不拘刷良田給之，久必貧乏。

其遣官察之。」章宗承安五年，命樞密使宗浩等於山東等路括地給軍，凡得地三十餘萬。按：章宗明昌元年，亦有括地給軍之敕令。

農民失去田產，另受薄惡之田。

大定二十一年三月詔曰：「山東所括民田，已分給女真屯田人戶。復有籍官閑地，依元數還民。」七月又詔宰臣曰：「山東刷民田，已分給女真屯田戶。復有餘地，當以還民。」泰和四年，上聞六路括地時，屯田軍戶多冒名增口，以請官地，及包取民田，而民有空輸稅賦、虛抱物力者。貞祐三年，參政高汝礪謂：「山東撥地時，腴地盡入富家，瘠者乃付貧戶，無益於軍，而民有損。」

而屯田兵得良田美產，卻不肯自己好好耕種。

世宗大定五年，以京畿兩猛安民戶不自耕墾，及伐桑棗爲薪鬻之，命大興少尹完顏讓巡察。大定二十一年正月，上謂宰臣曰：「山東、大名等路猛安、謀克之戶，往往驕縱，不親稼穡。盡令漢人佃蒔，取租而已。富家盡服紈綺，酒食遊宴，貧者爭慕效。」六月，又曰：「聞猛安、謀克人惟酒是務，以田租人，而預借三、二年租課。或種而不芸，聽其荒蕪。」二十二年，以附都猛安戶不自種，悉租與民，有一家百口，壠無一苗者，治勸農官罪。明昌元年三月，勅：「當軍人授田，只令

自種。」泰和四年九月定制，所撥地十里內自種，餘者許便宜租賃。

他們還只是喜歡出外畋獵。

明昌三年，敕：「猛安、謀克，許於冬月率所屬戶畋獵二次，每出不得過十日。」

漸漸亦有習染中國文學風氣的。

劉祁歸潛志：「南渡後，諸女真世襲猛安、謀克，往往好文學，與士大夫遊。」

要之不習農事，乃至於鬻田畝、伐桑棗。

泰和元年，用尚書省言，申明舊制：猛安、謀克戶每四十畝樹桑一畝，毀樹木者有禁，鬻土地者有刑。其田多汙萊，人戶闕乏，並坐所臨長吏。

中國的良好農民，則失其祖產，或淪爲佃農，因此與猛安、謀克間感情日壞。

李石傳謂：「山東、河南軍民交惡，爭田不絕。」明昌二年，尚書省奏：「齊民與屯田戶往往不睦。若令遞相婚姻，實國家長久安寧之計。」

迨蒙古兵南來，漢人乘機報復，在河北之猛安、謀克戶，多見誅夷。

元遺山完顏懷德碑：「民間讎撥地之怨，睚眦種人，期必殺而後已。尋蹤捕影，不三、二日，屠戮淨盡。」又張萬公碑：「宣宗貞祐間南渡，盜賊羣起，向之乘勢奪田者，人視之爲血讎骨怨，一顧盼之頃，皆死鋒鏑之下，雖赤子亦不免。」又見金史張萬公傳。

其避而南遷者，不下百餘萬口。革去冗濫，所存猶四十二萬有奇。見陳規傳。一時又議括地分授。事雖未成，然河南民皆倍徵以給。

高汝礪言：「河北軍戶徙河南者幾百萬口，人日給米一升，歲率三百六十萬石。半給其直，猶支粟三百萬石。河南租地計二十四萬頃，歲徵粟纔一百五十六萬有奇，更乞於經費外倍徵以給。」

民不勝苦，逃亡破殘，遂至兵多於民，其狀更不堪言。

侯摯疏：「東平以東，累經殘毀，邳、海尤甚。海之民戶曾不滿百，而屯軍五千。邳戶僅及八百，軍以萬計。蕭何、劉晏復生，亦無所施其術。」

約計金代猛安、謀克戶數，比漢人約占十之一。口數連奴婢在內。約占七之一。

據世宗大定二十三年七月統計，猛安二百零二，謀克一千八百七十八，戶六十一萬五千六百二十四，口六百十五萬八千六百三十六。內正口四百八十一萬二千六百六十九，奴婢一百三十四萬五千九百六十七。而大定二十七年統計天下戶，凡六百七十八萬九千四百四十九，口凡四千四百七十萬五千零八十六。是猛安、謀克戶數約占全數十之一，口數約占七之一也。

長期間散布在中國北方，據甚大之田，納極輕之租。

猛安、謀克納稅與平民不同，特稱「牛頭稅」，或「牛具稅」。其制，每耒牛一頭，爲一具，限民口二十五受田四頃四畝有奇，歲輸粟大約不過一石。官民占田無過四十具。是最低限度五口之家略可得百畝，而納稅則四百餘畝僅納一石。世宗問魏子平：「古者稅什一而民足，今百一而民不足，何也？」此蓋指猛安、謀克言之，實尚不到百一之稅。

國家負擔盡壓在漢族農民身上。

漢戶號爲什一而稅，然哀斂刻急，民不堪其苦。見范拱傳。以畝取五升、秋稅。三合夏稅。計，亦一倍唐租

有奇。（據前引高汝礪言，則百畝租合六石五斗，視唐在兩倍以上。）至官田租大概畝徵五斗，（據續文獻通考。）則百畝須五十石，與西晉五胡相仿矣。

實對中國北方農事，有甚大之損害無疑。（明諸葛昇墾田十議謂：「江北荒田，民荒者十之三，軍荒者十之七。」明代北方土地雖曠莽，然棄置不耕者獨以鳳陽爲甚，以鳳陽多屬軍屯也。兩淮本與兩江、兩浙並稱，然明代見稱偏瘠，軍屯之害如此，可推金世猛安、謀克之貽禍。）

金之王室貴族，亦常因牧事禁民耕種。

世宗大定十年四月，禁侵耕圍場地。十一月，謂侍臣曰：「往歲清暑山西，傍路皆禾稼，殆無牧地，嘗下令使民五里外乃得耕墾。今聞其民以此去之他所，甚可矜憫。其令依舊耕種。」十九年二月，上如春水，見民桑多爲牧畜嚙毀，詔親王、公主及勢要家牧畜有犯民桑者，許所屬縣官，立加懲斷。二十年五月，諭有司：「白石門至野狐嶺，其間淀濼多爲民耕植，官民雜畜，往來無牧放之所。可差官括元荒地，及冒佃之數。」

第六、則見之於蒙古軍隊之殘殺。

宋寧宗嘉定六年，金貞祐元年，蒙古分兵拔金河北、河東諸州郡，凡破九十餘郡。兩河、山東數千里，人民殺戮幾盡。金帛、子女、牛馬羊畜，皆席捲而去。屋廬焚燬，城郭丘墟。惟大名、真

定、青、鄆、邳、海、沃、順、通州堅守未能破。嘉定八年，金貞祐三年，蒙古兵入燕，吏民死者甚衆，室屋爲亂兵所焚，火月餘不滅。河北既殘，金宣宗遂遷汴。關中兵火之餘，八州十二縣，戶不滿萬。見元史商挺傳。其後蒙古攻汴，十六晝夜，內外死者以百萬計。又遇大疫，五十日內，諸門出柩九十餘萬。貧不能葬者，不在是數。蒙古兵入汴城，欲屠之，耶律楚材諫而止。時避兵居汴者尚百四十萬戶。蒙古之破夏，其民至穿鑿土石以避鋒鏑，免者百無一、二。

據當時戶口數字計之，殆於十不存一。

金泰和七年極盛時，戶七百六十八萬有奇，口四千五百八十一萬有奇。而元之得金，戶八十七萬有奇，口四百七十五萬有奇，是十不存一也。金章宗明昌元年，金、宋口數約五與三之比。金四千五百萬有奇，宋二千七百萬有奇。而蒙古得宋，較之得於金者，戶數超過十倍，口數超過四倍。戶九百三十七萬有奇，口一千九百七十二萬有奇。其後乃有南十北一之差。蓋由北人多避逃來南，而蒙古亦稍染漢化，其對宋之殘殺，不如對金之甚也。大抵北方狀態，先壞於安史以後，大毀於宋之南渡，及蒙古之滅金而摧殘益甚也。

第七、見之於元代政制之黑暗。

元代亦有軍屯、民屯之制。屯田遍及全國，以今河北、河南兩省爲多。於屯田外又有寺田，地多

上善，猶過屯田。而僧徒又往往侵奪民田，包庇逃稅。又多官田，至元七年，立司農司，頒農桑之制十四條。官田之制，亦祇以擾民而已。英宗至治三年，張珪上疏曰：「天下官田歲入，所以贍衞士、給戍卒。自至元三十一年後，累朝以是田分賜諸王、公主、駙馬，及百官、宦者、寺觀之屬。其受田之家，各任土著姦吏爲莊官，催甲斗級，巧名多取。又且驅迫郵傳，徵求餼廩，折辱州縣，閉償逋負。官司交忿，農民窘竄。」則擾害之情，不下於金之猛安、謀克也。

第八、見之於元末北方之殘破。

元末羣雄起義，大率多在南方，而殘破則以北方爲甚。韓林兒僭號凡十二年，橫居中原，蔽遮江、淮。北方飽受兵禍蹂躪，而明祖轉得從容締造南方之新業。其時兩淮之北，大河之南，所在蕭條。燕、趙、齊、魯之境，大河內外，長淮南北，悉爲丘墟。直至明初，尚謂山東、河南多是無人之地。靖難兵起，淮以北又鞠爲茂草。食貨志。

中國北方社會，自安史亂後，直至明興，五、六百年內，大體上在水深火熱下過日子。明代三百年統一，北方稍得回蘇。然亦承襲元制，盛行賜田，皇室乃至勳戚之莊園，爲害於北方農業進展者猶甚大。

明「皇莊」始憲宗時，没入太監曹吉祥地，爲宮中莊田始。及孝宗弘治二年李敏疏，謂：「畿內皇莊有五，共地萬二千八

百餘頃。勳戚、中官莊田三百三十有二，共地三萬三千一百餘頃。」如是則北直一省，共計莊田已占四萬五、六千頃，以一戶百畝計之，當有四萬五、六千戶爲莊戶也。即據萬曆六年戶口計數，北直一省，不過四十二萬餘戶，則當時莊園戶至少當佔全數十分之一以上。其後又遞有增置。武宗即位，踰日即建皇莊七，其後增至三百餘處。嘉靖初，林俊疏：「竊查皇莊及皇親功臣各莊田，所占各府、州、縣地，自正德十一年以前，已有三百八十餘處，每處土地，動計數千百頃。」世宗時，勘各項莊田，共計二十萬九百十九頃二十八畝。而尤甚者，神宗詔賜福王莊田多至四萬頃。萬曆二十九年。其時諫者謂：「河南已有周、趙、伊、徽、鄭、唐、崇、潞八王莊田，若再增四萬頃，則莊田將佔河南耕地之半數。」其後福王得河南膏腴地一萬一千餘頃，再益以山東、湖廣地，共二萬頃。此項莊田，租額既重，正德初，詔王府莊田畝徵銀三分，歲爲常。德莊王見濳奏：「初年，兗州莊田歲畝二十升，獨清河一縣，成化中用少卿宋旻議，歲畝五升。若如新詔，臣將無以自給。」帝曰：「王何患貧？其勿許。」按：即以歲畝二十升計，百畝二十石，較之隋、唐固重七、八倍，較之西晉尚輕三倍。較之金、元，亦不到半數。所以明制尚爲黑暗中之較光明者也。騷擾尤滋。皇莊既立，有管理之太監，有奏討之旗校，有跟隨之名色，各處動至三、四十人。勳臣莊田本有司代收，至弘治二年，外戚錢貴乞自收，始命願自收者聽，而禁管莊者橫肆。然此項禁令之爲具文，可想知也。嘉靖二年劉麟疏：「皇親、功臣，各設管莊僕、佃人等領種。希勢取寵者，撥置并吞。爭競不明者，朦朧投獻。而土地之在小民者日侵月削。」其情可見矣。其對農業進展之妨礙，不言可知。京畿水利計劃之不能實施，亦爲勳貴莊田所阻撓。

臨亡，流寇肆虐，以及滿清屢次入關之鈔掠，崇禎九年入關，俘人、畜十有八萬。十一年入關，俘人口四十六萬有奇，白金百餘萬。十五年入關，俘人民三十六萬九千口，牲畜五十五萬有奇。金、銀、珠、緞稱是。又如入關以後之「圈地」，此即金、元之老格套。其爲害皆甚鉅。

清順治元年入北京，即發圈地令。凡近京各州縣無主荒田，及前明皇親、駙馬、公、侯、伯、內監歿於寇亂者，其田盡分給東來諸王、勳臣、兵丁人等。是年即立莊百三十有二。大莊每所地四百二十畝至七百二十畝，半莊每所地二百四十畝至三百六十畝。以後逐年圈地。失產者雖有視產美惡補給之諭，亦僅爲具文。而旗人懶於耕種，

仍將圈得地絡續典賣與漢人，清廷再爲減價收贖。其爲害於河北一帶之農戶，亦可想像得之。

大體上可以說，北方是中國史上前方一個衝激之區，因强寇大敵常在其外。而南方則是中國史上的後方，爲退遁之所。因此北方受禍常烈於南方。安史亂後，中國國力日見南移，則北方受外禍亦益烈。而且自唐以下，社會日趨平等，貴族門第以次消滅，其聰明優秀及在社會上稍有地位的，既不斷因避難南遷；留者平鋪散漫，無組織，無領導，對於惡政治兵禍天災種種，無力抵抗；於是情況日壞。事久之後，亦淡焉忘之，若謂此等情形，自古已然。漢唐的黃金時代，因此不復在他們的心神中活躍。一民族與國家之復興，一面固常賴有新分子之參加，而同時必有需於舊分子之回蘇與復旺。北方爲中國三代、漢、唐文化、武功最彪炳輝煌的發源地。劉繼莊在清初，已力倡北方復興之理論。將來中國新的隆盛時期之來臨，北方復興，必爲其重要之一幕。

第四十章　南北經濟文化之轉移(下)

三　南方江浙一帶之水利興修

南方的發展，最顯著的在長江下游江浙一帶。

自三國乃至東晉、南朝時，江浙雖已有很大的進步，但是那時的財富，主要還是靠商稅，米糧則賴荊襄接濟，人物則多半是外來的。唐中葉以後的南方，漸漸有他自己的生命，水利農業亦開始發展。

唐陸龜蒙耒耜經始言江南田事。顧炎武天下郡國利病書載江南歷代水利，五代前僅唐元和五年王仲舒治蘇，堤松江為路一事。蘇州有瓦屋，亦自仲舒始。

所謂江浙水利，並非自始即爾，乃由人事上不斷的精心努力所造成。

五代吳越建國，有專務治水的專官，名「都水營田使」。募卒四部，於太湖旁，號「撩淺軍」，亦謂之「撩清」。凡七、八千人，常爲田事，治河築堤。一路徑下吳淞江。一路自急水港下澱山湖入海。居民旱則運水種田，澇則引水出田。又開東府南湖，即鑑湖。立法甚備。當時有以治溝洫過勞叛變者。又撩兵千人，專於錢塘湖芟草濬泉。又營田卒數千人，以淞江闢土而耕。定制墾荒田不加稅，故無曠土。米一石，價不過數十文。

有大規模的圩田以及河塘。

仁宗慶曆時，范仲淹守平江，上奏謂：「江南舊有圩田，每一圩田方數十里，如大城。中有河渠，外有門閘。旱則開閘，引江水之利；潦則閉閘，拒江水之害。旱澇不及，爲農美利。又浙西地卑，雖有溝河可以通海，惟時開導，則潮泥不得以堙之。雖有堤塘可以禦患，惟時修固，則無摧壞。臣知蘇州日，點檢簿書，一州之田係出稅者三萬四千頃。中稔每畝得米二、三石，計七百餘萬石。東南每歲上供數六百萬石，乃一州所出。臣詢訪高年，云曩時兩浙未歸朝廷，蘇州有營田軍四部，共七、八千人，專爲田事，導河築堤以減水患。於時錢五十文，糴米一石。皇朝一統，江南不稔，則取之浙右；浙右不稔，則取之淮南；故農政不修。江南圩田，浙西河塘，大半隳廢，失東南之大利。今江浙之米石不下六、七百，足至一貫者，比當時貴十倍。」

這是江南水利乃賴藉政治推動社會，充分改造天然環境供人利用之顯證。

宋代南方文化日高，自有人出來不斷注意和提倡。

仁宗時，有有名的至和塘之計劃和修築。

沈氏筆談：「至和塘自崑山縣達婁門，凡七十里，皆積水無陸途。久欲爲長堤，澤國無處求土。嘉祐中，有人獻計，就水中以籧篨爲墻，栽兩行，相去二尺。去墻六丈又爲一墻，亦如此。漉水中淤泥實籧篨中，候乾，以水車畎去兩墻間水。墻間六丈，皆留半以爲堤腳，掘其半爲渠。取土以爲堤。每三、四里則爲一橋以通南北之水。不日堤成。」按：邱與權至和塘記，作於至和二年，立石於嘉祐六年。詳吳郡志。

神宗時，又有有名的崑山人郟亶詳論蘇州水利。

謂：「環太湖之地，有二百餘里，可以爲田。而地皆卑下，猶在江水之下，與江湖相連。民既不能耕植，而水面又復平闊，足以容受震澤下流，使水勢散漫，而三江不能疾趨於海。其沿海之地，亦有數百里可以爲田。而地皆高仰，反在江水之上，與江湖相遠。民既不能取水以灌溉，而地勢又多西流，不得畜聚春夏之雨澤，以浸潤其地。是環湖之地常有水患，而沿海之地每有旱災。古人因其地勢之高下，井之爲田。其環湖之地，則於江之南北爲縱浦以通於江。又於浦之東西，爲

橫塘以分其勢。而棊布之，有圩田之象焉。其塘浦闊者三十餘丈，狹者不下二十餘丈，深者二、三丈，淺者不下一丈。且蘇州除太湖外，江之南北別無水源，而古人使塘深闊若此者，蓋欲取土以爲堤岸，高厚足以禦湍悍之流，水亦因之而流耳。堤岸高者及二丈，低者不下一丈。大水之年，江湖之水，高於民田五、七尺，而堤岸高出於塘浦之外三、五尺至一丈，故水不能入於民田，則塘浦之水自高於江，而江水亦高於海，不須決泄而水自湍流。故三江常浚而水田常熟。其堈阜之地，亦因江水稍高，得以畎引灌溉。此古人浚三江治低田之法也。所有沿海高仰之地，近江者因江流稍高可以畎引，近海者又有早晚二潮可以灌溉，故亦於沿江之地，及江之南北，或五里、七里爲一縱浦；又五里、七里爲一橫浦，其塘港之闊狹與低田同，而其深往往過之。且堈阜之地，高於積水之處四、五尺，七、八尺，遠於積水之處四、五十里至百餘里。古人爲塘浦闊深若此者，蓋欲畎引江海之水，周流於堈阜之地，雖大旱亦可車畎以溉，而大水之年，積水或從此而泄耳。至於地勢西流之處，又設堈門、堰門、斗門以瀦畜之。雖大旱，墻阜之地皆可耕。此古人治高田蓄雨澤之法也。故低田常無水患，高田常無旱災。而數百里地常獲豐熟。古人治田高下既皆有法，方是時，田各成圩，圩各有長。每年率逐圩之人，修築堤防，治浦港。低田之隄防常固，旱田之浦港常通。錢氏有國，有『撩清指揮』之名。年祀緜遠，古法隳壞。水田之隄防，或因田戶行舟及安舟之便而破其圩。或因人戶請射下腳而廢其隄。或因官中開淘，而減少丈尺。或因

田主只收租課，而不修堤岸。或因租戶利於易田，而故渰没。或因決破古堤，張捕魚蝦，而漸致破損。或因邊圩之人不肯出田與衆做岸。或因一圩雖完，傍圩無力，而連延隳壞。或因貧富同圩，而出力不齊。或因公私相吝，而因循不治。故堤防盡壞，而低田漫然復在江水之下。其高田之廢，由民不相率治港浦。港浦既淺，地勢既高，沿海者潮不應，沿江者因水田堤防壞，水得瀦聚於民田之間，而江水漸低，故高田復在江水之上。至於西流之處，又因人戶利於行舟之便，壞其堈門，不能蓄水，故高田一望盡爲旱地。於是蘇州不有旱災，即有水患。」

他說古人治水之迹，縱則有浦，橫則有塘，亶能言者總二百六十餘所。

此項塘浦，既非天生，亦非地出，又非神化，全皆人力所爲。亶云：「自來議者只知治水，不知治田。治田本也，治水末也。蘇州水田，東南美利，而堤防不立，溝洫不通，二、三百年間，風波蕩蝕，僅若平湖。議者見其如此，乃謂舊本澤國，不可使之爲田。上偷下安，恬不爲怪。」

三吳水利，做了宋以來中國一千餘年經濟文化之重要營養線。宋以前一千餘年中國經濟文化之營養線，則在北方。可見北方在當時，亦應有過同樣類似的人力之經營。

試以周禮所記古代井田溝洫之制，與郟亶所言比看，再實際看近代江浙水脈與研考見於水經注之

中國古代北方河流，自可想像其梗概。

當時三吳農事，不僅努力於水利之興修，又注意到種子之選擇。

真宗大中祥符五年，以江、淮、兩浙路稍旱即水田不登，乃遣使就福建取占城稻三萬斛，分給三路爲種，擇民田之高仰者蒔之，蓋旱稻也。其稻比中國穗長而無芒，粒差小。其種早，正與江南梅雨相當，可以及時畢樹藝之功。其熟早，與深秋霜燥相違，可弗費水而避亢旱之苦。其種地不必腴而獲不貲，可以多種，而無瘠蕪之地。真宗此事，想必有獻議者，其人必南人也。

南方水田之美，既漸漸受人注意，同時南人在政治上的地位，也漸漸增高；於是政府在江南特置提舉官董其事，而南人之有大力者，亦在此盛事殖產，開置大批水田。

文獻通考：「圩田、湖田，多起於政和以來。其在浙間者隸應奉局，其在江東者，蔡京、秦檜相繼得之。」

規模較大的水利農業，仍又隨時經營。

古代及漢、唐北方農田水利所以有成績，亦因封建貴族及世家門第有大力，可以興衆建業。及貴

族門第破毀，農民以百畝爲志，無從結合成事。專賴政府代謀，其事較難。且宋以後政府中人亦南人多，北人少，熟悉南方利病者較多於北方，則北方大興革，更少一層希望。

然北宋東南漕米，江西居三之一；江、浙一帶，仍未佔江南農事之最高點。

宋室南遷，江南更急激開發。

宋史食貨志謂：「大抵南渡後，水田之利富於中原，故水利大興。」又宋自南渡以來，六師百萬之命，悉寄東南，水利大興，江東、西、明、越圩田、圍田、阪塘、堰閘之制畢設。

那時大批北方難民，都參加了開發南方的工作。

紹興五年，屯田郎中樊賓言：「荊湖、江南與兩浙膏腴之田，彌亙數十里，無人可耕。中原士民扶攜南渡幾千萬人。若使流寓失業之人，盡田荒閒不耕之田，則地無遺利，人無遺力，可資中興。」

水利計劃，繼續有人提出注意。

紹興二十八年七月，大理寺丞周環論太湖地低，杭、秀、蘇、湖四州民田，多爲水浸，請復導諸

浦，分注諸江。轉運副使趙子潚、知平江府蔣燦言：「太湖數州巨浸，而獨泄以松江一川，宜其有所不可。昔人於常熟北開二十四浦，疏而導之揚子江。又於崑山東開一十二浦，分而納之海。三十六浦後爲潮汐沙積，而開江之卒亦廢，於是民田有淹没之虞。」天聖間，漕臣張綸嘗於常熟、崑山各開衆浦。景祐間，范仲淹亦親至海浦浚開五河。政和間，提舉官趙霖又開三十餘浦。此見於已行者也。乃詔監察御史任古覆視。古至平江，又言：「常熟五浦通江，委是快便。平江四縣舊有開江兵三千人，今乞止於常熟、崑山兩縣，各招填百人」云云。見建炎以來繫年要錄一八〇、中興小記三八。

其時至於數百年不見水災。

元任仁發水利集謂：「錢氏有國一百有餘年，止天福年間一次水災。宋南渡一百五十餘年，止景定間一、二次水災。蓋由當時盡心經理，其間水利當興，水害當除，合役居民，不以繁難；合用錢糧，不吝浩大。又使名卿重臣，專董其事。又復七里爲一縱浦，十里爲一横塘。田連阡陌，位位相承，悉爲膏腴之產。遂使二、三百年之間，水患罕見。今以爲浙西地土水利，與諸處同一例，任地之高下，任天之水旱，所以一、二年間，水患頻仍。」任氏此論，謂諸處亦與浙西同例。苟能同樣如五代、南宋時對浙西之經營，則亦同樣可以有利民潤生之效也。

遂有「蘇常熟，天下足」之諺。惟兼并之事，亦因之而起。

理宗淳祐六年，謝方叔言：「國家駐蹕錢塘，百有二十餘年。權勢之家日盛，兼并之習日滋。百姓膏腴，皆歸貴勢之家。租米有至百萬石者。小民百畝之田，頻年差充保役。官吏誅求百端。不得已則獻其產於巨室，以規免役。小民田日減，而保役不休。大家田日增，而保役不及。以此兼并寖盛。」又曰：「今日國用邊餉，皆仰和糴。然權勢多田之家，和糴不容以加之，保役不容以及之。」今按：漢、唐兼并，僅多收私租，少納官稅而止。當北宋時，有「賦租所不及者十居其七」之說。下逮南宋，其勢有增無已。兼并者田連阡陌，亡慮數千萬計，皆巧立名色，盡蠲二稅，故葉水心謂：「豪强兼并之患，至今日已極也。」

由此遂有公田制之產生。

宋史：朱勔敗，籍其家田至三十萬畝。建炎元年，籍蔡京、王黼等莊以爲官田。開禧三年，誅韓侂胄，又没入其田。置安邊所，共收米七十二萬一千七百斛，錢一百三十一萬五千緡。此皆官田也。景定四年，丞相賈似道欲行富國强兵之術，於是殿院陳堯道等合奏：「限田之法，自古有之。買官戶踰限田，嚴歸并飛走之弊，回買公田，可得一千萬畝，則每歲六、七百萬斛之入，其於軍餉，沛然有餘。」如是則百畝租六、七十

斛，亦與西晉、五胡同。

一時流弊，不可勝言。

當時先以品官踰限田外回買立說，猶有抑强疾富之意。既而轉爲派買，除二百畝以下，餘悉各買三分之一。後雖百畝之家不免。浙西之田，石租有值千緡者。公田立價，以租一石償十八界會子四十。買數少者，全以楮券。稍多，銀券各半。又多，則副以度牒。至多，則加將仕、登仕等告身，幾於白没。

官田租額之重，爲元、明所承襲。

元代多以官田分賜臣下。

元史所記賜田，大臣如拜珠、雅克特穆爾等，諸王如魯王多阿克巴拉、剡王齊齊克圖等，公主如魯國大長公主，寺院如集慶、萬壽二寺，無不以平江田。

蒙古、色目羣趨江南，視爲樂土。心史大義略敍：「韃人視江南如在天上，宜乎謀居江南之人，貿貿然來江南。」

回回人家江南者尤多。

北人就食來江南者，亦踵相接。

至元二十年崔彧上疏：「內地百姓移江南已十五萬戶。」至元二十三年，以漢民就食江南者多，又從官南方者，秩滿多不還，遣使盡徙北還。至元二十六年，朝廷以中原民轉徙江南，令有司遣還。嗣不果。

其時江南人之技巧，乃至大爲北人所愛重。

至元三十年，禁江南州郡以乞養良家子轉相販鬻，及略賣平民。時北人酷愛江南技藝之人，呼曰「巧兒」。其價甚貴，婦人尤甚。一人易銀二、三百兩。尤愛童男、童女，輾轉貿易，至有易數十主者。北人得之，慮其逃遁，或以藥啞其口，以火烙其足。

而江南兼并之風，仍是有加無已，有奴使多至萬家者。

武宗至大二年，平章約蘇上言：「江南治平垂四十年，其民止輸地稅、商稅，餘皆無與。富室蔽占王民，奴使之者，動輒百千家，有多至萬家者。乞自今有歲收糧五萬石以上者，令石輸二升於官，仍質一子爲軍。」詔如其言行之。

有田租二、三十萬石者。

元典章：「田多富戶，每一年有三、二十萬租了的，占著三、二千戶佃戶，不納係官差發。他每佃戶身上要租了重的，納的官糧輕。」

那時的江南，形成少數大地主（蒙古、色目與漢、南人皆有。）與多數佃戶的局面，而財賦則占天下之什七。（見蘇天爵傳。）

明代籍沒土豪田租，一依租額起糧。

此亦自南宋已然。如宋籍沒韓侂胄及其他權倖之田，皆仍私租舊額。賈似道回買官田，亦依私租額也。

天下的租賦，江南居其十九。浙東、西又居江南十九。而蘇、松、常、嘉、湖五府，又居兩浙十九。（邱濬大學衍義補。）而蘇州尤甚。

蘇州之田，約居天下八十八分之一弱，而賦約居天下十分之一弱。

蘇州一府皆官田，民田不過十五分之一。

張士誠據吳，其所署平章、太尉等官，皆出負販小人，無不志在良田美宅。一時買獻之產，徧於平江。明初遂按其租簿沒入之。

民田以五升起科，而官田一石。詔減什三，猶爲七斗。

官、民田租共二百七十七萬石，而官田租乃至二百六十二萬石，民不能堪。糧重處每里有逃去一半上下者。嘉靖以後，官田、民田，通爲一則。長洲畝科三斗七升，太倉畝科二斗九升，小民遂代官佃納無涯之租賦。英宗時，松江積荒田四千七百餘頃，皆因重額，久廢不耕，而稅加於見戶。

以蘇州田賦與唐代租庸調制相較，其差至四、五十倍。

吳中畝甚窄，凡溝渠、道路，皆并其稅於田中。畝收多不能至三石，少不過一石餘。私租者重至一石二、三斗，少亦八、九斗。以一畝租一石計之，唐租一百畝僅二石，是相差五十倍也。又按：范仲淹集，姑蘇歲納苗米三十四萬斛，較之明代額差十倍矣。即南宋以東南支軍國之費，其正賦亦只明末五之一。

稍次於蘇州者則爲松江。

宋代徵於蘇州者，夏稅科錢，秋糧科米，約其稅額，共計不過三十餘萬。松江科亦同於蘇州，共計歲輸不過二十餘萬。其後因行公田，賦法雜亂。元初仍宋舊，延祐中增定賦額，蘇州徵至八十餘萬，松江徵至七十餘萬。元末張士誠取民無藝，蘇州增至一百萬，松江亦於舊額有加。洪武初，怒蘇民附張，取豪族所收佃戶租入私簿付有司，令如數定田稅，遂一時驟加，有一畝徵糧七斗以上者。自此蘇州多至三百萬石，松江多至一百四十餘萬石。民困弗堪，連歲逋負。洪武十三年命稍減其額，自七斗五升至四斗四升者減十之二，自四斗三升至三斗六升者俱止徵三斗五升，自三斗四升以下如舊。建文二年下詔：「蘇、松照各處起科，畝不得過一斗。」（如此則百畝十石，較唐尚四倍。）永樂奪位，盡革建文之政，蘇、松復罹重賦之厄。宣德、正統間，特遣侍郎周忱巡撫其地，蘇州得減秋糧七十餘萬石，松江得減秋糧三十餘萬石。然十輕二、三，較他處相去猶若天淵。主計者但曰「東南財賦之鄉，減之則國用不足」。自萬曆迄明末，惟有不時額外浮增，無復寬省。然民之實完於官者，亦歲不過十之五、六。蘇、松有司，終明世完及七分者即為上考。（又按：明洪武二十六年制，凡戶部官吏不得用浙江、江西、蘇、松人。）

此種賦稅不均，直到清代因仍不革。

清代賦稅，一依明萬曆原額，定限考成，並責十分全完。就康熙初年言，直隸錢糧每年共九十二

萬餘兩，福建、湖廣共一百二十餘萬兩，廣西僅六萬餘兩，而蘇州一府，每年共銀一百一十八萬餘兩，尚有米、麥、豆一百五萬餘石。松江一府，錢糧每年共銀六十三萬餘兩，米四十三萬餘石。常州、鎮江兩府，每年銀、米亦不下數十萬。一府錢糧之數，可比於一省。蘇州一府不過一州七縣，松、常、鎮三府屬縣亦寥寥無幾，每縣錢糧多者數十萬，少者不下十數萬。同治二年，兩江總督曾國藩、江蘇巡撫李鴻章疏言：「蘇、松太浮賦，上溯之則比元多三倍，比宋多七倍。旁證之則比毘連之常州多三倍，比同省之鎮江等府多四、五倍。比他省多一、二十倍不等。其弊由於沿襲前代官田租額，而賦額遂不平也。」

唐中葉以前北方的財富，到明代已全轉移到南方來。但是明代南方民眾的生活，卻較之唐中葉以前的北方民眾苦得多。

周忱論蘇、松民戶七弊：「一、大戶包蔭，二、豪匠冒合，三、船居浮蕩，四、軍因牽引，五、屯營隱占，六、隣境藏匿，七、僧道招誘。」太倉一城，洪武二十四年黃冊原額六十七里八千九百八十六戶；至宣德七年造冊，止有一十里一千五百六十九戶，覈實又止有見戶七百三十八，餘皆逃絕虛報之數。可見江南民生之不聊。

這是明代國運不如唐代一絕好說明。

但是政府的重賦與富豪之兼并，雖使江南一帶之小民水深火熱，而巨家富室依然發榮滋

長。張居正謂：「江南豪家田至七萬頃，糧至二萬。古者，大國公田三萬畝，今且百倍於古大國之數。」顧亭林云：「人奴之多，吳中爲甚。仕宦之家，有至一、二千人者。諱其奴名，謂之家人。」

亦正因爲江南爲財富所集中，所以人物日盛，仕宦日達，而他們對於社會興革事宜，到底還有幾分心力顧到，農田水利人事方面，不時有所進修，得久維不壞。

明代有專管蘇、松等七府水利官。初設主事或郎中，正德九年。嗣遣都御史。十二年。又遣工部尚書。十六年。又令巡鹽御史、嘉靖四十五年。巡江御史萬曆三年。督管。永樂二年、弘治七年、發民夫二十萬。正德十六年、發軍、民夫六十餘萬。嘉靖六年、二十四年、隆慶三年、五年、萬曆三年，屢興大工。

至於北方，漸漸從國家的重任下逃離，而民智民力，亦逐漸惰窳萎縮，終至於擔負不起國家重任來；而社會事業，亦遂敗壞於日常墮退之中。

首論北方水利者，爲元代之虞集。漢張湛、北齊裴延儁，至宋何承矩，皆於河北興水利。元則有托克托、郭守敬及虞集。言之尤精白者，爲明代之徐貞明。有西北水利議，亦名潞水客談。其他如邱濬等亦皆言之。明人尚有袁黃、汪應蛟、左光斗，及清有李光地、陸隴其、朱軾、胡寶瑔、柴潮生、藍鼎元諸人。最後有左宗棠。然所言多限於河北京東一帶。正因北京爲仕宦人物所萃集，故猶有議論及之。若其他北方水利，則少有注意者。直至清代，治河官凡三：曰北河，專治京畿諸河。曰東河，分界以治黃。曰南河，治淮，治儀真、瓜州一帶長江。而運河則三河分治之。蓋除治黃通運以外，幾不知再有所謂水利矣。

第四十一章　社會自由講學之再興起（宋元明三代之學術）

一　貴族門第漸次消滅後之社會情形

唐中葉以後，中國一個絕大的變遷，便是南北經濟文化之轉移。另一個變遷，則是社會上貴族門第之逐漸衰落。依照先秦以來傳統的政治理論，社會上本不該有貴族門第之存在。而自東漢下的讀書人，卻因種種因緣造成了他們的門閥。大盛於東晉南北朝，至隋唐統一，科舉制興，始漸衰。

門第衰落後，社會上的新形象，舉其要者約有如下幾點：

一、是學術文化傳播更廣泛。以前大體上保持於幾個大門第大家庭的，現在漸漸爲社會所公有。

二、是政治權解放更普遍。以前參預政治活動的，大體上爲幾個門第氏族所傳襲，現在漸漸轉換得更快，超遷得更速。真真的白衣公卿，成爲常事。

三、是社會階級更消融。以前士庶之分，由於家世，現在漸成爲個人的事情。農家子弟，可以一躍而爲士大夫。士大夫的子弟，亦可失其先業而降爲庶民。這一個變動，漸漸地更活潑、更自然。

就第一點而論，唐以後社會，有幾個極顯著又極重要的與前不同處。

第一、是雕版印書術發明，書籍之傳播愈易愈廣。

雕版術最初應始唐代。

印章摹刻，遠始秦世。石經迻寫，則起東漢。此後釋、道兩教之刻印符咒圖畫，蓋爲印章摹刻與雕版印刷之過渡。最初雕版印書，應始唐代。格致鏡原引陸深河汾燕閒錄謂：「隋開皇十三年十二月八日敕廢像遺經，悉令雕版。」葉德輝書林清話云：「陸氏此語，本隋費長房歷代三寶記，其文本曰：『廢像遺經，悉令雕撰。』意謂廢像則重雕，遺經則重撰耳。後世或據陸語謂雕版印書起於隋，非也。」今存最初雕版書籍，爲敦煌石窟發現之金剛經，卷末云咸通九年造。

其事正與世族門第之衰落，交代迭起。

柳玭家訓序：葉夢得石林燕語引。「中和三年在蜀，閱書肆所鬻書，多陰陽、雜記、占夢、相宅、九宮、五

緯之流，又有字書小學，率雕版印紙，浸染不可曉。」又國史志：「唐末益州始有墨版，多術數小學字書。」是當時刻書，多為通俗利貧，略同佛、道兩教之傳播佛像符咒。故家世族，經典大書，尚無刻本。至五代毋昭裔蒲津人。先為布衣時，常從人借文選、初學記，多有難色。昭裔嘆曰：「恨余貧，不能力致。他日稍達，願刻版印之，庶及天下學者。」後為蜀相，乃命工雕版此二書，復雕九經、諸史。西蜀文字由此大興。事見陶岳五代史補，又王明清揮塵錄。

大興則在五代。

舊五代史：「後唐明宗長興三年，宰相馮道、李愚請令判國子監田敏校正九經，刻版印賣。」王明清揮塵錄餘話云：「後唐平蜀，明宗命太學博士李鍔書五經，倣蜀中製作，刊板於國子監，為監中印書之始。」明清家有鍔書印本，五經存焉，後題長興二年也。五代會要：「周廣順三年六月，尚書左丞兼判國子監事田敏進印板九經書：五經文字、九經字樣各二部，一百三十冊。」

至宋又有活字板之發明。

活字板為慶曆中布衣畢昇所發明，亦非士大夫之貴顯者。西洋活板印書始於明代，較此後四百餘年。

書籍刻板既多，流傳日廣，於是民間藏書家蜂起。如王欽若家書目四萬三千卷，宋敏求家藏書三萬卷，李淑二萬三千餘卷，田偉四萬七千卷，蘇頌藏書萬卷，李常二萬卷，晁公武二萬四千餘卷，蔡致君二萬卷，葉夢得逾十萬卷，陳振孫五萬餘卷，周密三世積累有書四萬二千餘卷。

讀書者亦自方便。

蘇軾李氏山房藏書記：「余猶及見老儒先生，自言少時欲求史記、漢書而不可得，幸而得之，皆手自書。近歲市人轉相摹刻，諸子百家之書，日傳萬紙。」胡應麟少室山房筆叢亦云：「三代漆文竹簡，冗重艱難。秦、漢以還，浸知鈔錄，楮墨之功，簡約輕省。然自漢至唐，猶用卷軸。卷必重裝，且每讀一卷，檢一事，紬閱展舒，甚爲煩數，收集整比，彌費辛勤。至唐末宋初，鈔錄一變爲印摹，卷軸一變爲書册，易成難毀，節費便藏，四美具焉。」

此等機會，已不爲少數人所獨享。

就著作量而論，亦較唐代遠勝。

舊唐書經籍志，連前代總計，集部凡八百九十二部，一萬二千二十八卷。宋史藝文志，有宋一代，集部凡二千三百六十九部，三萬四千九百六十五卷，較之自戰國迄唐之集部，增二倍有餘。補遼金元藝文志，集部六百六家，七千二百三十一卷。遼、金集部不多，大都皆元代作。舊唐書載唐僅一百一十二家，元人較之，尚多五倍。

第二、是讀書人既多，學校書院隨之而起。學術空氣，始不爲家庭所囿。

學校本是傳播學術的公器，但只有在貴族門第失其存在時始抬頭。所以西漢學校尚有成績，（因那時新士族尚未產生，舊貴族則已消失。）逮東漢晚季，學校即不爲人重視。（那時學術已牢籠到新士族的家庭中去。）

東晉南北朝以迄隋唐中葉，大體上說，除卻幾個大門第故家士族保持其緜延不斷的家庭教育之外，平民庶人要想走入學術的圈子裏去，非常不方便。（因既無書籍，又無學校。）宗教勢力即由此擴展。一般享受不到教育讀書利益的聰明分子，只有走到寺廟裏去，滿足他們的精神要求或智識慾。（但多數則爲讀文選、習詩賦，謀應舉。）

即雕板印書亦由寺廟開始。（如前舉唐代金剛經之例。宋初印書，亦先佛藏。佛祖統記：「宋太祖開寶四年，勅高品張從信往益州雕大藏經板，至太宗太平興國六年板成進上，凡四百八十一函五千四十八卷。」較印經史注疏在前。）

宋初的學者，還都往寺廟中借讀。（如范仲淹、胡瑗等。但轉而關心世運，治儒術古經典，與唐代士人山林寺廟讀書之風大不同。）而有名的四大書院，即在其時萌芽。

廬山白鹿洞書院、嵩陽書院、嶽麓書院、（在長沙。）應天府書院，（在歸德。）多即山林創建，（其掌書院者多稱「山長」。）亦模倣寺廟規制也。（又有衡州石鼓書院，爲唐元和間衡州李寬所建。故後人有數石鼓而不及嵩陽者。）

從私人的聚徒講學，漸漸變成書院。

五代戚同文通五經業，以晉末衰亂，絕意祿仕，將軍趙直爲築室聚徒數百餘人。後祥符時，有曹誠者，即其舊居建學舍百五十間，聚書千五百餘卷，願以學舍入官，其後遂爲應天府書院。晏殊爲應天府，以書院爲府學，延范仲淹掌教。

從書院的規模漸漸變成國家正式的學校。

范仲淹主蘇州，招胡瑗主蘇學。胡在蘇湖講學二十餘年；皇祐末，爲國子監講書，專管勾太學。宋太學章程，即依胡氏蘇湖講學成規。慶曆以後，州郡相繼興學。書院亦由朝廷賜額、賜書、撥田、派山長主教，其性質與稍後學校相同。要之宋代學校教育，乃由書院之私家講學開其端。

私家講學及學校書院漸漸興起，同時即寺廟的吸引力漸漸降低。雖到元代，世亂和北朝相差不遠，但民間並不爭趨宗教，亦因各地有書院學校傳播學術之故。

可見宗教之盛，亦與貴族門第相引並長，不盡關於世之盛衰。故唐初雖盛世，佛教尚大行；元代雖衰亂，佛教不復振。此因社會聰明穎秀之子弟別有去處，安託身心，不必走向寺廟中也。因此寺廟中佛學亦日就衰微，而社會更看不起佛寺，其事互相爲因果。

元代書院較宋爲盛。

續文獻通考：「自太宗八年，行中書省楊維中從皇子庫春伐宋，收伊洛諸書送燕京，立宋儒周敦頤祠，建太極書院，延儒士趙復、王粹等講授其間，爲元建書院之始。其後昌平有諫議書院，河間有毛公書院，景州有董子書院，京兆有魯齋書院，開州有崇義書院，宣府有景賢書院，蘇州有甫里書院、文正書院、文學書院，松江有石洞書院，常州有龜山書院，池州有齊山書院，婺源有明經書院，太原有冠山書院，濟南有閔子書院，曲阜有洙泗書院、尼山書院，東阿有野齋書院，鳳翔有岐陽書院，郿縣有橫渠書院，湖州有安定書院、東湖書院，慈谿有慈湖書院，寧波有貿山書院，處州有美化書院，台州有上蔡書院，南昌有宗濂書院，豐城有貞文書院，餘干有南溪書院，安仁有錦江書院，永豐有陽豐書院，武昌有南湖書院、龍川書院，長沙有東岡書院、喬岡書院，益陽有慶州書院，常德有沅陽書院，福州有勉齋書院，同安有大同書院，瓊州有東坡書院。凡此蓋約略舉之，不能盡載也。」

直至明代，學術在社會上自由傳播的方便，永不能再產生獨擅學術上私祕的貴族門第。

第三、是社會上學術空氣漸濃厚，政治上家世傳襲的權益漸減縮，足以刺激讀書人的觀念，漸漸從做子孫家長的興味，轉移到做社會師長的心理上來。因此私人講學寖後寖盛。

第四、是書本流傳既多，學術興味擴大，講學者漸漸從家庭禮教及國家典制此爲貴族家世傳襲之學之兩大骨幹。此外則藝術亦足表示貴族家世之地位，故如書、畫、詩、文，乃至音樂、弈棋等，皆爲貴族所重。宋以後，藝術之與道義，漸分上、下等。又其先大寺廟僧侶，亦重律禮及藝術，與貴族相似，惟不講政事耳。唐代自禪宗開新，僧人漸不重律禮及藝術，乃以純粹哲理見長，自居爲一世導師。宋以下，此風不革。蓋非此不足與社會上講學之學者相抗衡。中解放到對於宇宙人生整個的問題上來，而於是和宗教發生接觸與衝突。

所以自宋以下的學術，一變南北朝、隋、唐以來之態度，南北朝、隋、唐雖盛衰治亂不同，但學術上同帶有狹義的貴族門第性，故所治多爲文藝詩賦，所重多在當代典章。稍稍逸出，求高僧，談玄理，卻與世法不相貫。都帶有一種嚴正的淑世主義。

大體上看來，與先秦諸子較相近，因同爲平民學者之自由講學也。其治經學，重儒術，又近漢儒。惟漢儒出身，須經長時期郡縣吏事之實際磨練，故漢儒風樸而才練。宋儒意氣較發皇，對朝廷較輕視，較東漢儒益甚，不似西漢儒篤實，而與先秦儒爲近。然而時代有不同，宋代士人究不能如先秦士人之活躍。

再就上舉第二點而論，唐以後社會，又另有幾個與前不同的要點：

第一、是政治上沒有了貴族門第，單有一個王室，綿延一、二百年不斷，而政府中官吏，上自宰相，下至庶僚，大都由平地特起，無家世蟬嫣。孤立無援；無門第宗戚婚姻之攀聯。相形之下，益顯君尊臣卑之象。南北朝、隋、唐，在政府則君尊，在社會則臣榮。故唐太宗命朝臣定天下氏族，則山東崔、盧自爲上第。甚至即在政府，亦見臣尊於君，如東晉初年之王氏等是。

第二、因同樣關係，各州郡、各地方因無故家大族之存在，亦益顯官尊民卑之象。

於此另有一事應附論者，則爲鄉官之存廢。秦漢有鄉官，三老掌教化，嗇夫主收賦稅、聽訟，游徼掌禁盜賊。鄉三老以上有縣三老，並由民選，其權可與縣令、丞、尉以事相教；此即縣令、丞、尉關於地方行政須諮三老意見，而三老亦得代表民意向地方長官建白。對天子、王、侯，亦得直接言事。其後此等鄉官漸廢。但郡縣之佐吏，皆由其長官辟用本地士人爲之。兩晉以下，承襲漢制，除軍府佐官由中央派人外，其他亦由地方官自辟其本地之士人。至隋開皇十五年，始盡罷州郡鄉官，自是地方遂無代表民意之參政人員。唐有里正、鄉長，不過供官吏之役使，與秦、漢之鄉官佐治者懸殊。守令多避本貫，則自漢武以下即然。此雖有利於中央政府之一統，然不免造成各地官高在上，民卑在下，不相通洽之形勢。

因此宋以後的社會，特別需要另一種新的力量，能上面來監督政府，下面來援助民衆。宋、明學術，即從上述種種社會變動而起。

二　宋明學術之主要精神

南北朝、隋、唐的學者，大體分成兩路。

一是入世講究家庭、社會種種禮法，以及國家政府典章制度。建功業與保門第，一而二，

二而一，異流同匯。

一是信從佛教講出世，或從道家講長生。（藝術、詩文則兩路均通。）

這兩條路的後面，均帶有一種狹義性的貴族氣味。（寺廟僧侶，仰賴社會供養，自成一特殊階級。雖非貴族，氣味與貴族一般。）

所謂「狹義性的貴族氣味」，即謂其與一般社會可以分離，超然獨立。

宋後的學者絕不是那樣。他們早非門第貴族。他們既不講出世，亦不在狹義的門第觀念上面來講功業、禮教。他們要找出一個比較更接近平民性的（即更有一般共通性的。）原則，來應用於宇宙、人生、國家、社會、入世、出世（生死。）等各方面。

這一個原則，他們稱之曰「道」，（故有「道學」、「道統」之名。）或稱「理」。（故又有「理學」之名。）理亦稱「天理」，「天理」的對面是「人欲」。天理、人欲的分辨，則在公、私之間。（公的是天理，私的是人欲。）

「公、私」的另一名稱，則爲「義、利」。（利公亦是義，義而私只是利。）

這一個公私、義利之辨，從外面客觀來講，即是「道理」。從各個人的内省審察，則爲「心術」。（張南軒云：「學莫先於義利之辨。義者，本心之所當爲而不能自已，非有所爲而爲之者也。一有所爲而爲之，則皆人欲之私，而非天理之所存矣。」朱子謂其「廣前聖之所未發，同於性善養氣之功」。）

他們用此來批駁宗教，説佛老所講出世長生無非從自私起見。（當貴族特權盛行的社會裏，一個平民要想慕效貴族的生活，即避免過分的勞作及卑污的徭役，而滿足其智識上之追尋或藝術上之欣賞等，有一個較便易的方法，即逃入寺廟做僧道。）

他們又用此來批駁政治，説自漢、唐以來所謂君相事業，只算得是「霸道」，算不得是「王

道」。所謂霸道與王道之別，還只在心術的公私上分。先秦儒已說：「五帝官天下，三王家天下。」宋儒則謂：「三代以道治天下，漢、唐以智力把持天下。」所以做君、相、官吏，應該先明白做君、相、官吏的責任。要言之，並不是在要保持君、相、官吏的門第或地位，而在爲社會民衆盡其責任。如是則「師道」還應在「君道」之上。王安石在經筵始主坐講，司馬光等不謂然。蓋司馬光主尊君，王安石則主尊道。故王安石講王霸之辨，而司馬光不謂然。後程伊川在經筵亦主坐講，謂：「天下重位惟宰相與經筵。天下治亂係宰相，君德成就責經筵。」而蘇軾諸人亦非之。他們實在想要拿他們的一套理論與態度，來改革當時的現實。

當時一切沿隋唐而來，還是以世族門第做骨子的世界。但是實際上已變，世族門第已消滅，不得不有一套新的理論與設施。

在范仲淹、王安石繼續失敗之後，他們覺悟到要改革現實，更重要的工夫應先從教育上下手。所以關洛學者便一意走上講學的路。范仲淹、王安石諸人，政治意味重於教育，尚沿南北朝、隋、唐風氣，重文學，而較少嚴肅性。二程、橫渠以來，教育意味重過政治，始不重視文學，而學術上之嚴肅性亦遞後遞增。朱子記李侗語：「李泰伯門下議論，只說貴王賤霸。」又曰：「大抵前輩議論麄而大，今日議論細而小。」如胡瑗、王安石，皆於理學家爲前輩也。

直到南宋，此意始終爲講學者所保持。

呂東萊與朱子書謂：「向見治道書，其間如欲仿井田之意而科條州郡財賦之類，此固爲治之具，然施之當有次第。今日先務，恐當啓迪主心，使有尊德樂道之誠。衆建正人，以爲輔助。待上下孚信之後，然後爲治之具可次第舉也。儻人心未孚，驟欲更張，則衆口譁然，終見沮格。」又東萊遺集謂：「嘗思時事所以艱難，風俗所以澆薄，推其病源，皆由講學不明之故。若使講學者多，其達也自上而下，爲勢固易。雖不幸皆窮，然善類既多，氣燄必大，薰蒸上騰，亦自有轉移之理。」又朱子紹熙三年與趙尚書書謂：「天下之事，決非一人之聰明才力所能獨運。是以古之君子，雖其德業智謀足以有爲，而未嘗不博求人才以自裨益。方其未用，而收寘門牆，勸奬成就，已不勝其衆。至於當用之日，推挽成就，布之列位，而無事之不成。又所謂時進陳善閉邪之說，以冀上心之悟者，又在反之於身，以其所欲陳於上者先責之於我。使我之身心安靜，精神專一，然後博延天下之賢人智士，日夕相與切磋，使於天下之事，皆有以洞見其是非得失之心，而深得其所以區處更革之宜。又有以識其先後緩急之序，皆無毫髮之弊。然後并心一力，潛伺默聽，俟其間隙有可爲者，然後徐起而圖之，乃庶幾乎其有益。」

他們惟恐「已試不信」，朱子語。失卻社會後世的信仰，所以他們對政治的態度，寧可犧牲機緣，決不肯降低理論。此正統派的道學家所以看不起功利之浙東派，而陳龍川與朱子所以有義利、王霸之辨。浙學起於東萊，頗有近朔派處。朱子則洛學正統。經學、史學之辨，即義理與事功之辨也。所以他

們對於在野的傳播學術，較之在朝的革新政治，興味還要濃厚，並不是他們無心於政治之革新。

三　宋明學者之講學事業

他們在野事業，最重要的，便是所謂私家講學。

范仲淹、王安石諸人，本想徹底廢止科舉，重興學校。他們理想上的三代，在以學校作育人材而致郅治。惟興學非一時可企，一因限於經費，二因限於師資，三則地方長官不得其人，則學校亦難收效。因此北宋中葉以後，雖各地相務興學，然或則時興時輟，或則徒有其名，學術風氣依然在私家。

私家講學，與學校性質不同。

一因學校有經費，建齋舍，置書籍，來學者同時數十、百人，又有一相當之時間；私人講學則不然。無地無書，來者亦不同時羣集，只是聞風慕嚮，倏去倏來，有一面數日即去者，有暫留數月

者，更互相迭，此去彼來。

所以胡瑗蘇湖講學規模，並不能爲伊洛所襲用。

蘇湖教法，分「經義」、「治事」二齋。「經義」則選擇心性疏通，有器局可任大事者，使之講明六經。「治事」則一人各治一事，又兼攝一事，如治民、講武、堰水、曆算等，使以類羣居講習。時時召之，使論其所學，爲定其理。或自出一義，使人人以對，爲可否之。或即當時政事，俾之折衷。惟胡氏在蘇湖，因有范仲淹、滕宗諒地方賢長官爲之主，故得安居教授二十餘年，使來學者各成其材而去。私人講學，則其勢不可能。黃百家宋元學案。謂：「就安定教法，窮經以博古，治事以通今，成就人才，最爲的當。自後濂洛之學興，立宗旨以爲學的，而庸庸之徒，反易躲閃，語錄之學行而經術荒矣。」按：語錄惟二程門下有之。濂溪乃近隱士一派，並無弟子及語錄也。又呂東萊云：「古之公卿，皆自幼時便教之以國政，使之通達治體，洞曉國家之本末原委。自科舉之說興，學者視國事如秦、越人之視肥瘠，至有不識前輩姓名者。一旦委以天下事，都是杜撰。」此唐人李德裕已論之。安定教法正是補此弊也。惟東萊偏於史學，仍與程、朱有別。

伊洛師弟子往返，別具一種風格。

程明道知扶溝事，謝上蔡往從之。明道肅以客禮，辭曰：「爲求師而來，願執弟子禮。」程子館之門側，上漏旁穿。天大風雪，宵無燭，晝無炭，市飯不得溫。明道弗問，謝處安焉。踰月，豁然

有省，然後明道與之語。按：其時上蔡習舉業已知名，程、謝初見，非此不足以驗其誠，亦非此不足以發其趣。此等關係，自與學校師生有別。明道在扶溝亦設庠序，聚邑人子弟教之，而召上蔡職學事。此乃學校之教，與程、謝私人講學不同。

他們似乎頗有些處近於禪家之參謁。

佛家禪宗之盛，亦在寺院經典研究相當發達之後，有志者不以此爲足，流動各著名高僧處發疑問難。他們所要求者，只在幾點最關緊要處，不重在按部就班，引堂入室，循規矩次第漸磨歲月之功。[羅從彥與龜山講易，聞伊川說，鬻田裏糧往洛，見伊川，歸從龜山游二十餘載。]惟循而久之，則來者與應者，並非先有基礎上之共同立足點，則徒逞機鋒，轉成相欺之局。

漸漸的所討論講究，盡在高明處。

謝上蔡監京西竹木場，朱子發自太學與弟子權往謁。坐定，子發曰：「震願見先生久矣，今日之來，無以發問，乞先生教之。」上蔡曰：「好，待與賢說一部論語。」子發私念日刻如此，何由親款其講說？已而具飲酒五行，只說他話。茶罷，乃掀髯曰：「聽說論語。」首舉「子見齊衰者」一章，又舉「師冕見」一章，曰：「聖人之道，無微顯，無內外，由洒掃、應對、進退而上達天道，一以貫

之。一部論語，只恁地看。」

在這種流動的短時間的謁請，逐漸盛行，學風上自然趨於掃盡枝葉，獨尋根本。因師弟子雙方學業皆有根底，故重於討論，不重於誦讀講貫，遂有語錄。而師道之尊嚴，也轉從此種風氣中特別提高。觀上引程、謝初見事可知。游酢、楊時「程門立雪」，更為後世稱道。其時則龜山年逾四十矣。胡文定為湖北提舉，上蔡宰本路一邑，文定從龜山求書見上蔡，先修後進禮，邑人皆驚知縣不接監司。此等風氣，唐人絕不知之。然若無此，天下將惟以科目官階為人高下矣。（唐人尚有門第與和尚。）惟若學校制度不能推行有效，學者先未有相當基礎，直接從事此種最高理論之參究，雖有人格之活潑薰陶，而學術途徑，終不免要流於空虛放蕩。所以程門弟子，多陷入禪學。

張繹家微，年長未知讀書，為人傭作。一日，見縣官出入傳呼道路，頗羨之。問人何以得此，或曰：「讀書所致耳。」乃始發憤從人受學。後頗能文，入縣學、府學被薦。以科舉之學不足為，因至僧寺見道楷禪師。悅其道，有祝髮從之之意。時周行己官洛中，張亦從之。周曰：「子他日程先生歸，可從之學，無為空祝髮也。」伊川歸自涪陵，張始往從學。按：唐人此指貴族世家以外者言。亦多先慕顯達而務讀書。讀書有悟，覺科舉顯貴有所不足，則入佛老矣。宋學精神，正在使人知讀書為學不在顯貴，自不走入佛老之途。而所以宋學猶多近禪者，不在其講學之旨趣與內容，乃在其講學之風格與方法。從此種風格與方法上，又影響及其日常私人生活之意境，則頗有近於禪學處也。關學所以較少此弊者，因橫渠兄弟以及呂大臨兄弟等，皆僻處關中，又兄弟宗族自為研習，異乎洛

中爲四方人物往來走動之所湊集也。

南渡以還，學校之教日衰，講學之風日盛。貴族世家已消滅，平民社會中向學分子日多，而國家無教育機關，故私人問學之風更甚。此種往來走動的參究請謁，愈來愈多，於是又從此中醞釀出新的講堂制度來。

象山年譜謂：「先生爲國子正刪定勅局，居中五年，四方之賓滿門，房無虛宇，並假於館。先生既歸，學者輻輳。鄉曲長老，亦俯首聽誨。每詣城邑，環座率二、三百人，至不能容，徙寺觀。縣官爲設講席於學宮，聽者貴賤老少溢塞途巷。門人彭世昌，於貴溪應天山結廬迎先生講學。先生登而樂之，乃建精舍以居。又得勝處爲方丈，學徒各來結廬。先生常居方丈，每旦精舍鳴鼓，則乘山轎至，會揖，陞講座。學者以一小牌書姓名年甲，以序揭之，觀此以坐，少亦不下數十、百。平居或觀書，或撫琴；佳天氣則徐步觀瀑。先生大率二月登山，九月末治歸，中間亦往來無定。居山五年，閱其簿，來見者踰數千人。」

既有講堂，則有講義。一兩人對面談話有語錄，多人羣集一堂則有講義。而此種講學之最大困難，則爲來學者之程度不齊與來去無定。

既不能一例施教，又不能規定時日，分深淺高下之步驟，使學者必經相當期間畢其所業而

去。

在此情形下，產生講學家的朱陸兩大派。

象山教法，在於因人設教，直指本心。

此源於二程。可稱爲「語錄派」。龜山、延平相傳「於靜中看喜怒哀樂未發氣象」，程門見人靜坐，便謂是好學。象山實近此路。而朱子討論講說不倦，轉異二程之高簡矣。象山始至行都，從遊者甚衆，象山能一一知其心術之微，言中其情，多至汗下。亦有相去千里，素無雅故，聞其概而盡得其爲人者。陸學教人精神在此。

而朱子則想選定幾部最重要的書本。

此亦源於二程。尤近伊川。此派可稱爲「訓注派」。語錄派長於活的指點，訓注派則在使人有軌迹可尋。語錄派在於分別指示，各自參悟，故其精神向裏，而無一定的格套。訓注派則向外求索，共同有一個自淺入深、由簡到繁的門徑與規模。如尹和靖見伊川半年後始得大學、西銘看。

先爲此數書下明白確切的訓注。

宋人皆有志爲六經作新注疏。王安石詩、書、周禮三經新義頒於天下，一面爲學校誦讀之教本，一面爲科舉取士之標準。此下如程伊川易傳等，皆從此風氣來，直至朱子而集其大成。

好讓學者各自研讀，此即補學校教育之一段功能也。補講堂教育之缺陷。另有小學，爲幼年家庭習行，亦所以補講堂教育之未備。

象山年譜謂：「先生與晦翁門徒俱盛，亦各往來問學。晦菴門人乍見先生教門不同，不與解說無益之文義，無定本可說，卒然莫知所適從。無何辭去，歸語師友，往往又失其本旨，遂起晦翁之疑。」

此兩派流傳各有所適，朱子的四書集注遂爲元代取士準則。

元明考試程式，大抵第一場經義，四書用朱氏章句集注，詩朱氏（集傳），尚書蔡氏（沈集傳），周易程（伊川易傳）、朱（本義），三經兼用古注疏。春秋三傳胡氏（安國傳），禮記古注疏。永樂以後，有四書五經大全，古注疏遂廢。

元人又有學官講書之制。

元制，凡學官朔、望講說，所屬上司官或省憲官至，自教授學官暨學賓、齋諭等皆講說一書。然此等乃官場例行公事。偶有儒生借題發揮，有所諷諭頌揚，失上司意者。要之與講學精神全不似。

而私家講學，則往往容易接近象山的路子。

吳康齋爲明儒開先，其居鄉躬耕食力，從遊者甚衆。嘗雨中被簑笠，負耒耜，與諸生並耕說學，歸則解犂，飯糲蔬豆共食。陳白沙自廣來學，晨光纔辨，先生手自簸穀，白沙未起。先生大聲曰：「秀才若爲嬾惰，即他日何從到伊川門下！」一日刈禾，鎌傷指，負痛曰：「何可爲物所勝！」竟刈如初。嘗歎箋注之繁，無益有害，故不輕著述。按：在如此生活環境中，講學者無有不討厭箋注支離而走上實際經驗之一途，即所謂「篤實易簡」者是。陳白沙、王陽明皆此一脈。清代顏、李亦從此來。

至王陽明提倡良知之學，然後講學家可以不必顧到學校教育之種種方便，如書本、期限、學生資格等。只在幾次談話中收作興人才之效。最著之例，如傳習錄中與啞者之筆談。惟陽明亦注重小學，此與朱子同，皆以家庭教育爲成人植根基也。此種講學，傳播極快。明儒學案，王門有浙中、江右、南中、楚中、北方、粵閩諸派，幾乎遍布全國。學校教育，漸漸轉移變成社會教育。泰州學案中有樵夫朱恕、陶匠韓樂吾、田夫夏叟等。於是乃有所謂「講會」之興起。

講會與以前講堂精神又不同。講會其先原於陽明之「惜陰會」，陽明弟子如王龍谿、錢緒山諸人，推行尤力。於是涇縣有水西會，寧國有同善會，江陰有君山會，貴池有光岳會，太平有九龍會，廣德有復初會，江北有南譙精舍，新安有程氏世廟會等。講會有一定之會場、會期、會籍、會約、會主，所講論之記錄爲「會語」等。以前講堂是學者相集從師，講會則由會中延請講者。所請不止一人。會每年可舉，每舉旬日或半月。會所往往借祠堂或寺廟，會畢則主講者又轉至他所。如是輪番赴會，其事較前之講堂，又爲活潑展擴。如泰州心齋講堂，則實近於講會。蓋

漸次脫離書院性質，而近於社會演講矣。

茲將宋、明學者講學變遷，列一簡表如次：

一、私人寺廟讀書。如范仲淹、胡瑗等。

二、書院。此係私人學塾性質，如孫復泰山書院、周行己浮沚書院等。

三、州學。此係由私人設教漸變爲地方政府之公立學校性質，如應天書院等是。

四、太學。此由地方學規制上推至國學，如胡瑗之主教太學是。

以上自私人書院至太學爲一線，屬學校之進展。惟政治不上軌道，此線之進展即告終止。

五、私人講學之第一期：如二程。私人講學爲學校之變相，與前一系統不同。

六、私人講學之第二期：如朱、陸。兩期之不同處，主要在同時所集門徒之多少，而影響及於其他。

七、私人講學之第三期：如陽明弟子之講會。此期講學與前期不同處，在完全脫離學校氣味，變成純粹之社會公開講演與集會研究性質。

以上私人講學之三期爲另一線，屬學會之進展。因社會學風，逐步擴大，逐步普遍，而此線之進展，亦逐步膨脹。

要之宋、明兩朝六百年的政府，除宋慶曆、熙寧一段，及明洪武、永樂一段外。並不能主持教育，領導學術；而社會上則學術空氣繼長增高，教育之要求亦與日俱進。宋、明儒講學，實從此環境中產生。

與宋、明儒較近者，惟先秦諸子。惟先秦諸子，大率先受政府國君或貴族卿大夫、諸公子。之豢養，而附隨沾潤及其門人子弟。此爲當時社會情勢所限。宋、明講學，則純係社會平民學者間之自由結合。縱係身居官位，或大或小，如二程、朱、陸、陽明，皆以在職之身連帶講學。然其講學則純係私人交際，與政府或政治全不相干也。故先秦儒比較傾向於上行性，即政治活動；而宋明儒則比較傾向於下行性，即社會活動。兩漢儒生除太學、郡縣學校外，亦多私門授徒，有一師擁數十、數百生徒者；然所講限於五經，以訓詁考據闡述經義爲主，與先秦、宋、明講學以各人之思想學術爲主者大不同。

他們熱心講學的目的，固在開發民智，陶育人才。而其最終目的，則仍在改進政治，創造理想的世界。開發民智、陶育人才爲第一步，改進政治爲第二步，創造理想爲第三步。

宋、明儒理論上的世界，是「萬物與我一體」。張橫渠之西銘爲其代表作，此即上古先秦相傳之一種全體觀念也。所由認取此萬物一體者，在我謂之「性」，或稱「仁」。在外謂之「理」。或稱「天」。

程明道之識仁篇，程伊川、朱晦菴之「致知格物」、「居敬窮理」之口號，即由此生。

認識此理後應有之活動或工作，則爲大學一書所包括。即「明明德」、「新民」、「止於至善」之三綱領，以及「格物」、「致知」、「誠意」、「正心」、「修身」、「齊家」、「治國」、「平天下」之八條目是也。其理想境界，則如朱子所云：「當世之人無不學。其學焉者無不有以知其性分之所固有，職分之所當爲，而各俛焉以盡其力。此古昔盛時所以治隆於上，俗美於下，而非後世之所能及。」朱子大學章句序。所謂「古昔」，即他們之理想境界也。此後王陽明拔本塞源之論，更暢發此意，見傳習錄卷中「答顧東橋書」末一節。他們可說是一種「秀才教」。可說是范仲淹諸人以來流行於一輩自負以天下爲己任的秀才們中間的宗教。

凡內在有一種相互共同的信仰，向外有一種綿歷不斷的教育，而又有一種極誠摯、極懇切之精神，自發自動以從事於此者，自廣義言之，皆可目之爲宗教。宋、明儒的秀才教，大體以大羣全體爲歸宿，可謂一種「新儒教」。即先秦儒家思想之復活與翻新。彼輩與先秦儒不同者，以「理」字代替了先秦儒的所謂「天」。而先秦儒講仁義，似嫌偏於人事，道家遂起犄其後，陰陽家則還取道家之自然觀，以補儒學之不足，遂以陰陽五行求天道，而頗涉於怪迂。宋儒以「理」字釋「天」，亦頗采酌道家、陰陽家之長，以彌縫先秦儒在此方面之缺陷。又爲先秦儒所言心性補充了許多存養的工夫。孔子言仁孝忠恕，皆心性也。孟、荀屢言心性，並注意及於心性之存養，然尚不如宋儒之深切著明。宋儒於此方面，提出「敬」、「靜」等字，頗采酌道家、佛家之長。

在畸輕畸重之間，遂有程朱「性即理」與陸王「心即理」之分別。亦即在畸輕畸重之間，而有晚明顧亭林、王船山、顏習齋諸人之糾駁。若以和尚、道士方外之學目宋、明儒，則猶未能通觀宋、

明儒之大體也。論宋、明學淵源，當著眼范仲淹、胡瑗，則得其真相矣。

他們對自身同有一種嚴肅的態度，來遵行他們一種純潔高尚而肫摯的信仰。對他人則同時有一種開明的理性來傳播他們的信仰，而形成一種合理的教育。

不幸當時社會智識界之擴大，比他們那一種宗教或教育。之進展還要快得多。即是有機會讀書以及有資格做官的人，比肯以天下爲己任的人，數量上超過甚遠。因此他們對於時代徒抱理想，而無法實現。他們對政治常是悲觀，或持反對的態度。結果政府爲一輩官僚所盤踞。亦常敵視他們，屢興黨獄。

程伊川、朱晦菴皆列黨禁，王陽明亦幾不免。明代書院屢遭焚燬。

而讓有名的東林黨來結束這一個最後的衝突。

顧憲成嘗言：「官輦轂，念頭不在君父上；官封疆，念頭不在百姓上；至於水間、林下，三三兩兩，相與講求性命，切磨道義，念頭不在世道上；即有他美，君子不齒。」可見東林精神極端注重政治與世道。稍後復社諸子，雖以時文相號召，與東林講性理不同，然其爲一種社會結黨，足以上撼政治則一。此種社會講學、結黨干政之風，自宋迄明，彌後彌盛，潮流所趨，至清人入主而中絕。東漢黨錮之獄，由名士清議所激起。唐代之牛李黨爭，北宋之新舊黨爭，皆由在朝官僚實際政事之爭。與宋、明儒聚徒講學，而引生朝野之爭者有不同。

四　宋明學者主持之社會事業

宋、明學者徹底改革政治的抱負，始終未有達到；但他們對社會事業，卻有相當成績。舉其要者：

一、義莊　此事起於范仲淹。在一個宗族的單位下，來主持救貧、恤孤、公積及義務教育等事業。

二、社倉　此事起於朱子。「常平倉」始於西漢天鳳中，大司農中丞耿壽昌奏令邊郡皆築倉，穀賤增價而糴，穀貴減價而糶，故曰「常平」。至隋文立「社倉」。常平純爲政府事業，社倉則由民間自辦。唐代並置常平積穀或錢。及義倉。專積穀。天寶中，天下諸色米積九千六百餘萬石，而義倉得六千三百餘萬石，此皆民間積貯以備荒歉也。宋神宗行新法，以常平錢爲青苗錢，司馬光非之，謂：「盡壞常平，專行青苗，豐年無錢平糴，荒歉何以賙贍？」至朱子推行社倉，在孝宗乾道四年，至孝宗淳熙八年，下詔諸路推行。謂：「常平、義倉皆藏州縣，所恩不過市井遊惰之輩。深山長谷之力農事，至遠離州縣之民，雖饑餓瀕死不能及。又其法太密，吏避事畏法者，雖視民莩亦不肯發。往

往全其封鐍，遞相付授，至累數十年無一訾省。」社倉則設置於鄉村，且不僅於饑餓之賑恤。每年夏，貧民得貸粟，秋熟償，加息十之二。（若倉積至原本十倍時，則以後貸粟可不徵息，惟一石加耗米三升。）其法有似青苗，惟青苗貸金不貸穀，主以官府，不主以鄉里，社倉較可無弊。

三、保甲　此制王安石力主之。以後遞有興廢，要爲中國社會組織中一要項。而明人戚繼光倡團練，破倭寇。及清代，曾國藩、左宗棠等亦以湘軍平洪楊。皆保甲之變相而擴大者。蓋古者兵民合一之制既壞，以此補地方之武裝而自衛也。朱子社倉，亦以保甲法推行。以十家爲甲，甲置甲首一人，五十家則置社首一人，社首、甲首（或保正。）負管理社倉之責，縣官則檢點賬簿，於每歲貸付及回收之際，列席監督。

四、書院　書院多由民間私辦。如祥符二年，曹誠即戚同文講學舊居，建學舍百五十間，聚書千五百餘卷，願以學舍入官，遂以曹誠爲書院助教。（其後以書院爲府學，乃正式爲官學。）孫復起學舍爲泰山書院，周行己築浮沚書院講學，皆是。書院有學田，（州縣學亦有學田。元至元二十三年，詔江南學校舊有學田復給之以養士。）亦由民間捐納。

五、鄉約　此始於關中呂氏大鈞（和叔。）兄弟。有約正及同約之人，以德業相勵、過失相規、禮俗相交、患難相恤爲約。朱子又爲增定條例，如前舉社倉、保甲、書院諸制度，皆可以鄉約精神推行之。

宋、明以下之社會，與隋、唐以前不同。世族門第消滅，社會間日趨於平等，而散漫無組織。社會一切公共事業，均須有主持領導之人。若讀書人不管社會事，專務應科舉、做官、謀身家富貴，則政治社會事業，勢必日趨腐敗。其所以猶能支撐造成小康之局者，正惟賴此輩講學之人來做一個中堅。宋、明理學精神乃是由士人集團，上面影響政治，下面注意農村社會，而成爲自宋以下一千年來中國歷史一種安定與指導之力量。晚清以來，西化東漸，自然科學之發展，新的工商業與新的都市突飛猛進，亟待有再度興起的新的士階層之領導與主持，此則爲開出此下中國新歷史的主要契機所在。

第八編　清代之部

第四十二章　狹義的部族政權之再建（上）清代入主

明太祖驅除蒙古後三百年而滿洲入主，爲中國近代史上狹義的部族政權之再建。

一　滿洲興起至入關

滿洲民族其先曾建渤海國與金國。

明代分爲三部。

一、海西女真，二、建州女真，三、野人女真。惟野人女真居黑龍江流域，距中國最遠，朝貢無常。海西、建州則每歲至明朝貢。

滿洲族爲建州女真，初耕牧於牡丹、松花江之合流點（今三姓附近。）而統率於明之建州衛。嗣其一部又南遷至圖們江流域。其祖先（景祖、顯祖。）爲明將李成梁所殺，（事在萬曆十一年，張居正卒之翌年。）遂與明成仇隙。時努爾哈赤（太祖。）年二十五，以父（顯祖。）遺甲十三副，捕殺仇人尼堪外蘭。其時兵數不過五百人乃至六百人而已。嗣合併傍近諸部，創後金汗國。（事在萬曆四十四年正月。）興師犯明，宣布告天七大恨，取撫順。時步騎有二萬。（事在萬曆四十六年。萬曆二十年，日本豐臣秀吉犯朝鮮，明救之，連師七年。二十四年開鑛稅，民間大擾。二十九年太子立。四十二年福王赴河南。四十三年有梃擊案，朝臣分黨水火。）

明四路出兵討之。（事在萬曆四十七年。）

楊鎬爲四路總指揮官，駐瀋陽。遼東本有屯軍，嘉靖原額過九萬，至是逃亡相繼，多不能用。明四路兵南自閩、浙，西自隴、蜀，徵調幾遍全國，共二十萬。（合朝鮮葉赫兵爲二十四萬，每路兵六萬。）

敗於薩爾滸。

從撫順至薩爾滸山可七、八十里。中路軍杜松先渡渾河，以四萬兵營薩爾滸山，以二萬攻渾河北

之界凡山。努爾哈赤兵八旗，以六旗四萬五千人掩擊薩爾滸山營，以兩旗共萬五千人救界凡山。杜松陣亡，明將領死者三百餘，兵士死者四萬五千餘。滿洲遂連破諸路兵，滅葉赫。此役明以輕敵分兵冒進而敗。又承平既久，軍備懈弛，徐光啓庖言謂：「杜松矢集其首，潘宗顏矢中其背。」總鎮監督尚無精良之甲冑，何論士卒？

於是有熊廷弼經略遼東之命。事在萬曆四十七年六月。

時遼、瀋大震，諸城堡軍民盡竄，數百里無人迹，中外謂必無遼。廷弼兼程冒雪，徧閱形勢，招流移，繕守具，簡士馬，肅軍令，主固守不浪戰，集兵十八萬。其上書謂：「遼東現有兵四種：一曰殘兵，甲死歸乙，乙逃歸丙，或七、八十，或三、二百，身無片甲，手無寸械，隨營糜餉，不肯出戰。二曰額兵，或死於征戰，或圖厚餉，逃爲新兵。三曰募兵，朝投此營，領出官家月糧，即暮投彼營。點册有名，派役忽去其半；領餉有名，聞警忽去其半。四曰援兵，弱軍羸馬，朽甲鈍戈，而事急需人，不暇發還。將則死降之餘，新敗膽怯；馬則既多瘦損，軍士又多殺馬，圖充步兵以免出戰；器械則堅甲利刃，長鎗火器，喪失俱盡。」徐氏庖言謂：「奴寨北門，鐵匠居之，專治鎧甲，延袤數里。所帶盔甲、面具、臂手，悉皆精鐵；馬亦如之。我兵盔甲皆荒鐵，胸背之外，有同徒袒。賊於五步之内，專射面脅，每發必斃。」此當時兩國對壘之形勢。

廷弼專務守禦備，滿洲亦不敢輕出兵。未一年，去任。廷臣忌者劾其不戰而去，事在天啓元年。袁應泰代之，於是遂失遼陽。廷弼嚴，應泰矯之以寬。會蒙古諸部大饑，入塞乞食，應泰處之遼、瀋二城，後遂爲變。

應泰死之，金遂遷都遼陽。時瀋陽、遼陽以及遼東七十餘城悉降。

明再起熊廷弼，事在天啓元年六月。建三方布置策。

廣寧爲前線，以步騎兵守遼河沿岸。天津及登、萊爲後援，以海軍衝滿洲之南部。熊爲經略，駐山海關，節制三方。

時王化貞爲廣寧巡撫，與熊意見不合。

王主戰，熊主守。熊謂守定而後可戰。然實權在王，兵部尚書張鳴鶴信之，所請無不允。廣寧有兵十四萬，而山海關無一卒。

以經、撫不和而影響及於戰略。

熊主固守廣寧，謂：「遼河窄，堡小，不容大兵。駐兵河上，兵分力弱。惟宜置游兵，自遼河至廣寧多置烽堠。遼陽距廣寧三百六十里，寇至易備。」時方震孺亦言：「河廣不七十步，不足恃。沿

河百六十里，築城不能，列柵無用。」而化貞謂其怯敵，不守城而守河。廣寧遂陷。事在天啓二年。熊、王退入關，俱論死。明臣且有專劾熊者。乃派大學士孫承宗爲薊遼經略使，事在天啓二年八月。而以袁崇煥守寧遠。

廣寧師潰，廷議扼山海鎮。崇煥時爲兵部主事，單騎出關相形勢，返而言曰：「與我兵與餉，關外可守。」孫力主其計，遂築寧遠城。自請督師，分戍錦州、大、小凌河、松、杏、右屯諸要害，拓地復二百里。

承宗在關四年，修復大城九、堡四十五，練兵十一萬，立車營、水營，省度支六十八萬，造甲冑、器械、弓矢、礮石、渠答、鹵楯之具合數百萬，開屯五千頃。滿洲亦按兵四載不攻。罷歸，以高第代之。

高，魏忠賢黨。既來，謂關外決不能守，盡撤錦州諸城守具。獨寧遠孤城。

時後金已都瀋陽，事在天啓五年。乘機西犯，兵十萬。爲崇煥所敗，努爾哈赤負創死。崇煥守城，蓋仗葡萄牙巨礮之力。

金太祖第四子皇太極立，是謂太宗。時年三十五。先出兵破朝鮮，時滿洲有兵十五萬，袁守關外，難遽破，與明通商亦絕，非得朝鮮，無以自給。再攻

寧遠又敗。明人謂之「寧錦大捷」。

明廷又劾罷袁崇煥，以不悅於魏忠賢故。以王之臣代之。復議撤錦州，守寧遠。會熹宗崩，毅宗立，魏忠賢伏誅。袁崇煥復起，而其時明內部流寇亦發。

滿洲兵以間道入關，下遵化，至通州，遂圍北京。其所入隘口，乃薊、遼總理劉策所轄。袁崇煥受反間下獄死。

崇煥聞警入援。都人驟遭兵，怨謗四起，謂崇煥縱敵。滿洲縱間，謂與崇煥有成約，令所獲宦官知之，縱去。其人告帝，遂誅崇煥。事在崇禎二年。

嗣是滿洲陷大凌河，崇禎四年。征服察哈爾，崇禎五年。得出入往來長城各口而擾山西、直隸。其時始改國號曰清。

又漢奸降附者漸多。

崇禎六年有孔有德、耿仲明，乃毛文龍部下，叛據登州，浮海投滿洲。兩人擁兵當踰萬，葡萄牙大礮亦遂輸入滿洲軍。明年，尚可喜降，亦毛部下。毛文龍，明將，據皮島，在鴨綠江東口。崇禎二年，以跋扈不用命。爲袁崇煥所誅。

清勢益盛，再四入關。崇禎七年、九年、十一年連入。十一年之役，陷近畿州、縣四十八，南陷濟南，孫承宗、盧象昇皆死之。

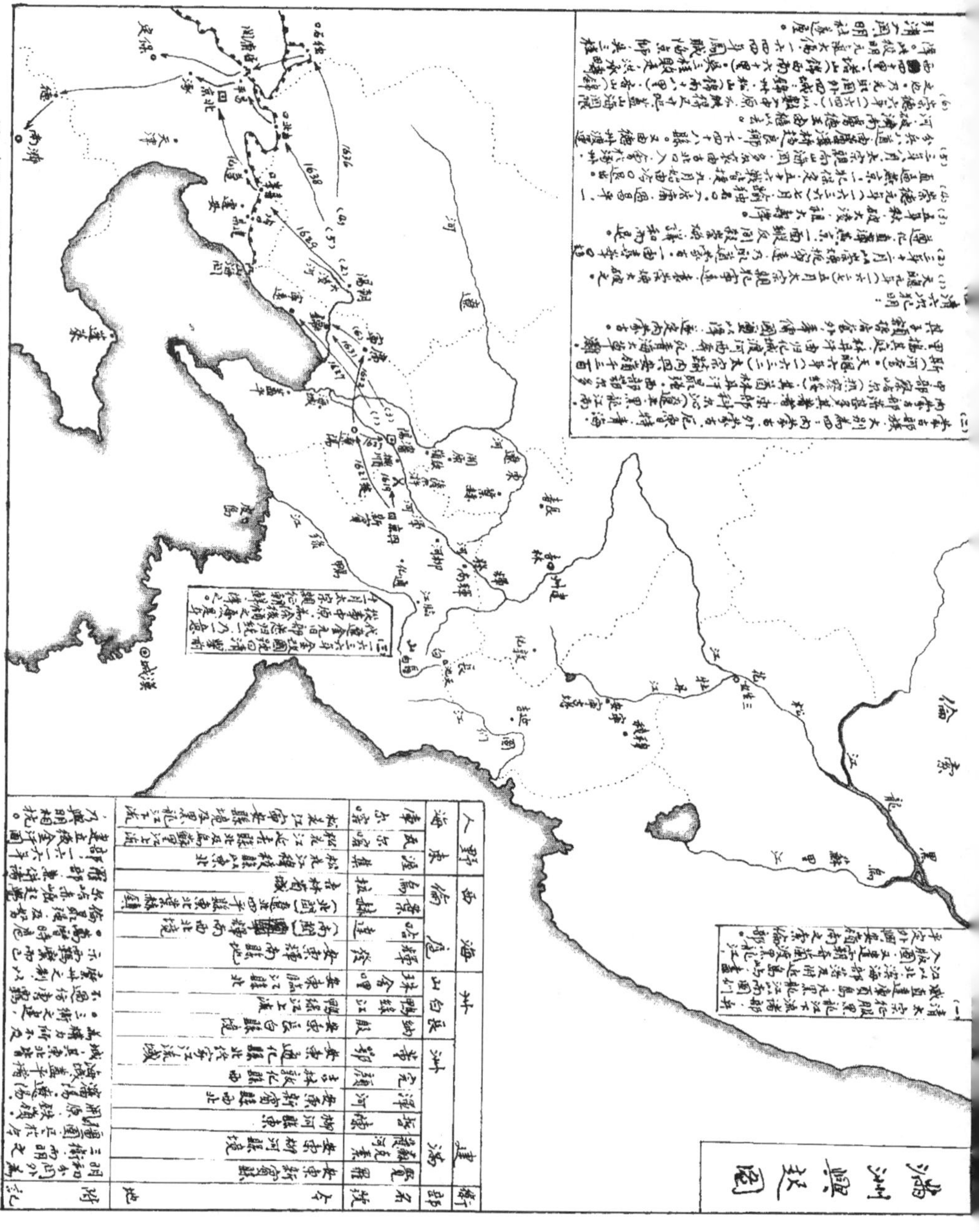
滿洲興起圖

洪承疇爲薊遼總督，兵敗降。事在崇禎十五年。時洪部下兵十三萬。翌年清太宗即死，世祖福臨即位，僅六歲也。

流寇陷北京，事在崇禎十七年。吳三桂開山海關迎清兵入。

清自努爾哈赤至皇太極，以一小部落兩代近三十年，遽得入關破北京，蓋有數因：

一、明萬曆中年以下，政治極端腐敗。

二、其先以承平日久，武備廢弛，又復輕敵。

三、其後如熊廷弼、袁崇煥、孫承宗等，皆以一人支持邊事有餘，乃明廷或誅或罷，既不顧惜，又無定策。明廷相傳家法，對誅戮臣僚，曾不重視。又信用宦寺，宜其自壞干城。又崇禎朝十七年中，閣臣至四、五十易，而猶自云：「朕非亡國之君。」蓋徒知責下，不知反躬。明諸帝一脈相傳如此。

四、因盈廷紛議誤事。

泰昌元年，熊廷弼見黜上疏：「今朝堂議論，全不知兵。冬、春之際，敵以冰雪稍緩，閧然言師老財匱，馬上促戰。及軍敗，始愀然不敢復言。比臣收拾甫定，而愀然者又復閧然責戰矣。疆場事當聽疆場吏自爲之，何用拾帖括語，徒亂人意，一不從，輒怫然怒哉！」天啓二年與王化貞爭事上疏：「臣以東西南北所欲殺之人，適遘事機難處之會。諸臣能爲封疆容則容之，不能爲門戶容則去之；何必內借閣臣、外借撫道以相困？」又云：「經、撫不和，恃有言官。言官交攻，恃有樞部。樞部佐鬬，恃有閣臣。今無望矣。」崇禎元年袁入對，言：「以臣之力，守全遼有餘，調衆口不

足。即不以權力掣臣肘，亦能以意見亂臣謀。」又言：「恢復之計，不外以遼人守遼土，以遼土養遼人。守爲正著，戰爲奇著，和爲旁著。法在漸，不在驟；在實，不在虛。馭邊臣但當論成敗之大局，不必摘一言一行之微瑕。事任既重，爲怨實多，爲邊臣甚難。中有所危，不得不告。」又其時對流寇常以議撫誤兵機，對滿洲又因格於廷議，不得言和，遂致亡國。若先和滿，一意剿賊，尚可救。

五、漢奸之外附。

孔、耿之去，已挾軍隊俱降。洪承疇、吳三桂部下，皆禦外之精卒，掃數十萬人外附，吳三桂寧遠兵號五十萬。中國何以復守？甚後如劉良佐、高傑等軍隊，陸續降者尚數十、百萬人。

六、流寇之內潰。臟腑既爛，四肢何用？

二　明末流寇

流寇起於陝西。先是明室以遼軍起，屢次加賦。

神宗萬曆四十六、四十七、四十八三年，以遼東兵起，先後共增五百二十萬。通三年，畝加九釐爲定額。毅宗崇

禎三年，又加一百六十五萬有奇。畝加九釐外，又增三釐。兩共六百八十五萬有奇，綜名「遼餉」。嗣又增「勦餉」二百八十萬，十年。「練餉」七百三十萬。十二年。先後共加一千六百九十五萬兩。正統以前，天下歲徵共二百四十三萬兩，萬曆初至四百萬兩。所增殆超出七、八倍。民窮財盡，爲藴亂之源。

又值荒年。

陝西延安一府食榆皮石塊，乃至以小兒爲食。明代北方旱荒時見。成化時，陝西、河南、山西赤地千里，屍骸枕藉，僅存無幾。（李俊、汪奎傳。）嘉靖時，山西大旱三年，百餘里不聞雞聲，父子夫婦互易一飽，名曰「人市」。（王宗沐傳。）

於是叛卒、崇禎元年陝西欠餉一百三十八萬兩，乃有逃兵。驛夫、崇禎二年議裁驛站冗卒。饑民，結夥羣起。

最先，其魁酋曰高迎祥，竄擾秦、晉、豫、鄂四省。

崇禎二年，自號闖王。崇禎四年，洪承疇督勦克捷，關中患定，走山西。六年又渡河而南，復竄陝。八年大會滎陽，有十三家七十二營，分五部縱掠。

李自成、張獻忠繼之。

崇禎九年，孫傳庭捕誅高迎祥。李自成爲闖王，走甘肅。時明廷以盧象昇專辦東南，洪承疇專辦

西北。張獻忠爲盧象昇所敗，走湖北。

所過悉擄壯丁（十五至四十。）爲兵，（逃者殺之。）亦有號令法律。

不得藏白金。所過城邑，不得室處。不得攜他婦人。寢具一單布。精兵一人，主芻、掌械、執爨者十人。一兵倅馬四匹。剖人腹爲馬槽。軍止，則出較騎射。渡水皆徑過。攻城，迎降不殺。守城一日，殺十之三；二日，十之七；守三日，則屠。擄獲以馬匹爲上，弓銃次之，幣帛、珠玉爲下。散所掠財物，賑饑民，唱口號，曰：「迎闖王，不納糧。」有舉人李信、牛金星爲之謀主。

攻襄陽爲襄京。

時寇謀直逼北京，嫌其遇敗無退步。又主下金陵，絕北方糧，嫌其勢緩。遂主攻關中、山西，再向北京。（清代洪、楊革命，既得武漢，即走第一、第二路。林鳳祥、李開芳北上敗後，洪、楊踞長江十餘年，而北庭自若。李闖本起關陝，是其熟路，故卒取第三策，而明都遂不保。）

是年，清太宗卒，第三子福臨立，年僅六歲。（睿親王多爾袞攝政。）而流寇直從山西撲北京，吳三桂召清兵入。（吳梅村圓圓曲云：「慟哭六軍俱縞素，衝冠一怒爲紅顏。」蓋吳有愛姬陳沅，名圓圓，爲寇所得；其父吳襄亦没於寇。襄招三桂，三桂爲妾不爲父，遂決意納清兵。）

明代流寇之不能速平，亦有繫於地方分省制度之不當者。元人分省建置，盡廢唐宋分道之舊。合

河南、河北爲一而黄河之險失。合江南、江北爲一而長江之險失。合湖南、湖北爲一而洞庭之險失。合浙東、浙西爲一而錢塘之險失。淮東、淮西，漢南、漢北，州、縣錯隸，而淮、漢之險失。漢中隸秦，歸州隸楚，又合内江、外江爲一，而蜀之險失。流賊之起，來無所堵，去無所偵。破一縣，一府震；破一府，一省震；破一省，各直省皆震。經略或至七鎮，總督、經理或至八省、七省、五省，又或總督以下並聽節制，地無常界，兵無常將，而藩鎮控制之宜盡失。元明二季，以及清代川、楚、粤之亂，皆坐此弊。又督、撫專任節制，與士兵不屬。且蒞軍者不得計餉，計餉者不得蒞軍。節制者不得操兵，操兵者不得節制。故元、明、清三代無藩鎮專制之憂，而不能禁亂民之平地突起以爲禍。

三　南明之抗戰

明北都既陷，南方爭事擁立。

福王在南京。馬士英、阮大鋮以魏忠賢舊黨，擁立擅權，雖有一史可法，不足支此殘局。南京既敗，餘便無望。

唐王在福州。別有魯王，在浙江。

桂王在肇慶。以地最僻遠，故最後亡。

不到二十年，相繼破滅。福王弘光一年，李自成亦敗。唐王隆武一年，張獻忠亦敗。桂王永曆十三年，奔緬甸，見執。復有鄭成功據臺灣，至康熙二十二年始平。

惟清人所以得吞滅南明，其最重要原因，厥爲漢奸之助。金得汴京而不能有江南者，即因未有漢奸爲之作倀。又清興已四十年，而金則驟起，亦其異。

清既入關，以洪承疇經略江南五省，孔有德徇廣西，尚可喜、耿仲明徇廣東，吳三桂徇四川、雲南，而三桂功尤大。破流賊，定陝、川、滇，取永明於緬甸，又平水西土司安氏。四方精兵猛將，多歸其部下。張邦昌、劉豫爲漢奸，所以無成，因其本無軍隊。至吳三桂部下，尤爲明代邊兵精銳所聚。桂王所仗以抗衡立國者，亦皆左良玉、李自成、張獻忠之潰餘。

清既賴漢奸得佔全中國，事定酬庸。

吳三桂封平西王，居雲南。

尚之信封平南王，居廣東。

耿精忠仲明子繼茂之子。封靖南王，居福建。孔有德已先卒。

「三藩」不自安，於康熙十二年自請撤藩，竟得許，遂反。

耿、尚皆十五佐領，綠旗兵各六千，加以餘丁二千，各有藩兵八千。吳三桂五十三佐領，綠旗萬有二千，加以餘丁四千，不過萬有六千。言其兵餉，康熙十一年左都御史艾元徵疏言：「邊省歲需協撥

銀雲南百七十餘萬，貴州五十餘萬，四川八十餘萬，福建百六十餘萬，廣東百二十餘萬，廣西十七、八萬。」除四川外，餘皆三藩協餉，歲五百餘萬；雲、貴不及一半，較順治間雲、貴歲協四百餘萬，已省二分之一。閩海鄭氏尚存，兵餉本重。然則撤藩自是滿廷主意，並非三藩之在所必撤。

吳三桂先起，數日滇、蜀、湘、閩、桂、黔六省皆應，勢甚盛。

然不久即敗。（康熙十七年吳三桂死，二十年三藩亂平。）

一、因三桂身為漢奸，不得國人信仰。（一到湖南，即妄建尊稱，國號「大周」，改元「利用」，更失衆望。）

二、三藩不能一致。（三桂起兵，耿精忠即應之，至康熙十五年尚之信始以廣東反。十六年福建、廣東又叛附清。臺灣鄭經，亦與耿精忠始合終離。）

三、三桂已高年暮氣，（起事年六十二。）不肯離滇，又不敢越長江。（其兵一自長沙窺江西，一自四川窺陝西。康熙十三年，陝西響應，然不出襄、樊，其勢自緩。）

四、清主玄燁方少年，（十九歲。）英銳，處置得宜。諭綠旗諸將謂：「從古漢人叛亂，止用漢兵勦平，豈有滿兵助戰？」故三藩之平，仍是藉漢人之力。（陝、甘有張勇、趙良棟、王進寶、孫思克。楚有蔡毓榮、徐治都、萬正色。閩有楊捷、施琅、姚啓聖、吳興祚。浙有李之芳。粵有傅宏烈。皆漢軍立功者。）

明清之際的轉變，大部分是明代內部自身的政治問題，說不上民族的衰老。（以明末人物言之，較唐宋之亡，倍有生色。以整個奮鬭力言，亦為壯旺。）

第四十三章　狹義的部族政權之再建(下)

一　清代帝系及年歷

(一)世祖(一八)
六歲即位，
十二歲親政。

(二)聖祖(六一)
八歲即位，
十三歲始親政，
十六歲殺鰲拜。
元年，明桂王見殺，明亡。
二十年，三藩平。
二十二年，臺灣平。
三十六年，外蒙古平。
六次南巡。

(三)世宗(一三)
青海、蒙古略定。
西南苗疆平。

（四）高宗（六〇）　十全武功。（平準二，平回一，掃金川二，靖臺灣一，降緬甸、安南各一，降廓爾喀爲二。）編四庫全書。六次南巡。

（五）仁宗（二五）　川、楚教匪。清代中衰。

（六）宣宗（三〇）　鴉片戰爭。太平天國起事。

（七）文宗（一一）　英法聯軍。

（八）穆宗（一三）　洪、楊平　捻、回平。

（　）

（九）德宗（三四）　中法戰爭。中日戰爭。戊戌變政。拳匪之亂。

（　）

（一〇）宣統（三）

清代凡十主，二百六十八年。

二 清代對待漢人之態度

清室對待漢人，無論其爲懷柔或高壓，要之十分防猜。

努爾哈赤極端排漢。

得漢人，分賜滿人爲奴隸，壯丁十三名爲一莊，按滿官階級分與。得儒生，則殺。是其時尚無野心。

太宗則改用懷柔政策。

滿、漢分居，設官治理。天聰三年，許儒生經考試免徭役。

對漢奸尤刻意利用。

孔有德、耿仲明降，太宗以抱見禮待之。洪承疇尤所崇重，嘗譬其下，謂：「君等皆瞽目，今得一引路者，吾安得不樂？」時有永平巡撫張春，被執不屈，太宗自往拜之；春罵，不之罪。祭妻用崇

禎年號，太宗命以少牢往，春不受。凡留九年，欲移遼陽，不許；不食而死，乃葬之遼陽。

世祖入關，初則重用降臣，開科取士。大抵在順治十年前多爾袞時代。繼則一轉而用高壓。

蓋因江南已定，顧忌漸少也。清人以崇禎十七年五月初三得北京，初四即下令薙髮，二十四日又聽民自由。及下江南，又下薙髮令，限十日開薙，有「留頭不留髮，留髮不留頭」之命。江陰、嘉定皆招屠城之慘。十七年，張晉彥序劉正宗詩，有「將明之材」語，世祖以其言詭譎不可解，絞正宗而斬晉彥。此爲以後文字獄開先例。始立「貳臣」之目，謂明臣而不思明，必非忠臣。大興科場案，又有江南奏銷案，被累者一萬三千餘人，縉紳之家無免者。此等事對晚明積弊，固多所矯正，惟清廷則藉以痛壓士大夫而取悅民衆，實自有其統治上之一番用意也。

直至康熙初年，其勢有增無已。

二年，有湖州莊氏史案，潘力田、吳赤溟等七十人遇難。三年，孫夏峯被告對簿。七年，顧亭林濟南下獄。黃梨洲則四被懸名購捕。

及吳三桂起事，清廷乃又一轉其面目。

十二年，吳三桂反，是年即有詔薦舉山林隱逸。十七年，詔徵博學鴻儒。各地所舉一百四十三人，取一等二十，二等三十，俱授翰林。明年，開明史館，命彼等纂修明史。以國史大業牢籠遺民志士，可謂苦心。然此等應徵而來者，均屬二、三流以下人物耳。如顧亭林、黃梨洲、李二曲諸人，皆不能招致。

逮雍正嗣位，固由其天性刻薄猜忌，亦因中國已俯首帖耳不復反側，趙翼簷曝雜記載：康熙時，科場舞弊，有稱賀於上前者，謂：「國初以美官授漢兒，漢兒且不肯受。今漢兒營求科目，足覘人心歸附。」遂又重施高壓。

其時文字獄迭起。二年，有浙人汪景祺、查嗣庭之獄。汪爲年羹堯記室，有西征隨筆。查因江西考試出題爲「維民所止」，暗射雍正無頭。四年，有浙人呂留良之獄。湘人曾靜讀呂遺書，勸岳鍾琪反正，興大獄。呂已死，戮屍。七年，有廣西陸生枬之獄。因著通鑑論，主復封建，及關於立太子、兵制、君權諸點。蓋自康熙五十年戴名世南山集興獄以來，清廷以文字誅戮士人之風又大熾。此乃清廷一貫政策，非雍正一人事。

至乾隆朝，清室已臻全盛，漢人反動心理，殆亦消失淨盡，清廷乃益肆高壓，達於極點。

乾隆六十年中，大學士、尚侍、供奉諸大員，無一人不遭黜辱。滿人對王室自稱「奴才」，本欲以教漢人之順。及漢人愈不反抗，則滿人愈無顧忌。其時尚有文字獄，如胡中藻堅磨生詩，有「一把

心腸論濁清」，徐述夔一柱樓詩詠正德杯，有「大明天子重相見，且把壺兒擱半邊」，及「明朝期振翮，一舉去清都」語；均得罪，較之雍正朝獄益瑣細。又創編四庫全書，自三十八年至四十七年，藉徵書之名，燒燬犯禁書籍共二十四次，五百三十八種，一萬三千八百六十二部。直至五十三年，尚有嚴諭禁書，謂：「東南諸省，尚未禁絕。」無論明清之際事，即上至關涉遼金事，亦多所更易。即一字一語，亦不放鬆。用意深刻，前無倫比。

三　清代政制

清代政制，沿明代不設宰相，以大學士理國政，以便君主獨裁。乾隆書程頤經筵劄子後，謂：「爲宰相者，居然以天下之治亂爲己任，至目無其君，此尤大不可。」命官則沿元代，滿、漢分別，如內閣大學士，滿、漢各二人。協辦大學士，滿、漢各一人。餘倣此。而實權多在滿臣。且滿洲、蒙古無微員，從六品首領、佐貳以下官，不以授滿洲、蒙古。宗室無外任。外任道以下官不以授宗室。其督、撫、藩、臬由特旨簡放者，不在此例。君尊臣卑，一切較明代尤遠甚。

明朝儀，臣僚四拜或五拜，清始有三跪九叩首之制。明大臣得侍坐，清則奏對無不跪。明六曹答

詔皆稱「卿」，清則率斥爲「爾」。而滿、蒙大吏摺奏，咸自稱「奴才」。又按：清初漢大臣對滿洲親王亦長跪。鶴徵錄：「康熙二十六年正月，諸王大臣議禮，閣臣白事，向諸王長跪移時，李之芳年老踣地。高層雲官給諫，抗章彈奏，遂令會議時大臣見諸王不得引身長跪。」又東華錄：「康熙二十七年，給事中高層雲疏參大學士王熙向康親王傑書等跪語，王俱坐受。」

雍正時別設軍機處，自是內閣權漸輕，軍機處權漸重。然軍機處依然非相職。

軍機處並無特出之首長，亦無權向各部及各督、撫直接發布命令。蓋軍機處仍不過爲清王室一御用機關，不得目之爲政府中之最高樞機。

並有所謂「廷寄諭旨」，最高命令以軍機性質行之，更無外廷參預意見之餘地。

清制，凡巡幸上陵、經筵、蠲賑、內臣自侍郎以上。外臣自總兵、知府以上。黜陟，及曉諭中外事，用明發上諭，交內閣，以次交部、科。凡誥誡臣工、指授兵略、查核政事、責問刑罪之不當者等事，用寄信上諭，由軍機大臣面承後撰擬進呈，出發即封入紙函，用辦理軍機處銀印鈐之，交兵部加封，發驛馳遞。

六部僅爲中央行政長官，其權任亦大削。

清六部長官均無權對各省督、撫直接發布命令，則不得謂是總轄全國之行政長官。又各部尚書、

侍郎均有單獨上奏之權，則各部尚書亦並不得謂是統率各該部之惟一長官。清制六部尚書、左右侍郎俱滿、漢各一人，則一部而長官六人。此等各無專事，甚或朝握銓衡，夕兼支計，甫主戎政，復領容臺；一職數官，一官數職，曲存稟仰，遑論建樹。明廢宰相而提高六部實權，吏、兵諸部尚書，在明代多卓著聲績。清則既無宰相，而六部亦幾下儕於具員。光緒三十一年，王大臣奏言政治積弊，謂：「名爲吏部，但司掣籤之事，並無銓衡之權。名爲戶部，但司出納之事，並無統計之權。名爲禮部，但司典禮之事，並無禮教之權。名爲兵部，但司綠營兵籍、武職升轉之事，並無統御之權。」此種情形，蓋自清初即爾。

雖仍設給事中，然其性質，轉爲御史官之一部，對朝廷詔旨，無權封駁。

清代重要摺奏皆歸軍機處，外廷無可預聞。設六科給事中，並隸於都察院。都察院有給事中三十人，監察御史四十四人，皆得單獨參劾上奏。臺、諫合一，給事中以稽查六部百司爲主，與御史職務相同，完全失卻諫官本意。事亦始雍正初。漢臣有抗疏力爭者，竟不獲。

用人大權，則全出帝王意旨。既不屬之宰執，亦無所謂「廷推」。

南朝宋營陽王時，景平元年。以蔡廓爲吏部尚書，廓謂傅亮曰：「選事若悉以見付，不論。不然，不

拜。」亮以語錄尚書徐羡之，羡之曰：「黃散以下，悉以委蔡，（宋黃門第五品。）吾徒不復措懷。自此以上，故宜共參異同。」廓曰：「我不能爲徐干木署紙尾。」（黃紙錄尚書與吏部尚書連名。）遂不拜。唐制有「敕授」，有「旨授」。敕授者，五品以上，宰臣奏可除拜之。旨授者，六品以下，吏部銓材授職，然後上言，詔旨但畫聞從之，而不可否。（韋貫之嘗言：「禮部侍郎重於宰相。」憲宗詰之曰：「侍郎是宰相除。」貫之曰：「然侍郎爲陛下柬宰相，得無重乎？」）是自古用人，皆歸相職與吏部也。明廢宰相而吏部權重，銓政主於文選司，自部、院屬官，府、縣正佐，皆聽吏部擇人注授，而大僚則由廷議會推。明制內閣大學士、吏部尚書由廷推，或奉特旨。侍郎以下及祭酒，吏部會同三品以上廷推。太常卿以下部推。通參以下，吏部於弘政部會選。在外官，惟督、撫廷推，九卿共之，吏部主之。布、按員缺，三品以上官會舉。惟廷推大權，實在吏部。可參看趙翼二十二史箚記明吏部權重條。朝臣用舍，權仍在外。（孝宗時，陝西缺巡撫，吏部尚書王恕推河南布政使蕭楨；詔別推，恕執奏不可，帝卒用楨。又中旨復欽天監革職監正李華官，大學士徐溥等拒不可，謂：「即位以來，未嘗有內降。倖門一開，末流安底？臣等不敢奉詔。」又穆宗時殷士儋藉太監陳洪力，取中旨入閣；御史趙應龍劾之，殷不安其位而去。此皆明代皇帝在法理上無權直接用人之史證也。）清代首罷廷推之制，內外大員皆由特簡。即一命以上，由部案例注闕者，亦必經引見，然後給憑赴職。用人行政，事事悉仰君主一人之獨斷，務求柄不下移，實中國有史以來之創局也。

政權既集中於中央，（其實只是集中於內廷。）而各省又總督、巡撫常川監臨，殆於常以兵政凌駕於民政之上。

明代地方長官，以布政使爲主，巡撫、總督皆係朝官臨時出使。事畢復命，職亦消滅。清制，督、撫常駐各省會，總督皆稱「總督某某等處地方、提督軍務糧餉」，或「兼巡撫事」云云。巡撫則云「巡撫某某等處地方、提督軍務糧餉」云云。又或作「節制各鎮兼理糧餉」云云。是明爲軍職矣。而總督又兼「右都御史」銜，巡撫兼「左副都御史」銜，均得單獨上奏參劾。而布政使則掌宣化承流，帥府、州縣官廉其錄職能否，上下其考，報督、撫上達吏部。大計之權，又全在督、撫，地方官吏黜陟，憑其意見。督、撫權乃日重，布政使僅如其屬吏。康熙親政，以親民官須諳利弊，命督、撫舉賢能。雍正元年，諭督、撫甄別知府。嘉慶親政，以知府承上接下要職，嚴諭各督、撫考覈。咸豐時，軍書旁午，民生凋敝，申諭督、撫隨時嚴察。此皆清代地方政事付之督、撫，不付布政使之證。

而國家有大兵役，又必特簡經略大臣、參贊大臣，親寄軍要，督、撫仍不過承號令，備策應。

經略大臣、大將軍、將軍皆簡王、貝勒、貝子、公或都統親信大臣爲之。遇大征伐，則置。終清世，漢大臣拜大將軍，滿洲士卒隸麾下受節制，惟岳鍾琪一人。

及其承平無事，各省皆用滿人爲駐防將軍。

八旗駐防，簡將軍、都統領之，將軍乃專爲滿闕。

甚至綠營亦多用滿員。

雍正六年，副都統宗室滿珠錫禮言：「京營參將以下，千總以上，不宜專用漢人。」得旨。滿洲人數本少，補用中外要缺已足。若京營參將以下，悉用滿洲，則人數不敷，勢必有員缺而無補授之人。乾隆間，揀發各省武職，率以滿人應選。帝曰：「綠營將領，滿、漢參用。若概將滿員揀發，行之日久，將綠營盡成滿缺，非所以廣掄選而勵人才。」飭所司議滿、漢間用之法。然至三十八年，兵部復疏言：「直隸、山西、陝西、甘肅、四川五省，自副將至守備，滿缺六百四十七。各省自副將至守備，千一百七十九缺，向以綠營選補，現滿、蒙在綠營者逾原額兩倍」云云，則滿員仍充塞於綠營也。

國家收入，盡以養兵。

梁詩正疏：乾隆三年。「各省錢糧，大半留充兵餉。不敷，鄰省協撥。解部之項日少。」又云：乾隆十年。「每歲天下租賦，以供官兵俸餉。各項經費，惟餘二百餘萬，不足備水旱兵戈之用。」

而各省督、撫，亦以用滿員爲主，參用漢人特其不得已。

順治入關，初議各省督、撫盡用滿人，魏裔介爲給事中，抗疏力爭而止。康熙時，三藩平，僅議山、陝兩撫不用漢人。時漢人爲督、撫者尚多，故議用滿人巡方以監察之。雍正朝，督、撫十七八皆漢軍旗，硃批諭旨，常斥漢軍卑鄙下賤。乾隆朝，直省督、撫，滿人爲多，漢人仕外官能洊至兩司，已爲極品。及季年，各督、撫凡二十有六缺，漢人畢沅、孫士毅、秦承恩等不足半數。太平天國起，滿督、撫無敢抗。咸豐以後，始汰滿用漢。同治初，官文總督湖廣官罷，滿人絕迹者三年。僅英翰擢至安徽巡撫。當同治己巳、庚午間，各省督、撫、提、鎮，湘、淮軍功臣占其大半。然不久滿人勢力復盛。甲午後，滿督、撫又遍各省，以迄於亡。

其援用漢人，則先旁省而抑江、浙。

乾隆八年，杭世駿奏：「天下巡撫尚滿、漢參半，總督則漢人無一焉。又果於用邊省之人，而十年不調者，皆江、浙之人。」

內外官制分別又嚴，地方親民官甚少昇遷之望。

明有行取之制，在外推官、知縣等可以入任科道。清乾隆中停止之。

亦無展布餘地。

清制於縣、府上加道，省、布政司。道、府、廳、州。縣，已成四級。上有督、撫爲五等。長上加長，臨制益密。地方親民官，仰承奉迎之不暇，何論實濟政事？

「三藩」亂後，各省錢糧，掃數解京，地方絕無存留，更不必言建設。

康熙以前，各項錢糧，除地丁正項外，雜項錢糧不解京者尚多。自「三藩」之變以來，軍需浩繁，遂將一切存留款項盡數解部。其留地方者，惟俸、工等項。此外則一絲一粒，無不陸續解京。雖有尾欠，部中亦必令起解。地方扣留財賦，不解中央，其事始咸豐時。正是各省滿員淘汰，漢人重復起用之際也。

雍正以後，並以「火耗」歸入正項，地方更無餘款，更說不到實濟。

乾隆十年柴潮生上疏，謂：「康熙間法制寬略，州、縣於地丁外，私徵火耗。其陋規匿稅，亦未盡釐剔。自耗羨歸公，一切弊竇，悉滌而清。然向者本出私徵，非同經費，端介有司不敢苟取，賢能者則以地方之財治地方之事，故康熙間循吏多實績。自耗羨歸公，輸納比於正供，出入操於內部。地方有應行之事，應興之役，一絲一忽，悉取公帑。有司上畏戶、工二部之駁詰，下畏身家

之賠累，但取其事之美觀而無實濟者，日奔走之以爲勤，遂成天下之大弊。」

雖内如翰林編、檢，外如道、府長官，亦不得專摺言事。

清制，京官除各部、院堂官及道科外，外官除督、撫、藩、臬外，均不准專摺言事。翰林院編修、檢討，皆由庶吉士授職，士林欣羨，以爲榮遇，然謀議不參，諫諍不納。寮友過從，但以詩、賦、楷法相砥礪，最高討論經籍訓詁止矣。較之明代以翰林儲才之初意，差失甚遠。（翰、詹授日講起居注官得遞摺。）道領數郡，府領數縣，職位於外官不爲不崇，然清代既上臨以督、撫、藩、臬，又禁不許專摺言事，以視漢之太守得直達天子者，相去已遠；就明代百官布衣皆得上書言之，更難相擬。

又嚴禁士人建白軍民利病。

順治九年，立臥碑於各直省儒學之明倫堂。凡軍民一切利病，不許生員上書陳言。如有一言建白，以違制論，黜革治罪。又生員不許糾黨多人，立監結社，把持官府，武斷鄉曲。所作文字，不許妄行刊刻，違者聽提調官治罪。按：明史選舉志：「洪武十五年，頒禁例十二條，鐫立臥碑。」有云：「一切軍民利病，農、工、商賈皆可言之，惟生員不許建言。」惟並不禁立監結社與刊刻文字。即不許建白之禁，在明代實係具文。故生員把持地方，至顧亭林擬之爲「魏博牙軍、成都

突將」。至清代始對士人言論、結社、出版三大自由，皆切實嚴禁。清初如金聖歎諸人，即因此橫罹非辜。自後士人遂無敢犯者。又按：明臥碑又有一條云：「生員內有學優才贍，深明治體，年及三十願出仕者，許敷陳王道，講論治化，述作文詞，呈稟本學教官，考其所作簽名具呈，然後親齎赴京奏聞，再行面試。如果真才實學，不待選舉，即行錄用。」是明制不許生員建言軍民利病，而許其敷陳治道，與清制用意自別。

清廷又劃山海關以外稱東三省，其政制不與內地同。

按：遼河東、西岸，其地久為中國之一部分。如燕太子丹之逃秦，衞滿之獨立，以至三國時公孫度之稱帝，其合則為中國之郡縣，其分亦中國人之事業。滿洲起於吉林長白山外，遼河兩岸皆逐步取之於明。及入關以後，惟恐中國不能久踞，故特以關外為其禁地，備作退步。稱奉、吉、黑為東三省，悉以將軍、都統治之，不許漢人出關。往來過山海關，必憑文票。奉天地方，非貿易營運人不准前往；准往者，仍不得冒濫入籍。吉林則不准再有流民踵至私墾。不惟吉、黑兩省不能開發，而遼寧一省因與中國隔絕，其地文化亦有退無進。直至光緒末年，始仿內地行省例設立道、府、州、縣，並開放直、魯各省人得出關開墾。中國近代東北文化之落後，實由清人以私意閉塞之也。又山西歸化城、大青山今綏遠境。種地民戶，亦禁令不許私添。直隸平泉、建昌、朝陽、赤峯四州縣，今熱河境。亦不准多墾一畝，增居一戶。臺灣亦禁止內地人民偷渡。此等禁令，皆至光緒時始廢。

其對蒙古、西藏、青海，則一以舊俗羈縻。

扶植喇嘛勢力，禁止漢、蒙通商，皆以政令特意造成閉塞之情勢。新疆一省，亦劃爲滿員衣食之禁地。直至左宗棠率兵平回以後，其禁遂弛，漢人接踵移殖，故其地開發情況較佳。

理藩院無漢人，使漢、蒙不相接，以便其箝制統治之私。

理藩院管理院務大臣滿洲一人，特簡大學士爲之。尚書、左右侍郎俱各滿洲一人，間亦有蒙古人爲之。額外侍郎一人。以蒙古貝勒、貝子之賢能者任之。

其用刑殘虐，則亦沿襲元明之制。

光緒三十一年，修訂法律大臣沈家本等奏：「請删除重法三事：一曰淩遲、梟首、戮屍。淩遲，唐以前無此名目。遼史刑法志始列入正刑。宋熙寧以後，漸亦沿用。元明至今，相仍未改。梟首在秦漢時惟用之夷族之誅。六朝梁、陳、齊、周諸律，始於斬外別立梟名。自隋迄元，復棄不用。今之斬梟，仍明制。戮屍惟秦時成蟜軍反，其軍吏皆斬戮屍，見於始皇本紀。此外歷代刑制，俱無此法。明自萬曆十六年定有戮屍條例，專指謀殺祖父母、父母而言。國朝因之，更推及於强

盜。按：雍正時呂晚村即戮屍寸剉，則不止於推及强盜而已。一曰緣坐。緣坐之制，起於秦之參夷，及收司連坐法。漢高后除三族令，文帝除收孥相坐律。惟夷族之誅，猶間用之。晉以下仍有家屬從坐之法。唐律惟反叛、惡逆、不道，律有緣坐。今律則姦黨、交結近侍、反獄、邪教諸項俱緣坐。一案株連，動輒數十人。一曰刺字。刺字乃古墨刑，漢文帝廢肉刑而黥亦廢。魏晉六朝雖有逃奴劫盜之刺，旋行旋廢。隋唐皆無此法。石晉天福間，始創刺配之制，相沿至今。」據此知清代用刑，實襲用歷代之重法。雖無明代廠衛廷杖之慘，而文字獄之深刻，則過於明尤遠。

大臣稍失意旨，輒下外廷判罪，陽示至公極仁，而外廷仰承鼻息，加苛倍刻，遂開有史未有之先例。

最著者，如年羹堯逮至京師，以雍正三年十二月。下議政大臣、三法司、九卿會鞫。具獄辭：「年羹堯大逆之罪五，欺罔之罪九，僭越之罪十六，狂悖之罪十三，專擅之罪六，忌刻之罪六，殘忍之罪四，貪黷之罪十八，侵蝕之罪十五，凡九十二款，當大辟。」然後由雍正下諭貸其死。凡清廷殺大臣例如此。其尤可笑者，清制，國恤，諸臣當於百日後薙髮。乾隆孝賢皇后崩，有錦州知府金文醇被劾違制，逮下刑部擬斬。乾隆以爲不當，責尚書盛安沽譽，予重譴。而江蘇巡撫安甯又舉江南河道總督周學健薙髮如文醇，因並命逮治。且詔諸直省察屬吏有違制薙髮者，不必治罪，但以名聞。

時塞楞額爲湖廣總督，亦薙髮，具疏自陳。乾隆諭文醇已擬斬決，豈知督、撫中有周學健，豈知滿洲大臣中有塞楞額，因釋文醇、學健，賜塞楞額自盡。然學健終因此以他罪誅。蓋積威之下，廷臣惟務刻深免禍，乃至以薙髮一小節誅兩大臣。而清廷滿、漢歧視之心，更昭然若揭矣。

以清代與元代相比，清代漢化之程度特高，元恃武力，故輕視中國。滿洲無所恃，故刻意模倣漢化。而其爲狹義的部族政權則一。

四　清代之武功

至言清代武力，其得久踞遼河兩岸並以入關，胥由明政黑暗，又獲漢奸之助。谷應泰明史紀事本末，記吳三桂敗李自成軍，至乾隆五十一年；令據開國方略修改。此下平南明，破李自成、張獻忠，要之明降將之力爲多。

及平「三藩」，亦全用漢將。綠營正式代旗兵而起。

時勒爾錦駐防荊州，埋南懷仁製造之大礮而先自退卻。有欲舉襄陽以北降者，賴蔡毓榮持之以免。見熙亭雜錄。康熙明詔罪滿洲親王、貝勒以下畏怯誤事者近二十人。可見其時滿洲士氣已不堪用。其前與明交鋒，亦未佔絕對勝利也。其時所用綠旗兵，多至四十萬。雲、貴多山地，皆以綠營步兵居前，而旗兵繼之。其後準

部、回疆、金川，亦皆綠旗勛績。

及至中國內部統一，則對外例可有一段武功。秦、漢、隋、唐、明代皆然，惟宋爲例外，其故已詳前。又清軍已知用砲，蒙古、準、回之敗頗以此。

其時有名大將，實以漢人爲多。

如康熙時勘定臺灣之姚啓聖、施琅。雍正時征厄魯特之年羹堯、岳鍾琪，苗疆改流之張廣泗。乾隆時金川之役之岳鍾琪。嘉慶時湖、貴征苗之傅鼐，東南靖海之李長庚，征勦川、楚教匪之楊遇春、楊芳、劉清。道光之時定回疆之楊芳等。大抵爲大帥、事定得封爵極賞者多滿人，而幹濟成功者多漢將。如平三藩多陝、甘將，平三省教匪多蜀將，平東南海盜多閩將。魏源聖武記謂：「近人紀皇朝武功七篇，往往言勝不言敗，書功不書罪。按：此指趙翼皇朝武功紀盛七卷。如三藩之役，順承郡王、簡親王逼迫於楚，貝勒洞鄂失機於陝，將軍舒恕觀望於粵；準噶爾之役，蒙古王丹津縱寇於鄂爾昆河；一概不書。即如傅爾丹和通泊之敗，額楞特喀喇烏蘇之敗，亦略及之而不詳。參贊額勒登額逗援於緬甸，溫福僨事於金川，巴忠、成德、鄂輝賄和於西藏，恆瑞老師於臺灣，亦一概不書。」岳鍾琪爲大將軍，赴京師，命紀成斌攝其事。紀命滿人副參領查廩領卒萬人驅牧駝馬。廩畏寒避山谷間，以偏裨五十人放牧。及馬駝爲敵所掠，廩棄軍逃。成斌收縛欲斬之，會鍾琪至，驚曰：「君今族矣。滿洲爲國舊人，吾儕豈可與抗，以干其怒？」遂釋廩。及查郎阿巡邊，故廩戚，因控鍾琪入之罪。其時滿、漢情形如此。尤甚者，則如乾隆之終爲福康安殺柴大紀。

至於乾隆十全武功，已成强弩之末，徒爲粉飾，自耗國本。

乾隆初次金川之役，兵費二千餘萬兩。準、回之役，三千三百餘萬兩。緬甸之役，九百餘萬兩。二次金川之役，七千餘萬兩。廓爾喀之役，一千有五十二萬兩。臺灣之役，八百餘萬兩。總計在一萬五千萬兩以上。緬甸事發難於乾隆三十一年，終了於乾隆五十四年，閱二十餘載。帥臣屢易，費帑九百餘萬，而功終未竟。魏源聖武記謂：「亦小夷氣數未熠，天姑少延之。」又謂：「刺虎持鷸，功在乘時，固不在勤天下之力以求之。」或謂緬甸數攻不下，乾隆乃重賄其酋，使貢象數匹以博「十全老人」之頭銜。故魏源謂：「金川西南之役，難於新疆；安南緬甸之功，讓於西藏。」金川始事，溫福、阿桂皆奏言：「滿兵一人，費至綠營三人。八旗兵餉較綠營兵餉大率相差一倍。不如止滿兵，多用綠營。」川、楚之役，勒保亦言：「徵黑龍江一人，可募鄉勇數十人，不如舍遠募近。」是十全武功亦多漢人力。

此種不健全的統制，到底要維持不下去，而清代自乾隆以後，遂走入不可挽的頹運中。

第四十四章　狹義的部族政權下之士氣 清代乾嘉以前之學術

一　明末遺民之志節

清人入關，遭遇到明代士大夫激昂的反抗，尤其是在江南一帶。他們反抗異族的力量是微薄的，因其非世家貴族。然而他們反抗異族的意識，則極普遍而深刻。隨於社會文化傳播之廣，北宋不如南宋，南宋不如明末。

中國人的民族觀念，其內裏常包有極深厚的文化意義。此種觀念，遠自春秋時代已極鮮明。能接受中國文化的，中國人常願一視同仁，胞與爲懷。故說：「夷狄進於中國，則中國之。」反過來說：「諸夏而夷狄，則夷狄之。」這是極端重視民族文化的表示。故曰：「聞以夏變夷，未聞變於夷。」既主放棄褊狹的、侵略的國家主義，而採取文化的、和平的世界主義，則自然可以有此態度。兩漢的對待匈奴、西羌諸族，招撫懷柔，引之入塞。南北朝時北方士族與諸胡合作，大率多抱有此種思想。

遼、金的割據，雖則他們亦都慕嚮漢化，然而那時中國北方社會的文化基礎，本已削弱，

所以同化異族的能力，不夠深强。因此北朝對中國史上尚有貢獻，而遼、金則無。元人以武力自傲而鄙視漢化。清人則並無真可恃的武力，一進中國，即開科取士，公開政權，依照著中國傳統政體的慣例作實際的讓步。

北方一部分士大夫，便開始與清政權妥協。這在他們是承認一個異族的君主，而交換到傳統政體之存在與參政權之繼續。但清室煞有手段，一面公開政權作實際的讓步，一面厲行薙髮令，要中國士大夫內心承認一個文化的屈服。因此激起了南方的反抗。非叫中國人承認一種文化上的屈服，滿清統治權亦難久存。當時南方士民擁護明政權之熱心，遠不如其擁護衣冠制度之甚。只要政體不變更，王室推移，無關重要。至於衣冠文物，則爲民族文化之象徵，不肯輕變。

惟南方士民臨時義憤的結合，抵不住漢奸手下三十年有訓練、有經驗的正規軍隊。結果中國士民在自身組織不健全的痛苦下屈服了。然而大部分南方士民反抗清廷的心理，卻依然存在。當時南北兩方對異族統治的心理上之反應，正與他們社會經濟文化之相差成正比。

中國社會機構，自漢武以下，不斷以理想控制事實，而走上了一條路向，即以士人爲中心，以農民爲底層，手工業與兵士爲農民之分化。而商人只成旁枝。因此社會理想除卻讀書做官，此種人在唐以前即爲門第中之家長，宋以下則爲社會大衆學業上之師長。便是沒世爲老農。市井貨殖，不是一條正道。此種傾向，自宋以後更顯著。宋人所講學問，與經商牟利意義極端衝突。因此好利貪財者，亦盛置田產，而不事貨殖。

民族文化正統的承續者，操在讀書人的手裏。而讀書人所以能盡此職責，則因其有政治上

的出路，科舉仕宦。使他們的經濟生活，足以維持在某種水平線之上。中國社會自漢以下，宗教勢力始終有限制，亦爲此故。若使讀書人反對科舉，拒絕仕宦，與上層政權公開不合作，則失卻其經濟憑藉，非躬耕爲農，即入市經商，而從此他們亦再不能盡其負荷民族傳統文化之職責。魏晉南北朝之士大夫，其門第家業皆可退守，又寺廟亦可藏身。宋、明以來，士大夫不能有退守之基業，而寺廟亦再不佔社會上文化之重要性。所以一個士人，要想負荷民族傳統文化之職責，只有出身仕宦。即專以教授爲生，而來學者之出路，仍以仕宦爲終極，否則此教授一業即無生源。明末遺民，雖則抱有極強烈的民族觀念，到底除卻他們自身以外，他們的親戚朋友以至他們的子孫，依然只能應舉做官；這樣便走上與異族政權的妥協。亦惟有如此，他們還可負荷他們最重視的民族文化。

顧炎武本崑山世家，然鼎革以後，家奴叛變，使其不獲安居。在南北朝、初唐，奴隸部曲盛行時，其情形便不同。又清初江南奏銷案，縉紳無或幸免，西晉、北魏戶調均田，豈有此力量？這可見後代的所謂「故家」，與中唐以前的門第大族，勢已大異。顧氏浪迹北方，對耕殖經商，均甚留意。以故其私人經濟，可無問題。然欲從此中打出一個基礎，長與政治絕緣，而來擔任文化事業的營養，則其事非易。

明末遺民的生活狀況，大體可如下列：

一、出家。如方密之等。（元代全真教盛行，亦由此背景來。）如是則中國士階層傳統之文化理想及文化事業，即及身而絕。寺廟本不爲中國傳統文化學術結集之所，要在寺廟中傳播中國傳統學術，殊不容易。

二、行醫。如呂晚村等。（金、元兩代醫術發達，亦從此背景來。）醫業好則妨其志業與學業，醫業壞則不足維持其生業。故張楊園屢勸晚村不要因此荒了自己工夫。如晚村友高旦中，則竟以醫師畢世；而呂晚村亦復以此意勸之。

三、務農。如孫夏峯、顏習齋、張楊園等。此項生活，極刻苦，仍不能發皇完成其學業傳統。湯潛菴學於夏峯，出而仕宦。李恕谷學於習齋，出而游幕。楊園則晚年在呂晚村家處館。若來學者依然歸耕，則耕漸勤，學漸荒，而傳統絕。

四、處館。如張楊園等。來學者多要學八股應舉，則是間接的妥協。惟晚村則借八股制業來發揮民族思想，身後竟獲奇禍。

五、苦隱。如徐俟齋、李二曲、王船山等。此等生活亦及身而止。復有避地海外，如朱舜水之至日本。文化傳至異邦，自國則無影響。

六、游幕。如李恕谷、劉繼莊、顧景范等。此等雖志節皎然，然踪跡近人，過一關即入仕宦之途。

七、經商。如顧亭林在晉北墾牧，呂晚村刻書等。此方面最少。純粹經商，便與學術文化事業脫離。

社會機構不能激劇變動，則「遺民不世襲」此徐狷石語。的話，很容易在當時人口中吐出。顧亭林與人書謂：「人人可出，而炎武不可出。」若純以民族觀點論，則人人不可出也。當時遺老，非不能唱高調，惟事實有所不許耳。

若埋頭從事反抗工作，則遺老們多半是從反抗工作中退身下來，纔致身於學術文化事業

的。

中國以廣土衆民之故，政治一穩定下來，便不易激動。故明末遺老，多主張恢復封建，甚有主張恢復氏族大門第者。因封建則國體分割，易於搖動。社會有大氏族、大門第，則易於揭竿而起。他們以力量單薄的書生，而要來發動廣大民衆從事於大一統的政權爭奪，其勢實不易，故輾轉而思及於此。

中國社會，實已走上了一條比較和平而穩定的路，而適爲狹義的部族政權所宰制。

然明末遺民，他們雖含荼茹蘗，賫恨没世，而他們堅貞之志節，篤實之學風，已足以深入於有清一代數百年來士大夫之內心，而隱然支配其風氣。直到清末，還賴藉他們人格之潛力，來做提唱革命最有效之工具。明末一般社會風氣之墮落，學者之空虛欺詐，名士之放誕風流，經歷亡國之慘禍而態度激變。刻苦、堅貞、强毅、篤實、博綜，遂爲晚明諸遺老治學爲人共有之風格。諸老大抵皆少歷艱苦，晚臻耋壽。（如夏峯年九十二，梨洲八十六，二曲七十九，船山七十四，亭林、習齋皆七十。）此皆民族之元氣，巋然獨存於凶喪耗散之餘。彼輩莫不有體有用，形成多方面圓滿完整之人生。其爲人立身與成學著書，皆卓然有以起後世之敬慕。北宋諸儒無其剛毅，東漢諸儒無其博實。實中國學術史上一段極有光輝之時期也。（關於諸儒學術詳情，請閱拙著近三百年學術史。）而清廷雖因勢乘便，以一時的兵力，攫奪到中國全國的疆土，亦終不能不顧忌到社會上文化的和平勢力，而公開解放其政權。此即蒙古與滿州易地而處，亦不得不然。明末南方一般文化傳播，較之南宋已遠過；而北方的文化情形，在明代三百年統治下，較之遼、金沿襲下來的北方，亦不可同日而語。故縱使蒙古人在明末入主中國，恐亦不能不學滿洲人的辦法。

清初諸帝努力漢化的程度，亦相當可贊美。

尤其如康熙之好學。年十七、八時，以讀書過勤咯血，猶不肯廢。初，講官隔日進講，帝令改按日進講。三藩變起，帝猶不肯廢進講之制。修葺宮殿，則移居瀛臺，仍令講官進講。二十三年南巡，泊燕子磯，夜至三鼓，猶不輟誦。於天文歷算，皆所通曉。爲清代帝王中第一人。

而屈膝清廷的中國士人，因遺民榜樣擺在一旁，亦足使他們良心時時發露，吏治漸上軌道。（師生如孫夏峯之於湯潛菴，朋友如呂晚村之於陸稼書，親戚如顧亭林之於徐乾學兄弟，此等舉不勝舉。）

清初的政治情況，所以比較明中葉以下猶算差勝者在此。

然言世運物力，則實在清不如明。康熙五十年所謂盛世人丁者，尚不及明萬曆時之半數。

康熙五十年各直省丁口數

省名	人數	備註
直隸	三、二七四、八七〇	較萬曆減九十九萬餘。（按：萬曆六年各省人口統計，已詳前。）
奉天	八三、四五〇	
吉林	三三、〇二五	
山東	二、二七八、五九五	較萬曆減三百三十五萬餘。

又屯丁	二六、二一〇	
山西	一、七二七、一四四	較萬曆減三百五十五萬餘。
又屯丁	三三、二一九	
河南	三、〇九四、一五〇	較萬曆減二百零九萬餘。
江蘇		較萬曆減六百四十一萬餘。連安徽合計。
江寧布政司	一、〇五六、九三〇	
又屯丁	三三、〇三二	
蘇州布政司	一、五九九、五三五	
又屯丁	八一三	
安徽	一、三五七、八二九	
又屯丁	四〇、八五五	
江西	二、一七二、五八七	較萬曆減三百六十八萬餘。
又屯丁	二、一七九	
福建	七〇六、三一一	較萬曆減一百零一萬餘。

又屯丁	二〇、四二六	
浙江	二、七一〇、三一二	較萬曆減二百四十三萬餘。
又屯丁	四、二七七	
湖北	四三三、九四三	較萬曆減三百六十二萬餘。連湖南合計。
又屯丁	七一九	
湖南	三三五、〇三四	
又屯丁	一、二九〇	
陝西	二、一五〇、六九六	較萬曆減一百八十七萬餘。連甘肅合計。
又屯丁	一〇六、九六三	
甘肅	三六八、五二五。民屯	
四川	三、八〇二、六八九	較萬曆增七十餘萬餘。（按：各省人口，惟此一處較萬曆爲增。）
廣東	一、一四二、七四七	較萬曆減三百八十八萬餘。
又黎丁	一、一八二	
又屯丁	六、七三六	

廣西	二一〇、六七四	較萬曆減九十七萬餘。
雲南	一四五、四一四	較萬曆減一百二十九萬餘。
又軍丁	二九、八九三	
又舍丁	八、三九四	
貴州	三七、七三一	較萬曆減二十五萬餘。

在長期喪亂凋殘之餘，社會秩序，亦比較容易維持。循而久之，社會元氣漸復，清室的帝王便不免漸漸驕縱起來。如乾隆已不能如康熙、雍正之操心深慮。而一輩士人則事過境遷，亦漸漸的腐化。

二　乾嘉盛時之學風

那時的學術文化，卻漸漸與政治事業宣告脫節。

江、浙一帶，本爲南宋以下全國經濟文化最高的結集點，亦即是清初以來對滿清政權反抗

思想最流行的所在。

他們以鄙視滿清政權之故，而無形中影響到鄙視科舉。在明季將次覆亡時，已有一輩學者感覺科舉之可鄙賤，無實用。又因鄙視科舉之故，而無形中影響到鄙視朝廷科舉所指定的古經籍之訓釋與義訓。

因此宋、元、明三代沿襲下來對於古經籍的義訓，一致為江、浙新學風所排斥。亦有因激於亂亡之慘，而猛烈攻擊傳統學風者，如顧炎武之於王守仁，顏習齋之兼及程、朱等。（時蘇州有唐甄，其議論態度與顏相似，可見不論南北，皆激於時變而然。）因有所謂「漢學」與「宋學」之目。「宋學」的後面，是朝廷之功令，為科舉取士之標準。

當時江、浙學者間，有不應科舉以家傳經訓為名高者。如吳學領袖惠棟，其家四世傳經。其第一代名有聲，字樸菴，明歲貢生，明亡，即足跡不入城市，與徐枋為莫逆交。其子周惕，孫士奇，曾孫即棟，治經皆尊漢儒，遂有「漢學」之稱。亦有一涉科第，稍經仕宦，即脫身而去，不再留戀者。如錢大昕、全祖望等。此輩已到乾隆時代，與遺民漸無交涉矣。要之，在清代這一輩學者間，實遠有其極濃厚的反朝廷、反功令的傳統風氣，導源於明遺民，而彼輩或不自知。

所以他們反朝廷、反功令的思想不至露痕迹者，一因順、康、雍、乾歷朝文字獄之慘酷，使學者間絕口不談朝政時事。

> 清臣不敢自刻奏議，恐以得罪。清代亦無好奏議。又不敢記載當代名臣言行。如尹嘉銓即以著名臣言行錄遇禍。乾隆八年，杭大宗以進士應御史試，偶及朝廷用人不宜分滿、漢畛域，即遭嚴譴，幾至不測。放還終身，更不錄

用。全祖望與杭略同時，著書刻意收羅鄉邦宋、明遺民，此其意態之有所鬱結，極可想像得之。

二因清代書院全成官辦性質，以廩餼收買士氣。

袁枚書院議謂：「民之秀者已升之學矣，民之尤秀者又升之書院。升之學者歲有餼，升之書院者月有餼。士貧者多，富者少，於是求名賒而謀食殷。上之人探其然，則又挾區區之廩假以震動黜陟之，而自謂能教士，過矣。」按：書院厚其廩餼，臥碑嚴其禁令，開其爲此，抑其爲彼，士非愚癡，豈有不知？

一時名儒碩望，主書院掌教務者，既不願以八股訓後進，惟有趨於篤古博雅之一途。

如盧文弨、全祖望、錢大昕、李兆洛等一時通儒，無志仕宦者，惟有居一書院，尚可苟全生業。其所教督，既不肯爲科舉俗學，又不敢涉於人生實事。明人如良知家社會講學風氣，亦不爲清儒所喜。不媚古研經以自藏，復何以自全乎？

三則江、浙一帶經濟狀況，繼續發榮滋長，社會上足可培植一輩超脫實務的純粹學術風氣。

明萬曆六年全國戶口六千零六十九萬餘，而江、浙已佔一千零五十萬。乾隆時，直隸一省，不敵揚州一府。山西、陝西、甘肅、河南各省，均不敵松江一府。明季以來，江、浙兩省藏書家之多，尤勝前代遠甚。而揚州爲鹽商所萃，其經濟力量，足以沾潤江、浙學士者更大。乾隆朝四庫全書凡七本，内廷占其四，文淵在紫禁城内東南隅，文源在圓明園，文溯在奉天，文津在熱河。而江、浙亦占其三。文匯在揚州，文宗在鎮江，文瀾在杭州。此亦可見當時學術偏聚江、浙之一斑。

四則自印刷術發明，書籍流通方便之後，博雅之風，自宋迄明，本已每展愈盛。

唐人博學，以當代典章制度爲主，如杜佑通典之類是也。宋學之博，遠超唐賢，只觀通志堂經解所收，可見宋代經學之一斑。至史學如司馬光資治通鑑、鄭樵通志、李燾續資治通鑑長編等，其博大精深，尤非唐人所及。而南宋尤盛於北宋。即易代之際人物，如王應麟、胡身之、馬端臨等，其博洽淹雅，皆冠絶一代。世疑宋學爲疏陋，非也。即如朱子，其學浩博，豈易窺其涯涘？明代雖承元人絶學之後，又深中科舉八股之害，然博雅之風，亦且掩且揚。清代考證學，頗亦承襲明人。社會書本流傳既易，博雅考證之學，自必應運而興。惟宋、明更有氣魄大、關係大者鎮壓其上，故南宋必先數朱陸，明代必先數陽明，而博古之家，只得在第二、第三流地位。不得謂宋、明學者皆疏陋，至清始務篤實也。惟清儒承宋、明之後，更易爲力，又無别路可走，只得專

走此一路，遂若清代於此特盛耳。顧亭林日知錄嘗謂：「自宋之末造，以至有明之初年，經術人才，於斯爲盛。自八股行而古學棄，大全出而經說亡，十族誅而臣節變。洪武、永樂之間，亦世道升降之一會矣。」而潘次耕序日知錄，則謂：「自宋迄元，人尚實學，若鄭漁仲、王伯厚、魏鶴山、馬貴與之流，著述具在，皆博極古今，通達治體，曷嘗有空疏無本之學？明代人才輩出，而學問遠不如古。是書（日知錄）惟宋、元名儒能爲之，明三百年來殆未有也。」顧氏日知錄最爲後來博雅一派所推，然其師弟子自相稱許，亦不過在宋、元之間。然清儒即如吳學惠家，以漢學治經負盛名，其爲學亦兼及文史。同時如全祖望、錢大昕等，其文史之學亦皆足繼踵宋賢。專以經學誇清儒，亦復失之。

故江、浙考證漢學，其先雖源於愛好民族文化，厭惡異族統治，帶有反抗現實之活氣；其後則變爲純學術之探討，鑽入故紙堆中，與現實絕不相干。

三 政治學術脫節後之世變

江、浙學風這一種的轉變，雖於古經典之訓釋考訂上，不無多少發明；但自宋以來那種以天下爲己任的「秀才教」精神，卻漸漸消沉了。至少他們只能消極的不昧良心，不能積極的出頭擔當，自任以天下之重。

清代雖外面推尊朱子，自康熙命李光地等編纂朱子大全書，至五十一年朱子在孔廟升祠十哲，特表崇重。但對程朱學中主要的「秀才教」精神，則極端排斥。

乾隆有御製書程頤論經筵劄子後云：「夫用宰相者，非人君其誰？使爲人君者，以天下治亂，付之

宰相，己不過問，所用若韓、琦范，仲淹猶不免有上殿之相爭，所用若王、安石呂，惠卿天下豈有不亂？且使爲宰相者，居然以天下之治亂爲己任，而目無其君，此尤大不可也。」以天下爲己任，此乃宋、明學者惟一精神所寄，而爲清廷所最極端反對。又如雍正時，謝濟世注大學，不從四書集注本，順承郡王錫保參其謗毀程朱，雍正批諭謂：「朕觀濟世所注之書，意不止謗毀程朱。乃用大學內『見賢而不能舉』兩節，言人君用人之道，借以抒寫其怨望誹謗之私也。其注有『拒諫飾非，必至拂人之性，驕泰甚矣』等語，則謝濟世之存心，昭然可見。」九卿議謝罪斬立決，後得旨免死，發往新疆充軍。又乾隆時尹嘉銓案，羅尹罪狀，有尹著名臣言行錄序列本朝大臣，諭謂：「朱子當宋式微，今尹嘉銓欲於國家全盛之時，妄生議論，實爲莠言亂政。」又尹稱大學士、協辦大學士作「相國」，諭謂：「明洪武時已廢宰相，我朝相沿不改。祖宗至朕臨御，自以敬天愛民勤政爲念，復於何事藉大學士之襄贊？昔程子云『天下治亂繫宰相』，止可就彼時闒冗而言」云云。大學士等擬尹凌遲處死，家屬緣坐，特旨改絞立決，免其凌遲、緣坐。則清廷之所謂尊程朱者，其情居可見。

他們只利用了元明以來做八股應舉的程朱招牌，他們絕不願學者認真效法程朱，來與聞他們的政權。

四庫館臣作四庫全書提要，對程朱宋學，均濫肆慢罵。此非敢顯背朝廷功令，實是逆探朝廷意志，而爲奉迎。東吳惠氏有楹帖云：「六經尊服鄭，百行法程朱。」清廷科舉功令，只是六經尊程朱而已。另一面則推波助瀾，假意提倡江、浙考證之學，務期學者只埋頭不張眼，則是百行法服鄭也。清廷能自以私意操縱學風，正爲其對中國學術文化有相當了解之故。

此等風氣，恰恰上下相浹洽，而學者精神，遂完全與現實脫離。應科舉覓仕宦的，全只爲的是做官，更沒有絲毫以天下爲己任的觀念存在胸中。清代中葉以後學術雖日盛，而吏治卻日衰，正爲此故。

清代統治中國的傳統政策，一面箝制士大夫，（社會中層。）而一面則討好民衆。（社會下層。）

清代討好下層平民最有名之著例，莫如丁賦攤入地糧，自康熙五十年以後，永不加賦一事。王慶雲石渠餘紀謂：「清初丁徭之法，悉依明舊。順治十八年編審，直省人丁二千一百六萬有奇，至康熙五十年編審，二千四百六十二萬有奇。五十年間，滋生不過十分之二。蓋各省未以加增之丁盡數造報也。先是巡行所至，詢民疾苦，或言戶有五、六丁，只納一丁，或言戶有九丁、十丁，止納二、三丁。於是康熙五十一年定丁額，諭曰：『海宇承平日久，戶口日增，地畝未廣，應將現今丁數，勿增勿減，永爲定額。自後所生人丁，不必徵收錢糧，惟五年一編審如故。』雍正初，定丁隨

地起之法，直省丁賦以次攤入地糧，於是丁徭口賦，取之田畝，而編審之法愈寬。」今按：以丁歸田，其實唐楊炎兩稅已如此。然自楊炎兩稅以後，仍自有差役。王安石令民輸錢免役，而紹興以後，戶長、保正催錢復不免。李心傳謂：「合丁錢論之，力役之征蓋取其四；而一有征事，征夫之事又仍不免，是取其五矣。」及明代一條鞭法，實亦地丁合一也。清之田賦悉照萬曆年間則例征收，惟除天啓、崇禎諸加派，則丁糧固已在租中，而復有丁徭，是正如唐行兩稅而五代、宋室復有差役也。及將丁糧攤入田賦後，其後仍不斷有差役，則亦仍是一種朝三暮四，爲狙公之賦芧而已。清代賦役，較之晚明固見輕減，若以與唐代租庸調制之確立一代規模者相比，則未可同日語。且清代此項政制，其先亦起於不得已。其時各直省對丁糧各有積虧，江蘇巡撫所屬七府五州，自康熙五十一年至雍正四年，積虧地丁錢糧至一千十一萬。甘肅自康熙末至雍正初，亦虧帑金一百六十餘萬。清賦本重，民力已竭，故康熙五十年詔，有「戶口漸繁，地不加增，民生有不給之虞」之說。此後丁糧既不加征，則惟有攤丁於地之一法。且清初征納錢糧，照例有「火耗」。每兩加三分。官吏舞弊濫收。據東華錄：「康熙二十四年，山西各州、縣每兩加至三錢、四錢不等。三十六年諭：『山、陝火耗有每兩加至二、三錢不等者。』雍正元年諭：『火耗日漸加重，每兩加至四、五錢。』」田文鏡最爲雍正依信，亦謂：「山東錢糧積虧二百餘萬，雍正六年應居完限，完不及五成；實由火耗太重，私派太多。」清廷雖時頒禁令，而民間未見實惠。其後乃明定其額而歸之公。當時爭者謂：「耗羨歸公，即爲正項。今日正項之外加正項，他日必至耗羨之外加耗羨。」清廷不納，而其後果然。火耗之外又繼之以「平餘」。火耗猶可說，平餘則明爲不平矣。又復有「重戥」。錢糧又有

所謂「浮收」。（始乾隆三十年後。）未幾而又有「折扣」。（始猶每石折耗數升，繼乃至五折、六折不等。仍有「淋尖」、「踢腳」、「灑散」，多方糜耗。）此皆在雍、乾盛時，更不論中、晚以後也。則清之討好民衆，固僅騰口惠，與確立一代規模之善政有辨。又清代有捐納之制，官吏可以貲進。其始蓋以初入關，中國士大夫意存觀望，清廷藉以網羅社會雄於資財之一部分人，亦可減削一時反對之氣勢，而補開科取士之所不足。（文官捐始於康熙十三年三藩事起之後，既可不加稅而餉足，又以官爵餌社會、安反側，其用意至深毒。）然其後寖失本意，乃專爲彌縫一時經費之急需。捐例大率不出三途：曰拯荒、河工、軍需。名器不尊，登進日濫，仕途殽雜。清廷徒守「永不加賦」之美名，而捐例迭開，不啻縱數十、百餓虎饞狼於民間，其害較之加賦爲更烈。

但到士大夫腐化了，吏治振作不起來，則民衆只有受苦，絕對沾不到惠澤。因此待到士大夫階層反抗清代的意志漸漸消滅，（即箝制成功，而士大夫趨於腐化。）即下層社會反抗清廷的氣燄漸漸熾盛。（因吏治敗壞，民不聊生。嘉慶十八年，蔣攸銛疏：「我朝累代功德在民，而亂民愍不畏法，此皆由於吏治不修所致。」可謂道破此中消息矣。）這是狹義的部族政權不可避免的一種厄運。

第四十五章　狹義的部族政治下之民變 清中葉以下之變亂

一　乾嘉之盛極轉衰

清康、雍、乾三朝，比較過的有秩序承平的日子；然到乾隆中葉以後，清室即入衰運。

一、因帝王精神，一代不如一代。　乾隆好大喜功，不如雍正之勵精圖治。雍正刻薄，不如康熙寬仁。惟以國富論，仍以乾隆爲最盛。康熙六十一年，戶部庫存八百餘萬。雍正間，積至六千餘萬。自西北兩路用兵，動支大半。乾隆初，部庫不過二千四百餘萬。及新疆開闢，動帑三千餘萬，而戶庫反積存七千餘萬。及四十一年，兩金川用兵，費帑七千餘萬，然是年詔稱庫帑仍存六千餘萬。四十六年詔，又增至七千八百萬。且普免天下錢糧四次，普免七省漕糧二次，巡幸江南六次，共計不下二萬萬兩，而五十一年之詔，仍存七千餘萬。又逾九年歸政，其數如前。康熙與乾隆，正如唐貞觀與開元、天寶也。

二、因滿族官僚，日益貪汚放肆。此與前一事相因而至。滿族對中國戒備之心日懈，則其自身缺點劣性日露。乾隆晚年之和珅，爲相二十年，所抄家產，珍珠手串二百餘，大珠大於御用冠頂。寶石頂數十，整塊大寶石不計數。藏金錢、衣服逾千萬。夾牆藏金二萬六千餘兩，私庫藏金六千餘兩，地窖埋銀三百餘萬兩。人謂其家財八萬萬，敵全國當時歲入十年以上。遂有「和珅跌倒，嘉慶吃飽」之謠。其時外省疆吏亦望風貪黷。滿臣伍拉納爲浙閩總督，籍產得銀四十萬有奇，如意至一百餘柄。乾隆謂其「如唐元載之胡椒八百斛」。乾隆雖對貪黷時加嚴懲，然其風終不戢。

三、漢人亦志節日衰，吏治日窳。此復與前一事相因。先論中央。洪亮吉嘉慶四年疏，謂：「十餘年來，士大夫漸不顧廉恥。有尚書侍郎甘爲宰相屈膝者；有大學士七卿之長，且年長以倍，而求拜門生爲私人者；有交宰相之僮隸，並樂與抗禮者。太學三館，風氣之所由出，今則有昏夜乞憐，以求署祭酒者；有人前長跪以求講官者。翰林大考，國家所據以陞黜詞臣，今則有先走軍機章京之門，求認師生，以探取御製詩韻者。行賄於門闌侍衛，以求傳遞，代倩藏卷而去，製就而入者。大考如此，何以責鄉、會試之懷挾替代？士大夫之行如此，何以責小民之誇詐夤緣？輦轂之下如此，何以責四海九州之營私舞弊？」此則在嘉慶初也。曾國藩謂：「十餘年間，九卿無一人陳時政之得失，司道無一摺言地方之利弊。」此則在道光朝矣。

次論地方。清制，州、縣分選、調爲二等，而督、撫又得請揀發人員到省試用。故部選之缺，扣留者常十之七、八，銓選之權移於督、撫。督、撫權愈重，州、縣包苴愈不可禁。每一缺出，鑽營得之者，輒不惜盈千累萬之賄，而墨吏日甚一日。外省鬻缺，其弊尤甚於明吏部之掣籤。洪亮吉謂：「十餘年督、撫、藩、臬之貪欺害政，比比皆是」，是也。又當時道、府官，由州、縣起家者十之二、三，由部員外擢者十之七、八。而當時司員則甚少才望。一則由滿洲之廕生太易，一則由漢員之捐班太多。當時督、撫既多滿員貪黷，道、府亦少清望，州、縣尚在府、廳、司、道之下，層層管轄，層層剝削，有志節者亦無以自保。故其時讀書稍自好者，苟非入翰林得清顯，即退爲書院山長，或浮沉郎署，或寧爲一教官。故乾嘉經學極盛時期之學者，仕宦率多不達。如是而望州、縣之清廉，吏治之振飭，自不可能。章學誠論其時官場貪婪，曰：「上下相蒙，惟事婪贓瀆貨。始則蠶食，漸至鯨吞。初以千百計者，俄而非萬不交注，俄而且數萬計，俄而數十萬、數百萬計。」洪亮吉亦曰：「今日州、縣之惡，百倍於十年、二十年之前。無事則蝕糧冒餉，有事則避罪就功。」又曰：「吾未成童，侍大父及父時，見里中有爲守令者，戚友慰勉之，必代爲慮曰，此缺繁，此缺簡，此缺號不易治，未聞其他。及弱冠之後，未入仕之前，二、三十年之中，風俗趨向頓改。里中有爲守令者，戚友慰勉之，亦必代爲慮曰，此缺出息若干，此缺應酬若干，此缺一歲可入己者若

干；民生吏治，不復掛齒頰矣。然吾又嘗驗之，三十年以前，守令之拙者，滿任而歸，或罷任而返，其贏餘雖不多，然恆足以溫飽數世。今則連十舸，盈百車，所得未嘗不十倍於前，而不十年，不五年，及其身已不能支矣。」此言夫守令也。又其言吏胥，曰：「吏胥爲官者百不得一。登進之途既窮，營利之念益專。世門望族，以及寒畯之室，類不屑爲。其爲之而不顧者，四民中之奸桀狡僞者耳。姓名一入卯簿，或呼爲『公人』，或呼爲『官人』。公人、官人之家，一室十餘口，皆鮮衣飽食，咸不敢忤其意，即官府亦畏之。何則？官欲侵漁其民，未有不假手於吏胥者。鄉里貧富厚薄，自一金至百金、千金之家，吏皆若燭照數計。家之入於官者十之三，入於吏胥者已十之五矣。不幸一家有事，則選其徒之壯勇有力、機械百出者，蠭擁而至，不破其家不止。今州、縣之大者，胥吏至千人，次者七、八百，至少一、二百人。大率十家之民不足以供一吏，至有千吏，則萬家之邑亦囂然矣。」此又言胥吏也。

因吏治之不振，而各省遂有所謂「虧空」。其事起於乾隆四十年以後。始則大吏貪惏者利州、縣之賄賂，債事者資州、縣之攤賠，州、縣匿其私橐，以公帑應之，離任則虧空累累。大吏既餌其資助，乃抑勒後任接收。其後循至以敢接虧空爲大員，以稟揭虧空爲多事。州、縣且有藉多虧挾制上司，升遷美缺。自後地方政治，遂惟有所謂「彌補」。寬則生玩，胥吏因緣爲奸。急則張皇，百姓先受其累。而民事遂無問者。劉蓉謂：「天下之吏，未聞有以安民爲事

者，而賦歛之横，刑罰之濫，朘民膏而殃民者，天下皆是。」則天下幾何不亂！

四、因戶口激增，民間經濟情形轉壞。　乾隆十四年總計，直省人丁一萬七千七百四十九萬有奇，距康熙五十年方三十年餘，所增達七、八倍。又三十餘年，至乾隆四十八年，爲二萬八千四百有三萬有奇。又十歲，五十八年，爲三萬七百四十六萬。又二十歲，嘉慶十七年，爲三萬六千一百六十九萬有奇。此由丁隨地起，自無減匿之弊，或有增造以博盛世之名者。然乾嘉人口激增，自爲事實。洪亮吉意言治平篇：「人未有不樂爲治平之民者。然言其戶口，視三十年以前增五倍，視六十年以前增十倍，視百年、百數十年以前，不啻增二十倍。試以一家計之，高、曾之時，有屋十間，有田一頃，夫婦二人，寬然有餘。以一人生三計之，至子之世，父子四人各娶婦，即有八人。子又生孫，孫又娶婦，已不下二十餘人。又自此而曾焉、元焉，視高、曾時已不下五、六十倍，不分至十戶不止。隙地閒廛，增六倍、五倍而止矣。田與屋之數常處其不足，而戶與口之數常處其有餘。又況有兼併之家，一人據百人之屋，一戶占百戶之田。何怪乎遭風雨霜露，饑寒顛踣而死者之比比乎？」又生計篇云：「今日之畝，約凶荒計之，歲不過出一石。今時之民，約老弱計之，日不過食一升。率計一歲一人之食，約得四畝；十口之家，即須四十畝，其寬廣即古之百畝也。工、商賈所入，至少者人可餘百錢。士傭書授徒所入，日亦可得百錢。是士、工、商一歲之所入，不下四十千。聞五

十年以前，吾祖、吾父之時，米升錢不過六、七，布丈錢不過三、四十。一人歲得布五丈，爲錢二百；得米四石，爲錢二千八百。是一人食力可以養十人。今則不然，農十倍於前而田不加增，商賈十倍於前而貨不加增，士十倍於前而傭書授徒之館不加增。且升米錢須三、四十，丈布錢須一、二百。所入愈微，所出益廣。於是士、農、工、賈，各減其值以求售；布帛、粟米，各昂其價以出市。此即終歲勤動，畢生皇皇，而自好者居然有溝壑之憂，不肖者遂至生攘奪之患矣。何況戶口既十倍於前，游手好閒者更數十倍於前。遇有水旱疾疫，其不能束手以待斃也明矣。」洪氏正值乾嘉盛極轉衰之際，此兩文正爲指出當日由戶口激增而影響一般生活之最好例證也。

乾隆末葉，民變之事已數見不鮮。

一、乾隆三十九年王倫臨清之亂，唱清水教，運氣治病，教拳勇，爲白蓮教之遺。

二、乾隆四十六年甘肅回叛。

三、乾隆六十年湘、桂苗變。

四、即川、楚教匪。

尤大者則爲川、楚教匪，直延至嘉慶七年始平。

川、楚教匪徒黨二百萬，波及燕、齊、晉、豫、秦、蜀諸省。其口號爲「官逼民反」，自詭稱明裔朱姓。清廷歷時九載，軍費至二萬萬兩，殺教徒數十萬。其兵士、鄉勇之陣亡及良民之被難者無計。清廷僅能制勝者，惟恃鄉勇與堅壁清野之法。陝西總督長齡云：「團練有益於今日，有大害於將來。」蓋滿族武力不足平亂，平亂者全賴民間之自力。逮民間自力一旦成長，則狹義的部族政權，再不能凌駕其上也。又按：雍正八年，鄂爾泰平西南夷烏蒙之亂，始用鄉兵。乾隆三十八年，用兵小金川，多用鄉兵。自後遂設屯練鄉兵，其餉倍於額兵。嘉慶苗事，傅鼐以鄉兵功冠諸將。川、楚之亂，文臣如四川按察使劉清，武臣如四川提督桂涵、湖北提督羅思舉，皆鄉兵功也。洪、楊起事，湘軍始以團練衛鄉里，蓋承歷朝鄉兵之風而起。

嗣是復有浙、閩海寇，十五年定。山東天理教，十八年定。更互迭起。至道光末年，乃有洪、楊之大亂。

二　洪楊之亂

洪、楊先起，亦以「官逼民變」、「天厭滿清」、「朱明再興」等語爲號。農民騷動主因，必由於吏治之不良，再促成之於饑荒。在官逼民變的實況下，回憶到民族的舊恨，這是清中葉

以後變亂的共通現象。饑荒可以促動農民，卻不能把農民組織起來，要臨時組織農民，便常賴於宗教。

> 秦末東方革命，皆有貴族勢力主持，故變亂最像樣，有規模。西漢末，如光武以宗室起事，然其先綠林、赤眉等皆饑民集為羣盜而已。故騷擾之時期長，社會元氣損失大，而成事不易。東漢末年始有黃巾，為民間以宗教結合起事之始。直至清代，十之七不得不賴於宗教之號召。洪亮吉征邪教疏：「楚、蜀之民，始則惑於白蓮、天主、八卦等教，欲以祈福；繼因受地方官挾制萬端，又以黔省苗氛不靖，派及數省，賦外加賦，橫求無藝，忿不思患，欲借起事以避禍。邪教起事之由如此。」

為要在短期唱亂而臨時興起的宗教，決無好內容。這是農民革命自身一個致命傷。明太祖其先屬於韓林兒，亦以白蓮教號召；其後能完全一變為民族的立場，實為明室成事主因。

因中國疆域之廣，饑荒災歉，只能佔大地之一角。而且饑荒有其自然限制，一兩年後，情形即變。因一時一地的饑荒而激動變亂，要想乘機擴大延長，勢必採用一種流動的恐怖政策，裹脅良民，使他們無家可安，無產可依，只有追隨著變亂的勢力；這便是所謂「流寇」。最著者如唐末之黃巢，明末之張獻忠、李自成。這一種變亂，騷擾區域愈大，虐殺愈烈，則裹脅愈多。然而到底違

用邪教的煽惑起事，用流動的騷擾展開，這是安靜散漫的農民所以能走上長期叛變的兩條路子。可惜這兩條路子，開始便已注定農民革命的命運，使他們只能破壞，不能成功，除非中途能自己改變。

洪、楊起事的第一因，在其有一種宗教性之煽惑；而將來所以招惹各方面反對，限制其成功，而逼到失敗路上去的，便是這一種宗教。

洪、楊因地理的關係，洪秀全廣東花縣人，其先由嘉應州客民移去。開始附會採用西洋的耶教。洪秀全「天父、天兄」的造託，一面攫到廣西深山中愚民的擁戴，一面卻引起傳統的讀書人之反感。

忠王李秀成供狀謂：「天王常在深山內藏，密教世人敬拜上帝。亦有讀書明白之士子不從，從者俱是農夫寒苦之家，積歲成衆。知欲立國深遠圖者，皆東王楊秀清、西王蕭朝貴、南王馮雲山、北王韋昌輝、翼王石達開、天官丞相秦日昌六人。除此未有人知道天王欲立江山之事。自教人拜上帝之後，數年未見動靜。至道光二十七、八年上下，廣西賊盜四起，擾亂城鎮。各居戶多有團練，與拜上帝之人，兩有分別。拜上帝人與拜上帝一夥，團練與團練一夥，各自爭氣，各自逞强，因而逼起。」

其起事既利用上帝之團結，其擴大依然是恐怖裹脅政策的效用。

李秀成供狀云：「凡是拜上帝之家，房屋俱要放火燒了。寒家無食，故而從他。鄉下之人，不知遠路，行百十里外，不悉回頭，後又有追兵。」這是農民決意叛變從事革命之真供狀。

然而他們已與乾嘉以來屢次的變亂不同，他們能在中國近代史上留下一更重大的影響，正因他們能明白揭舉出種族革命的旗號。

太平天國二年，有奉天討胡檄，謂：「滿洲之衆不過十數萬，而我中國之衆不下五千餘萬。以五千餘萬之衆，受制十萬，亦孔之醜矣。」當時洪、楊提出種族觀念，實爲制勝清政府一個最有利之口號。又廣東有三合會，流行於南洋、珠江流域一帶。洪王告人，謂：「三合會之目的，在反清復明。其會組織在康熙朝，目的亦可謂適當。然至今二百年，今日反清可也，復明未見其是。吾既恢復舊山河，不可不建立新朝。」可見民族舊恨，明清之際已往的歷史，數百年來流傳民間，未嘗熄滅。惟洪、楊之起，似乎只可謂利用此種民間心理，而非純由此發動。所以雖在美、法革命之後，洪、楊諸人依然不脫以前帝王思想之舊習。他們只知援用西方耶教粗迹牢籠愚民，卻沒有根據西方民主精神來創建新基。此雖似責備洪、楊太苛，然彼輩自始即著意在憑藉宗教，並未能更

注意到革新政體，這不能不說亦是他們一弱點。

他們在政制上及軍事上，亦略有規模。

洪、楊官制，王分四等，侯第五等，其次六官丞相、（天、地、春、夏、秋、冬。）殿前檢點、殿前指揮、將軍、總制、監軍、軍帥、（領一萬二千五百人，轄五師。）師帥、（轄五旅。）旅帥、（轄五卒長。）卒長、（各分領百人，轄四兩司馬。）兩司馬，（領伍長五人，卒二十人，共二十五人。）共十六等。又自檢點以下至兩司馬，皆有職司名目。其制大抵分朝內、軍中、守土三途。朝內官如掌朝、掌率、尚書、僕射、承宣、侍衛、左右史之類，名目繁多，日新月異。軍中官為總制、監軍以下。凡攻城略地，常以國宗（當指丞相以上有爵者。）或丞相領軍。而練士卒，分隊伍，屯營結壘，接陣進師，皆責成軍帥。由監軍、總制上達於領兵大帥，以取決焉。守土官為郡總制，州、縣監軍，鄉軍帥、師帥、旅帥、卒長、兩司馬。凡地方獄訟錢糧，由軍帥、監軍區畫，而取成於總制，民事之重，皆得決之。自都金陵，分克府、廳、州、縣，即其地分軍，立軍帥以下各官，而統於監軍，鎮以總制。軍帥以下至兩司馬為鄉官，以其鄉人為之。軍帥兼理軍民之政，師帥以下，以次相承如軍制。又有女官、女兵。總計男、女官三十餘萬，女兵十萬。其行軍陣法有四：曰牽陣法、螃蟹陣、百鳥陣、伏地陣。又立水營，則未經訓練，不能作戰。蓋洪、楊初起，其治軍有規劃，有組織。及到達金陵，即已志驕氣盈，不能再有所改進，乃即以軍職為民司。又踞長江之險，而徒

仗掠奪民船，不再精練水軍。宜其致敗也。

在政治上亦有幾點比較純樸的理想，如天朝田畝制度等是。

天朝田畝制度，分田爲九等。各按家口多寡（不論男女。）以行分田。凡天下田，男女同耕，此處不足則遷彼處。凡天下田，豐荒相通，此處荒則移彼豐處，以賑此荒處，務使天下共享天父上主皇上帝大福。有田同耕，有飯同食，有衣同穿，有錢同使。無處不均勻，無人不飽暖。凡當收成時，兩司馬督伍長除足其二十五家每人所食，可接新穀外，餘則歸國庫，凡麥、豆、麻、布、帛、雞、犬各物及銀、錢亦然。蓋天下皆是天父上主皇上帝一大家，天下人人不受私物，物歸上主，則主有所運用，處處平勻，人人飽暖矣。凡天下每一人有妻、子、女約三、四口，或五、六、七、八、九口，則出一人爲兵。其餘鰥、寡、孤、獨、廢疾免役，頒國庫以養。二十五家中設國庫一，禮拜堂一，兩司馬居之。凡二十五家中所有婚娶、彌月喜事，俱用國庫。但有限式，不得多用一錢，通天下皆一式。凡二十五家中陶、冶、木、石等匠，俱用伍長及伍卒爲之，農隙治事。凡其二十五家中童子，俱日至禮拜堂，兩司馬教讀聖書。凡禮拜日，伍長各率男、婦至禮拜堂，分別男行、女行，講聽道理，頂讚祭奠天父上主皇上帝焉。爭訟則兩造俱訴於兩司馬，不服更訴之卒長，以次達於軍帥。凡天下官民總遵十款天條，及盡忠報國者，由卑陞至高，世世官爵。或違

犯十款天條，及逆命令受賄弄弊者，由高貶至卑，黜爲農。凡天下每歲一舉，以補諸官之缺。凡天下諸官，三歲一陞黜，以示天朝之公。保舉之法，先由伍卒之中，查其遵守條命及力農者，兩司馬申之卒長，以次經歷各上司以達於天王。

他們並禁纏足，禁買賣奴婢，禁娼妓，禁畜妾，禁吸鴉片。他們有一部分確是代表著農民素樸的要求。

然而一到南京，距離事業的成功尚遠，而內部便禁不住內訌起來。

南王馮雲山死於全州，西王蕭朝貴死於長沙。抵南京後，大權均操於東王楊秀清，專擅甚過。北王韋昌輝、翼王石達開同謀殺秀清。初議殺東王一人，乃北王盡殺東王統下親戚、屬員，文武、大小、男婦，盡行殺淨。翼王怒之，復殺北王。洪秀全乃專用安、福二王。安王乃秀全長兄洪仁發，福王乃秀全次兄洪仁達。自此衆情離叛，翼王一去不返。時爲咸豐二年事。洪、楊之敗，已定於此時。

他們前後倡亂十五年，踞金陵十二年，蹂躪及十六省，淪陷六百餘城。然而到底沒有成事。

三　湘淮軍與咸同中興

削平洪、楊的，並不是滿清政府及其朝臣，洪、楊初起不過二千人，廣西一省額兵即二萬三千，又土兵一萬四千，乃不能蕩平，任其外潰。直至金陵，所過各省，無能阻者。而是另外一批讀書人和農民。

洪、楊起事以前，漢人皆不得專閫寄。「鴉片」之役，能卻敵者皆漢人，辱國者皆旗籍，然猶譴漢臣之立功者以袒旗員。西人固無意於戰，旗員以利啖之即止。太平軍則與清不兩立，不用漢臣無可收拾。金陵既下，曾國藩仍推官文領銜奏捷。蓋夙知朝廷意旨，不敢以漢臣自居大功也。

洪、楊的耶教宣傳，並非真耶教。激動了一輩傳統的讀書人之反感。洪、楊的騷擾政策，惹起了一輩安居樂業的農民之敵意。曾國藩的湘軍即由此而起。

曾國藩世世業農，以在籍母喪。侍郎幫辦團練。自咸豐二年十二月始，至四年出師湖北。有討賊檄，謂：「粵匪自處於安富尊榮，而視我兩湖、三江被脅之人，曾犬豕牛馬之不若。竊外夷之緒，崇天主之教。農不能自耕以納賦，謂田皆天主之田也。商不能自賈以納息，謂貨皆天主之貨也。

士不能誦孔子之經，而別有所謂耶穌之説、新約之書，乃開闢以來名教之大變。凡讀書識字者，焉能袖手坐觀，不思一爲之所也。」又曰：「李自成至曲阜不犯聖廟。張獻忠至梓潼亦祭文昌。粵匪焚柳州之學官，毀宣聖之木主。所過州、縣，先毀廟宇。忠臣義士如關帝、岳王之凜凜，亦汚其宮室，殘其身首。」相傳太平軍圍長沙，左宗棠謁見天王，獻攻守建國之策，並勸天王棄天主耶穌，專崇儒教。天王不能用，左遂逃去，爲後來削平洪、楊之重要人物。如羅澤南、彭玉麟等，皆激動於民族文化禮教之保全，以及社會民生秩序之自衛，而奮起殺賊。彼輩不私財，不受朝廷官祿，以書生督領鄉民，自衛地方，而漸次推及於近鄰，乃一躍而爲削平洪、楊之惟一勢力。湘軍與粵軍（即洪、楊。）同樣抱有一種民族觀念。粵軍的缺點，在於沒有注意到民族文化傳統勢力之重要，只圖激起革命；甚至對於傳統文化加以過分的蔑棄，一切目之爲妖，而別擁僞造的天父天兄，讀聖書，做禮拜。此與滿洲入關薙髮令，一在外面，一入內裏，同樣對於真受民族文化之薰陶者爲一種難堪之損傷。但湘軍諸帥，雖自謂受有傳統文化之澆培，以保護民族文化自任，而他們對於民族大義，亦早已喪失。晚明顧（亭林。）、王（船山。）、黄（梨洲。）、呂（晚村。）諸儒之議論，早已爲狹義的部族政權所摧殘而泯滅。湘軍諸帥寄託在異族政權的卵翼下來談民族文化之保存與發皇，豈異夢寐！因此一方面（粵軍。）只注意到民族政權之爭取，一方面（湘軍。）只注意在民族文化之保全。他們都不知一個民族的文化與政權之不可分離，而結果乃演出同族相殘之慘劇。

粵軍的領導人，對於本國文化，既少瞭解；對於外來文化，亦無領略。他們的力量，一時或夠推翻滿清政權，而不能搖撼中國社會所固有的道德信仰以及風俗習慣。這是洪、楊失敗最主要的原因。就此點論，洪、楊之天父、天兄等等愚民政策，與八卦教、天理教等，還是一鼻孔出氣。而且洪、楊最先用以愚民的旗幟，他們並未悟到早已向全民族傳統文化樹敵；而他們軍事上的實際活動，卻又並沒有一個預定的全盤計劃。

李秀成供狀云：「天王攻長沙未下，欲由益陽靠洞庭湖邊到常德，欲取湖南為家。到益陽，忽搶到民舟數千，改作順流而下。到南京後，天王與東王欲分兵鎮守江南，而取河南為業。後有一駕東王坐船之湖南水手大聲揚言，親稟東王，不可往河南。云：『河南水小而無糧，敵困不能救解。今得江南，有長江之險，又有舟隻萬千，南京城高水深，尚不之都，而往河南，何也？』後東王復想見這老水手之言，故而未往。」據此，粵軍其先本未有直搗幽燕之計劃，只欲在湖南謀一窠穴。因得舟船之利，遂沿洞庭直下長江而到南京。其所以建都南京不北上者，亦因在長江有舟船利用，故不欲捨之北去也。但又不從此積極訓練水軍。

湘軍則雖係地方團練，而一起即有蕩平天下之整個準備。

曾國藩在咸豐二年奉諭幫同辦理本省團練，而咸豐三年，郭嵩燾、江忠源即議用戰船肅清江面，遂定湘軍興水師、造戰船之計劃。明年，咸豐四年，靖港戰敗，又重整水師，克武漢，順流東下。是年，水師挫於湖口，截分內湖外江，不得合併。直至咸豐七年克湖口，內湖外江水師始復合。此後湘軍所以能控制長江，直下南京者，憑水師舟船之力爲大。

其用兵次第，亦始終牢守一個計劃，按步推進。

曾國藩於咸豐三年奉諭酌帶練勇馳赴湖北。嗣皖事日棘，又奉諭趕辦船隻，自洞庭駛入大江順流東下，與江忠源會戰皖賊。咸豐四年，水師挫於湖口。五年，羅澤南回援武昌。六年，羅澤南卒。七年，曾丁憂回籍。湘軍克復湖口。八年五月，曾奉諭令馳驛前往浙江辦理軍務。七月抵九江、南昌，途次奉諭，即以援浙之師，移剿閩省各匪。十月，李續賓敗於三河鎮。十一月，又奉諭移軍赴皖，著斟酌具奏。九年（是年作聖哲畫像記。）六月，奉諭著即前赴四川夔州扼守。八月行抵黃州，奉諭飭緩赴川，暫駐湖北，爲進剿皖省之計。十年十月，奉諭著統籌全局，保衞蘇、常。又奉諭，迅速馳往江蘇，署理兩江總督。六月，奉諭補授兩江總督，並授爲欽差大臣督辦江南軍務。十一年，克復安慶。是年，胡林翼卒。十月，奉諭統轄江蘇、安徽、江西三省並浙江全省軍務。左宗棠援浙。同治元年，李鴻章赴滬。三年，克復金陵。此數年間，清廷雖知曾國藩才力可依，然並

不曾想以削平洪、楊事業全付湘軍之仔肩。忽而令之援浙，忽而令之援閩。忽而令之入川，又忽而令之赴蘇。若使曾國藩遵從清廷意旨，必致一事無成，全局失敗而止。惟曾之意中，早有一整個討平洪、楊之腹本。因此清廷命令，彼必宛轉因應，令其與自己計劃相應而止。其前鋒則由九江逐步推進而至安慶，其後部則由湖南逐步推進而至武漢。穩紮穩打，一面應付洪、楊，一面應付清廷。又一面則團結共事之人才，如駱秉章、胡林翼等。直至咸豐十年，有統籌全局之旨，始稍得舒展。然當時朝意命其馳往江蘇，江、浙地方乞援者，又連翩而來。而曾之步驟，依然不變。直至同治元年，始發出浙、蘇援師。先後十三年，雖兵事利鈍，瞬息千變，而進退計劃，前後一貫。反觀洪、楊，自三王內鬨以後，石達開遠行，內部即少可仗之才。李秀成、陳玉成僅爲戰將，雖東西馳突，不無一逞之威，然中樞不能發蹤指示，閫外不能利害專斷，狼奔豕突，漫無把握。兩兩相較，成敗自判矣。

曾國藩雖在軍中，隱然以一身任天下之重。網羅人才，提唱風氣，注意學術文化，而幕府賓僚之盛，冠絕一時。薛福成有湘鄉幕府賓僚記。

其時滿臣如賽尚阿、訥爾經額，既先後以欽差大臣失律被譴。文慶爲大學士直樞廷，屢請破除

滿、漢畛域，用人不拘資地。曾國藩初以擊賊失利，謗議紛起，文慶獨主宜專任討賊。胡林翼以貴州道員留帶楚勇，以國藩薦拔，一歲間擢湖北巡撫。袁甲三督師淮上，駱秉章巡撫湖南，文慶薦其才，請勿他調。時軍事方殷，迭飭疆吏及各路統兵大臣，奏舉將才。林翼舉左宗棠，予四品京堂，襄辦國藩軍務。沈葆楨、劉蓉、張運蘭，命國藩、林翼調遣。他如塔齊布、羅澤南、李續賓、李續宜、彭玉麟、楊岳斌等，俱以末弁或諸生，拔自戎行。當時稱曾、胡知人善任，薦賢滿天下。曾、胡之得自由薦擢人才，實爲湘軍成功又一因。

至於洪、楊，自東、北、翼三王内鬨以後，天王惟用兄弟、戚屬爲親信。

李秀成供狀：「主上因東、北、翼三王弄怕，未肯信外臣，專信同姓之臣。重用者：第一、幼西王蕭省和。第二、王長兄洪仁發，王次兄洪仁達。第三、干王洪仁玕。第四、駙馬鍾姓、黄姓。第五、英王陳玉成。第六方是秀成也。」

文治制度方面，在南京十二年，可算絕没有些微上軌道的建設。亦不能搜羅原來團體以外之人才。如錢江、王韜等，氣局遠不能與左、李、羅、彭相比擬，然粵軍並此不能用。卻妄想以天父、天兄之欺妄深山愚民者，欺盡天下。

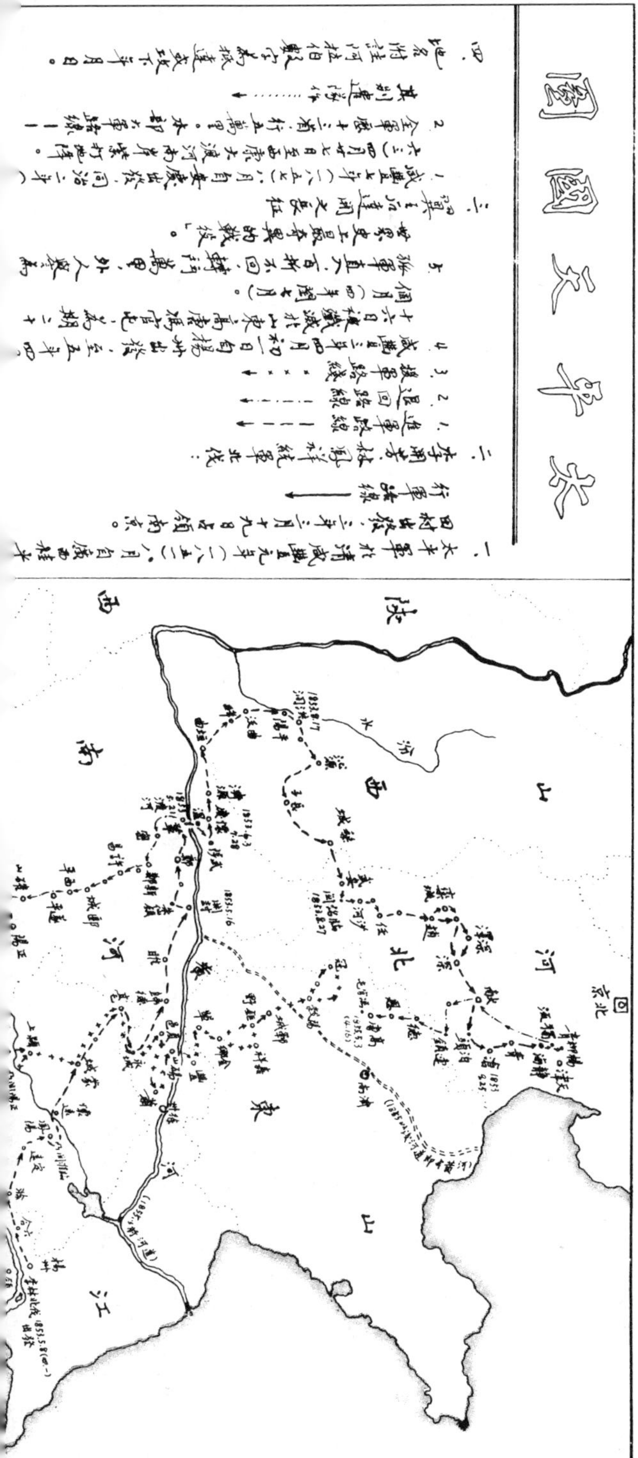
太平天國圖
一、太平軍於清咸豐元年（一八五一）八月自廣西桂平田村出發，三年三月十九日占領南京。
行軍路線
二、李開芳、林鳳祥統軍北伐：
1. 進軍路線
2. 退回路線
3. 援軍路綫
4. 咸豐三年四月初一日自揚州出發，
十六日被殲滅於山東高唐馮官屯，為期二十
個月（四年閏七月）。
5. 孤軍直入，百折不回，轉戰萬里，外人驚為
世界史上最奇異的戰役。
三、翼王石達開之長征
1. 咸豐七年（一八五七）八月自安慶出發，同治二年
六三）四月廿七日至西康大渡河南岸紫打地降。
2. 全軍歷十三省，行五萬里。本部大軍路線
其別遣隊作
四、地名附註阿拉伯數字為抵達或攻下年月日。
北京
山西
河北
山東
河南
陝西
江
汾水
天津
靜海
滄
獻
深
深澤
欒城
趙
任
沙河
臨洺關
武安
涉縣
黎城
長子
沁源
洪洞
平陽
曲沃
垣曲
濟源
懷慶
溫
汜水
鞏
鄭
朱仙鎮
中牟
許昌
郾城
西平
遂平
確山
正陽
歸德
亳
永城
蒙城
懷遠
鳳陽
定遠
滁
六合
揚州
蕭
豐
單
金鄉
鉅野
嘉祥
鄆城
陽穀
冠
南宮
高唐
德
恩
阜城
交河
泊頭
獨流
楊柳青
河
山
1853.5.16
1853.8.17
1853.8.27
1853.5.8
1853.9.25

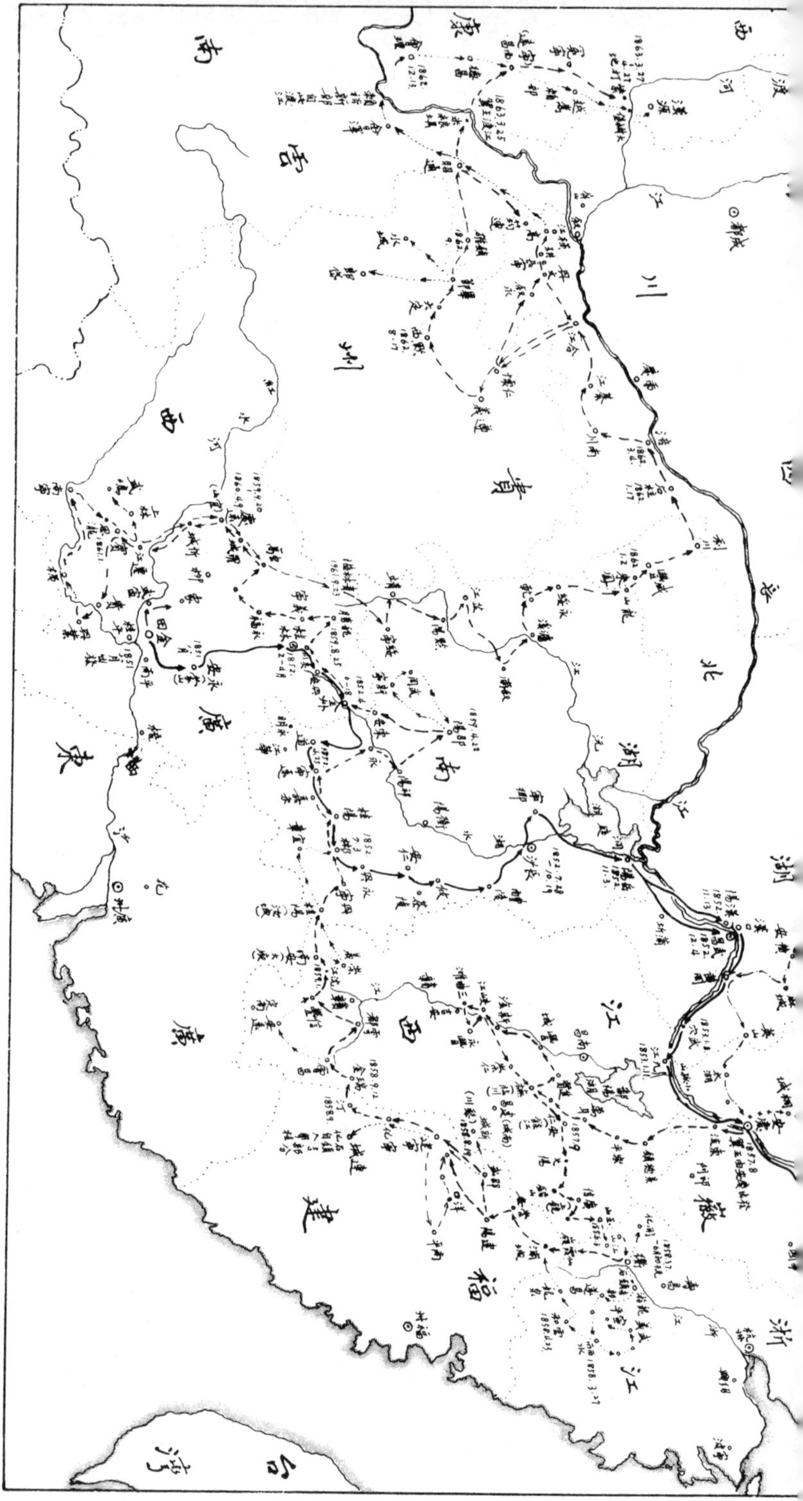
貴州
湖南
湖北
廣西
廣東
江西
福建
浙江

此層雖粵軍中將領亦各自知之。如李秀成供狀即再四提及此層，慨乎言之，謂：「主又不問國事，一味靠天，置軍務、政務於不問。」又曰：「不問軍情，一味靠天，別無多話。」又曰：「我主不問政事，只是教臣認實天情，自有升平之局。」又曰：「天王號爲天父、天兄、天王之國。此是天王之計，天上有此事，瞞及世人。天王之事，俱是那天話責人，我等爲其臣，不敢與駁，任其稱也。那天朝、天軍、天民、天官、天將、天兵等，皆算渠一人之兵，免我等稱爲我隊之兵。稱爲我隊我兵者，責曰：『爾有奸心。』恐人之佔其國，此實言也。何人敢稱我兵者，五馬分尸。」

如此何得不敗？

明太祖所以能成事，一因元朝不能用漢人，一因明太祖自己極開明，能用劉基、宋濂等像樣人物。洪秀全所以不成，一因清朝尚知利用漢人，不易推倒。一因自己太昏愚，始終不脫江湖草澤意味。因此他們雖揭舉了民族革命的大旗，終因領袖人物之不夠標格而不能成功。

東南洪、楊始平，西北捻、回又熾。清廷一無能力，依然仰賴於湘軍。

曾國藩於同治三年六月克復南京，十月，即奉諭：江寧已臻底平，即著酌帶所部，前赴皖、鄂交界，督兵勦捻。迅速前進，勿少延緩。十一月奉諭：曾國藩無庸前赴安慶，亦無須交卸督篆，仍

駐金陵，妥協調度。四年五月，奉諭令至淮、徐一帶，督率水陸援軍，相機勦賊。又奉諭即前赴山東一帶，督兵勦賊。兩江總督著李鴻章暫行署理，而命曾國藩節制直、魯、豫三省。五年，曾薦李自代。六年捻平。洪、楊憑長江之險，湘軍特練水師制之。捻以騎兵馳騁，曾又定爲長圍之法。自有此法，流寇亦失其作用。李以淮軍遵曾意制勝。甘、新回亂，則左宗棠平之。皆曾一系人物也。

曾、左、胡、李號稱同治中興功臣。然此等人物，僅能平亂，卻不能致治。

一因清政府種族觀念太深，不能推誠大用。

曾、胡皆以文慶主持於內，始得稍有展布。胡林翼爲湖北巡撫，委曲交驩於湖廣總督官文，始克盡其爲湘軍後方之職責。咸豐遺詔：「無論何人，克南京封郡王」，而曾國藩僅得封一等勇毅侯，曾國荃、李鴻章、左宗棠皆爲一等伯。南京於同治三年六月克復，十月即命曾國藩離守勦捻。此後曾即往返於兩江、直隸兩督任，未得爲中央官。清廷曾諭國藩保薦督、撫大員，國藩引嫌，謂：「宜防外重內輕之漸，兼杜植私樹黨之端。」洪、楊平，即亟亟謀遣散湘軍，以淮軍自代。曾、胡皆善處當時之變局，以自成其所欲達之目的。

二則因胡既早卒，曾、左諸人皆馳驅軍旅，效命疆埸，未得爲中央大吏，於朝政少可獻

替。

曾氏同治元年五月七日日記，詳論洋務，謂：「欲求自強之道，總以修政事、求賢才爲急務，以學作炸礮、學造輪舟等具爲下手工夫」云云。知曾氏並非專知有兵事，不知有民政者。曾氏對當時朝政極抱不滿，然方其在翰院爲部臣時，尚敢稍爲論列。其後出外操握軍權，因種種牽掣顧慮，對朝政即嘿不發言，一意以平亂爲主。逮平亂以後，畏讒避謗，急流勇退。遣散湘軍，以淮軍代之。平捻之任，交付與李鴻章。如江南製造局、譯學館及派遣留學生等，只就疆吏可辦者辦之，於朝政綱領，更無獻替。其幕府賓僚，亦極少爲清廷重用者。

因此軍事上雖足平亂，而吏治官方，依然腐敗。釀亂之源，依然存在。只爲社會元氣大損，一時再鼓不起亂來。

急病不死，變成慢病。而其病已成絕症，不可救藥。

第四十六章　除舊與開新 清代覆亡與民國創建

一　晚清之政象

清代狹義的部族政治，雖經所謂「咸同中興」，苟延殘喘，而終於不能維持。第一、是外患之紛乘。

自道光十八年以林則徐爲欽差大臣，查辦鴉片事務，至二十二年與英議和，訂南京條約，割香港，許五口通商，是謂「鴉片戰爭」，爲中國對外第一次之失敗。此後咸豐七年英、法同盟軍陷廣州，八年至天津，陷大沽礮臺。十年，再至天津，陷通州，入北京，燬圓明園，咸豐避難熱河，爲外兵侵入國都之第一次。光緒五年，日本滅琉球。六年，曾紀澤出使俄國，議改收還伊犁條約。八年，與俄定喀什噶爾東北界約。十年，中、法戰起，十一年議和，失安南。十二年，與英訂緬甸條約，失緬甸。十九年，英、法共謀暹邏，廢止入貢。二十年，中、日戰起，二十一年議

和，割臺灣，失朝鮮。二十三年，德佔膠州灣。二十四年，俄借旅順、大連，英租威海衛。二十五年，法佔廣州灣。二十六年，八國（英、俄、日、法、德、美、意、奧。）聯軍入北京，光緒避難西安。二十七年訂辛丑和約。二十九年，日、俄戰起，以我東三省爲戰場。三十一年與日訂滿洲協約。宣統二年，外蒙庫倫攜貳，日本併滅朝鮮。三年，英兵侵據片馬。

東西勢力初次接觸，中國昧於外情，因應失宜。

東西兩文化，其先本無直接之接觸。其始有直接接觸，已近在明清之際。其先中國文物由間接關係傳入歐西者，舉其尤要者言之，如養蠶法、（東漢蠶絲已入羅馬。南朝梁簡文帝大寶元年（西曆紀元五五〇年），波斯人始將中國蠶種傳至東羅馬都城君士坦丁。）造紙法、（當唐玄宗時，大食在西域獲得紙匠，因在撒馬爾罕設立紙廠，爲大食造紙之始。時歐邦皆用羊皮紙，大食專利數百年。於十二世紀，造紙法始入歐洲。）羅盤、（宋書禮志謂：「周公作指南車，經馬鈞、祖冲之以後，其法不傳。」至北宋又見於沈括之夢溪筆談（卷二十四）。歐人製磁針作航海用，始於西元一三〇二年，當元成宗大德六年，較沈括所記尚遲二百年。其法蓋由亞拉伯人傳入歐洲。）火藥、（中國古時即有火藥。據三朝北盟會編，北宋靖康時，宋、金交戰已用火砲。其後南宋虞允文造霹靂砲，以紙包石灰、硫磺。孝宗時，魏勝創砲車，火藥用硝石、硫磺、柳炭，爲近代火具之始。元順帝至正十四年（西元一三五四年），德人初造火藥。）印刷術，（雕版始於唐中葉。宋仁宗時，畢昇發明活版印書術。明英宗正統三年（西元一四三八年），德人始製活字版，後於我四百年。）皆有關近世文明者甚大。（歐邦學者謂元代中西交通，乃將彼土中古時期之黑雲一掃而淨。蒙古人屠殺之禍雖慘，亦殊可以警奮數世紀來衰頹之人心，而爲今日全歐復興之代價也。）至於彼中所流被於我者，則除景教、摩尼教等幾種宗教思想之稍稍傳布於民間以外，他固無得而稱焉。觀於馬可波羅所稱述，在我固平淡無奇，在彼至於驚詫莫信。其先中西兩大文化之成績，我固未見絀於彼也。晚近一、二世紀以來，彼乃突飛猛進，而我懵然不知。彼我

驟相接觸，彼好譏我爲自傲。夫一民族對其固有文化抱一種自傲之情，此乃文化民族之常態，彼我易地則皆然。且彼之來也，其先惟教士與商人；彼中教義非我所需，彼挾天算、輿地、博物之學以俱來，我納其天算、輿地、博物之學而拒其教義，此在我爲明不爲昧。彼不知我自有教義，乃以天主、天國相强聒，如其入非洲之蠻荒然，則固誰爲傲者耶？且傳教之與經商，自中國人視之，其性質遠不倫。經商惟利是圖，爲中國所素鄙，奈何以經商營利之族，忽傳上帝大義？中國人不之信，此情彼乃不知。抑商人以販鴉片營不規之姦利，教士籠絡我愚民以擾猾我之内政，此皆爲我所不能忍。而彼則以堅甲利礮壓之，又譏我爲排外，我何能服？且彼中勢力所到，亦復使人有不得不排拒之感。與彼中勢力相接觸而不知所以排拒者，是非洲之黑奴、美洲之紅人也。排外而得法者，如亞洲之日本，乃至彼歐之互自相排。知必有以排之而不得其法者，則爲中國。日本小邦淺演，内顧無所有，惕然知懼，急起直追，以效法彼之所爲。而我則爲自己傳統文化所縛，驟不易捨棄其自信。雖亦知外力當排，而終未有所以排之者。自我屢爲所敗，則强弱即成是非。然此特我衰世敝俗，一時因應之失宜。急起直追，所以孫中山先生有「頭彩藏在竹槓梢頭」之譬也。

主和主戰，翻覆無定。內則言官嘩呶，仗虛憍之氣，發爲不負責任之高論。外則疆吏復遇事粉飾，不以實情報政府。而内政腐敗，百孔千瘡，更說不上

對外。

第二、是內政之腐敗。

當時內政上，最感問題者，首爲財政之竭蹶。

清自乾隆中葉以後，貪黷奢侈之風盛張，各省積虧累累，財政已感支絀。經嘉慶川、楚教匪長期內亂，至道光而對外商業，漏卮日大。黃爵滋疏，道光十八年。謂：「近年銀價遞增，每銀一兩易制錢一千六百有零。非耗銀於內地，實漏銀於外洋。自鴉片流入中國，道光三年以前，粵省每歲漏銀數百萬兩；自道光三年至十一年，歲漏銀一千七百萬兩。十一年至十四年，歲漏銀二千餘萬兩。十四年至今，漸漏至三千萬之多。浙江、山東、天津各海口，合之亦數千萬兩。各省、州、縣地丁錢糧，徵錢爲多，及辦奏銷，以錢爲銀。前此多有贏餘，今則無不賠貼。各省鹽商賣鹽得錢，交課用銀。昔爭爲利藪者，今視爲畏途。」王慶雲咸豐即位奏：「鹽課歲額七百四十餘萬，實徵常不及五百萬。生齒日繁，而銷鹽日絀。南河之費，嘉慶時止一百餘萬，而邇來遞增至三百五十六萬。地丁歲歲請緩，鹽課處處絀銷，河工年年保險。入少出多，置之不問。」今按：此等情形，一方起於官場之腐敗中飽，一方亦由銀價日昂，錢價日跌，經濟狀態轉惡，生活程度提高所致。清廷之決心禁煙，亦由於此。厥後鴉片戰爭失敗，五口通商，漏卮益增。並歷次賠款，國庫益窘。

其次則爲官方之不振。

清自乾嘉以後，納貲之例大開，洎咸同而冗濫益甚。王凱泰同治十二年應詔陳言，首請「停捐例」。謂：「自捐俸減折，百餘金得佐雜，千餘金得正印，即道、府亦不過三、四千金。家非素豐，人思躁進。以本求利，其弊何可勝言？」其時有以洋行挑水夫而爲糧儲道者，見殷兆鏞疏。「捐納」外復有「勞績」一途。捐納有「遇缺儘先」花樣，勞績有「無論題選咨留遇缺即補」花樣。捐納官或非捐納官，於本班上輸資若干，俾班次較優，銓補加速，謂之「花樣」。而正途轉相形見絀。甲榜到部，往往十餘年不能補官，知縣遲滯尤甚。王凱泰應詔陳言第二項，曰「汰冗官」。謂：「捐納、軍功兩途，入官者衆，部寺額外司員，少者數十，多則數百。補缺無期。各省候補人員，較京中倍蓰。」按：雍正中，查嗣庭、汪景祺等論列時政，已言部員壅滯，有「十年不調，白首爲郎」之語。及乾隆間舉人知縣銓補，有遲至三十年者。廷臣屢言舉班壅滯，然每科中額千二百餘人，綜十年且二千餘人，銓官不過十之一。謀疏通之法，始定大挑制。六年一舉，三科以上舉人與焉。仕途之壅滯，爲自唐以來科舉制下必有之現象，何況又加之以納貲、勞績異途雜流之競進？疆吏既競務保舉，多請吏部停止分發。保舉大者有二途：一曰「軍功」，一曰「河工」。光緒二十年，御史張仲炘言：「山東河工保案，近年多至五、六百人。圖保者以山東爲捷徑，捐一縣丞、佐雜，不數月即正印矣。」此見保舉與捐納之狼狽相倚。其次復有「勸捐」。順天賑捐一案，保至千三百餘人。山東工賑，保至五百餘人。他省歲計亦不下千人。時吏部投供月多至四、五百人，分發亦三、四百人。吏途充斥無軌道至此，官方如何得振！

照當時的政象，絕對抵不住當時的外患，於是遂有當時之所謂「變法自強」。

二　晚清之變法自強

變法自強，本屬相因之兩事，非徹底變法不足自強。而當時人則往往並爲一談。所變只有關自強之法。

一則清廷以專制積威統治中國，已達二百年，在滿洲君臣眼光裡，祖法萬不可變。滿洲君臣之傾心變法，不過求保全滿洲部族之地位。今變法而先自削弱其地位，滿君臣雖愚不出此。

二則漢人在此專制積威政體下亦多逐次腐化。當時政府裡真讀書明理，懂得變法自强之需要與意義者亦少。

乾嘉樸學，既造成訓詁考據瑣碎無當大體之風尚；而道光朝科舉惟遵功令，嚴於疵累忌諱，一時風氣，更使學者專心於小楷點畫之間。此風肇於曹振鏞。曹歷事三朝，凡爲學政者三，典鄉、會試者各四，爲軍機大臣，殿廷御試必預校閱。没謚「文正」，蓋以循謹爲專制政體下之模範大臣也。自道光以來，科場規則亦壞，請託習爲故常。寒門才士爲之抑遏。咸豐八年，大學士柏葰以典順天鄉試舞弊罹大辟，科場法稍肅，然至光緒中又漸弛。當時所謂正途出身者，已乏通材，何論捐貲、勞績異途之紛紛！此輩本不知變法圖强爲何事，且變法無異先妨礙彼輩之地位與前途。彼輩既不能走上前面襄助成事，彼輩又將躲在後面掣肘壞事。張之洞、劉坤一會奏變法，論及用人，云：「承平用人，多計資格。時危用人，必取英俊。今之仕途，不必皆下劣，同一才具，依流平進者多騎牆，精力漸衰者憚改作，資序已深者恥下問。其所謂更事，不過痼習空文，於中外時局素未講求，安有閱歷？而迂談謬論，成見塞胸，不惟西法之長不能採取學步，即中法之弊，亦必不肯鋭意掃除。」此奏已在戊戌後，更可推想以前政界中狀況也。

在這一種政治的積習與氛圍中，根本説不到變法自强。縱有一、二真知灼見之士，他們的意見，亦浮現不到政治的上層來。郭嵩燾謂：「西人富强之業，誠不越礦務及汽輪舟車數者。然其致富强，固自有在。竊論富强者，秦、漢以來治平之盛軌，其源由政教修明，風俗純厚，百姓家給人足，以成國家磐石之基，而後富强可言也。豈有百姓困窮，而國家自求富强之理？今言富强者，一視爲國家本計，與百姓無與。官俗頽敝，盗賊肆行，水旱頻仍，官民交困，岌岌憂亂之不遑，而輕言富强，祇益其侵耗而已。」嵩燾以此告李鴻章，鴻章則曰：「西洋政教規

模，弟雖未至其地，留心諮訪考究，幾二十年。（此光緒三年語。）人才風氣之固結不解，積重難返，由於崇尚時文小楷誤之。」其實即以鴻章言，恐亦未能深切瞭解郭氏之意。晚清大臣能語此者惟曾國藩，曾氏已死，郭氏此等議論，索解人不得矣。

一時言富强者知有兵事，不知有民政；知有外交，不知有內治；知有朝廷，不知有國民；知有洋務，不知有國務。此梁啓超語。即僅就兵事、外交、洋務等而論，亦復反對之聲四起。文祥光緒二年疏：「能戰始能守，能守始能和，宜人人知之。今日之敵，非得其所長，斷難與抗，稍識時務者亦詎勿知？乃至緊要關鍵，意見頓相背。往往陳義甚高，鄙洋務爲不足言。抑或苟安爲計，覺和局之深可恃。是以歷來練兵、造船、習器、天文、算學諸事，每興一議而阻之者多，即就一事而爲之者非其實。至於無成，則不咎其阻撓之故，而責創議之人。甚至局外紛紛論説，以國家經營自立之計，而指爲敷衍洋人。所見之誤，竟至於此。」

在此情形下，遂使當時一些所謂關於自强的新事業之創興，無不遲之又遲而始出現。

舉其著者，如鐵路之興築，同治季年直督李鴻章已數陳其利，竟不果行。光緒初，英人築淞滬鐵路，購回燬廢。三年始有商建唐山至胥各莊鐵路八十里。六年，劉銘傳入覲，力言鐵路之利，李鴻章又力贊之，而江督劉坤一以影響民生釐稅爲言，臺官亦合疏反對，詔罷其議。十三年，始造津沽鐵路一百七十里。明年，李鴻章唱議自天津接造至通州，朝議駭然，張之洞乃創蘆漢幹路説爲調停。後又中輟，直至二十四年始再定議，三十二年全路始成。滬寧路始於二十九年，京奉路成於三十一年，津浦路成於宣統三年。又以輪船言之，江寧條約後，外輪得行駛海上。天津條約後，外輪得行駛長江。同治十一年，直督李鴻章建議設輪船招商局。十三年，又疏請，始定議。直至光緒十年，猶申明禁令，小輪不得擅入內河。十六年，有疏請各省試行小輪者，總署王大臣仍以爲不可。時江輪、海輪統名「大輪」。逮各水道外輪先後

行駛，華商小輪始弛禁。日本始有東京、橫濱鐵道在同治十一年，大阪商船會社設立在光緒十一年。又按：歐洲機械方面重要之發明，如瓦特始得蒸汽機專利權在乾隆三十四年，福爾登始造汽船在嘉慶十二年。第一道汽機鐵路之通車，在道光五年。利用汽力，爲歐洲近世文化最要一特點。若中國能在同治季年即切實仿行，先後最遠亦不能出百年之外也。其後法拉第發明發電機，在道光十一年，鄂圖氏發明內燃機，在光緒二年，而後近代機械之日新月異，變化益速。使天地爲之異形，人生爲之轉觀者，胥此一百數十年內事耳。中國則因有二百年來滿洲部族政權之橫梗作病，使之雖欲急起直追而不可得。其後則激盪益遠，於政治革命之後，繼之以文化革命、社會革命，於中國內部不斷掀起徹底震盪之波瀾，而歐洲之科學與機械，遂終無在中國社會安寧保養，徐徐生長成熟之機會。過激者乃益復推而遠之，希望於驅逼中國投入世界革命中求出路。不知社會愈動擾，則科學機械之發展愈受摧抑。而中國社會之所以趕不上近世文化之階段者，其惟一機括，只在科學機械方面之落後。道在邇而求之遠，歧途亡羊，此之謂也。

外患刻刻侵逼，政事遲遲不進，終於使當時人的目光，轉移到較基本的人才和教育問題上去。

三　晚清之廢科舉興學校

當時興學沿革，略可分爲兩期。自同治初年以迄光緒辛丑爲第一期，辛丑以後迄清末爲第二期。

首先創設之學校，大抵不外乎以養成繙譯而研究語言文字。與軍事而連帶及於機械製造。之人才爲主。

如京師同文館、始同治元年，初止教授各國語言文字，六年議於館內添設算學館，京僚謗讟繁興。上海廣方言館、始同治二年，以蘇撫李鴻章請。福建船政學校、始同治五

年，左宗棠督閩，創設船廠，並設隨廠學堂。十二年，沈葆楨陳選派學生分赴英、法學習。清季海軍將領多閩人，由此。天津水師學堂、（始光緒八年，北洋大臣李鴻章奏設。）天津武備學堂、（始光緒十一年，亦李鴻章奏設，規制略仿西國陸軍學堂。）廣東水陸師學堂、（始光緒十三年，粵督張之洞奏設。）湖北武備學堂、（始光緒二十一年，張之洞調任鄂督後奏設。）湖北自强學堂、（亦張之洞創設，初分方言、格致、算學、商務四門，其後專課方言。）陝西諸省格致實學書院（光緒二十一、二年間，各省學堂未能普設，多以變通整頓書院爲請，遂有各省格致實學書院。）等。可見當時人對於創建學校之旨趣。且此等學校，十九皆創於外省一、二督撫，非由中樞發動。

漸次乃有普通學校之創立，其目光亦稍稍擴大及於法政、經濟諸門。然要之仍不脱於爲一時之實用，而以學校爲附屬於政治之一機構。

光緒二十三年，盛宣懷始於上海創設南洋公學。先是（光緒二十一年。）盛爲津海關道，於天津創設頭、二等學堂。頭等學堂課程四年，分工程、電學、鑛務、機器、律例五門。二等學堂課程亦四年，遞升至頭等。南洋公學如津學制，分四院：曰師範，曰外、中、上院。外院爲附屬小學，上、中院即頭、二等學堂。課程大體分中文、英文兩部，注重法政、經濟。擇尤異者資送出洋。蓋以公學爲預備學校，而以外國大學爲究竟。中國學校之稍有系統雛形者始此。及光緒二十四年，始有國立京師大學堂之籌辦。庚子政變後，至二十七年，漸有復興學校之議。（首創議者山東督撫袁世凱。）二十八年，派張百熙爲管學大臣，奏設速成科，分仕學、師範二館。可見其時對學校觀念，仍認爲係政治上一種

附屬機關，所謂「學而優則仕」，仍脫不了一種科舉傳統思想也。師範教育亦為當時所重，不為官則為師，亦合於中國傳統舊習。學校生命，並非從一種對於學術真理向上探尋之根本精神中產生；其發動不在學術界自身，嚴格言之，當時已無所謂學術界。而在幾個官僚與政客；則宜乎其浮淺搖動，不能收宏深之效。因此晚清興學，在政治上，其效力不能與北宋時代之書院講學相比。在接收外來文化上，其成果亦不能與魏晉南北朝時代之佛學寺院相比。

其時進新式學校乃至於被派出洋的，其目的亦只為在政界乃至於社會上謀一職業、得一地位，因此近人譏之為「洋八股」與「洋翰林」。如是則最多僅能學習到別人家的一套方法與智識，而學習不到別人運用此方法以探求此智識之一段精神。因此近人又譏之為「智識之稗販」，以學校為「智識之拍賣場」。

在此情形下，乃發生學校與科舉之衝突。學校與科舉之衝突，正如科舉與捐班之衝突，以其同為一種政治上之出身故也。

光緒二十九年，張之洞與榮慶、張百熙會商學務，奏稱：「奉旨興辦學堂此所謂辛丑以後之辦學。兩年有餘，至今各省未能多設，以經費難籌。經費所以不能捐集，以科舉未停，天下士林謂朝廷之意並未專重學堂。科舉不變通裁減，人情不免觀望，紳富孰肯籌捐？按：晚清捐資興學者，如楊斯盛、葉澄衷、武訓之流，皆非紳富。朝廷以私唱，求國民以公應，豈可得耶？入學堂者，恃有科舉一途為退步，不肯專心嚮學，且不肯恪守學規。」就事理論，必須科

舉立時停罷，學堂辦法方有起色，經費方可設籌。光緒三十一年，袁世凱、張之洞會奏：「科舉一日不停，士人有徼幸得第之心。民間相率觀望，私立學堂絕少，擬請立罷科舉。」遂詔自丙午科始，停止各省鄉、會試及歲科試。尋諭各省學政，專司考校學堂事務。

隋、唐以來沿襲千餘年的科舉制度，終於廢絕，而以學校爲替代。

二十九年，張之洞等奏定章程：通儒院畢業，予以翰林升階，或分用較優官、外官。大學分科畢業，最優等作爲進士出身，用翰林院編修、檢討。優等、中等均作爲進士出身，分別用翰林院庶吉士、各部主事。大學預備科及各省高等學堂畢業，最優等作爲舉人，以內閣中書、知州用。優等、中等均作爲舉人，以中書科中書、部司務、知縣、通判用。

如是則學校再不能專以造就繙譯與軍事人才爲主。於是乃有「中學爲體，西學爲用」之理論出現。

梁啓超擬京師大學章程：光緒二十四年。「中國學人之大弊，治中學者則絕口不言西學，治西學者亦絕口不言中學。夫中學體也，西學用也，二者相需。不講義理，絕無根柢，則浮慕西學必無心得。前者各學堂之不能成就人才，其弊由此。」同時張之洞爲勸學篇，亦云：「中學爲內學，西學爲外

學：「中學治身心，西學應世事。」（外篇會通。又兩湖經心書院改照學堂辦法片亦云：「大指皆以中學爲體，西學爲用，既免迂陋無用之譏，亦杜離經畔道之弊。」）光緒定國是詔亦謂：「以聖賢義理之學植其根本，又須博采切於時務者，實力講求，以救迂謬空疏之弊。」

一個國家，絕非可以一切捨棄其原來歷史文化、政教淵源，而空言改革所能濟事。（況中國歷史悠久，文化深厚，已綿歷四、五千年，更無從一旦捨棄以爲自新之理。）則當時除卻「中學爲體，西學爲用」，亦更無比此再好的意見。惜乎當時已居學絕道喪之際，（根本就拿不出所謂「中學」來。）學術之培養與成熟，非短時間所能期望。學校教育之收效，因此不得不待之十年、二十年之後。而外患之侵逼日緊，內政之腐敗依然，一般人心再不能按捺，於是對全部政治徹底改革之要求蓬勃四起。（此即走上變法圖强之根本義。）

四　戊戌政變與辛亥革命

晚清全部政治徹底改革之運動，亦可分兩節。第一節是戊戌變法，第二節是辛亥革命。二者同爲對於當前政治要求一種全部徹底之改革。惟前者（戊戌變法。）尚容許清王室之存在。待清王室與滿洲部族以及一般舊官僚結合一氣，以阻礙此種改革之進行，於是乃有後者（辛亥革命。）續起，連清王室一并推翻。

戊戌變政，又稱「百日變政」。這一個變政的生命，前後只有九十八天。四月庚戌召見工部主事康有爲，命充總理各國事務衙門章京，至八月丁亥，皇太后復垂簾訓政。

這一個變政之失敗，第一原因，在於他們當時依靠皇帝爲變政之總發動，而這個皇帝，便根本不可靠。

光緒以四歲入宮，撫抱爲帝，屈服長養於那拉氏孝欽慈禧太后，同治帝之生母。光緒帝之母爲孝欽妹，以是得立。積威之下。長日跪起請安，守家人兒子禮惟謹，十六歲大婚，太后撤簾，然實權仍在其手。移海軍衙門費修建頤和園。戶部尚書閻敬銘節款千萬，備築京漢路，孝欽逼之辭職。太監李蓮英用事，海、陸軍將領丁汝昌、衞汝貴、葉志超皆拜門下，稱受業。時稱「海底魚雷」、「開花彈子」，皆以鐵滓、泥沙代火藥。滿洲親貴，乃至宮中宦寺，皆知有太后，不知有皇帝。光緒又體弱多病，易動感情，而機警、嚴毅皆不足。在內廷讀康有爲書如波蘭亡國記、突厥亡國記等，至於涕泗橫流。蓋一軟性富傷感而無經驗閱歷之青年，不足當旋乾轉坤之任。

第二原因，在於他們鼓動變法，一切超出政治常軌，而又並不是革命。

康有爲係一工部主事，命在總理各國事務衙門即外務部、外交部之前身。行走，無權無位。此係四月事。六月命康有爲督辦上海官報，康留京不出。而以軍機四章京七月命內閣候補侍讀楊銳、刑部候補主事劉光第、內閣候補中書林旭、江蘇候補知府譚嗣同，均賞加四品卿銜，在軍機章京上行走。有爲告德宗：「大臣守舊，當廣召小臣，破格擢用」，故有此命。居間傳遞消息。要以內面一個有虛位、無實權的皇帝，和外面一無名義、無權位的不相干人督辦上海官報的康

有爲。來指揮操縱全部政治之徹底改造，其事自不可能。

第三原因，由於一時政令太驟，主張「速變」、「全變」，而無一個按部就班切實推行之條理與方案。

梁啓超戊戌變政記新政詔書恭跋謂：「三月之間，所行新政，雖古之號稱哲王英君在位數十年者，其可記政績，尚不能及其一、二。」其實此等並非新政，更無所謂政績，僅是一紙詔書而已。時人或勸康有爲：「今科舉既廢，惟有盡力多設學校，逐求擴充，俟風氣漸變，再行一切新政。」有爲弟有溥與人書，亦謂：「伯兄（有爲）規模太廣，志氣太銳，包攬太多，同志太孤，舉行太大。但竭力廢八股，俾民智能開，則危崖上轉石，不患不能至地。今已如願，力勸伯兄宜速拂衣，以感激知遇不忍言去。」康謂：「列强瓜分，即在目前，此路如何來得及？」故康氏上皇帝書謂：「守舊不可，必當變法。緩變不可，必當速變。小變不可，必當全變。」速變、全變，惟有革命。宋神宗、王荊公在熙寧時，尚不能速變、全變，清德宗之强毅有力遠不如宋神宗，康有爲之位望資歷遠不如王荊公，如何能速變、全變？康氏所以主張速變、全變者，以謂非此不足救亡。此等意見，亦仍與數十年前人一色。從前是衹爲自强而變法，現在則只就救亡而變法，均是將變法降成一個手段，沒有能分清觀點，就變法之本源處逐步走上軌道。「若不變法，則亡國滅種之禍迫在眉睫」，此等語用以聳人聽聞，亦有流弊。若自己真抱此等感覺，則日暮途窮，倒行逆施，斷不能從容中道，變出一個規模來。正如百孔千瘡，內病未去，而遽希富强，其不能走上切實穩健之路，一也。此等意見，不外兩病：一則正面對於當時所以必需變法之本原理論並無深切認識，又一則對於外面國際形勢亦復觀察不清。郭嵩燾已言：「西人以通商爲義，本無仇害中國之心。五、六十年來，樞府

諸公，不一研求事理，考覽人才，懸一『防堵』之名，莫辨其緩急輕重，一責以防勦。虛求之而虛應之。一轉盼間，又懸一『富强』之名，索之杳茫冥昧之中，以意揣其然。」郭氏之言是矣。不謂再一轉盼間，「富强」之名又一變為「救亡」。昔之岌岌然謀富强者，今乃岌岌然曰救危亡。而於郭氏所謂「行之有本，積之有基」者，要之皆不理會也。時（戊戌秋）嚴復以召對稱旨，退草萬言書，略謂：「中國積弱，由於內治者十之七，由於外患者十之三。而天下洶洶，若專以外患為急，此所謂目論也。今日各國之勢，與古之戰國異。古之戰國務兼并，今之各國謹平權。百年以降，船械日新，軍興日費，量長校短，其各謀於攻守之術亦日精。兩軍交綏，雖至强之國，無萬全之算。勝負或異，死喪皆多。難端既構，累世相仇。是以各國重之。使中國一旦自强，則彼將隱銷其侮奪覬覦之心，而所求於我者，不過通商之利而已。是以徒以外患而論，則今之為治，尚易於古叔、季之世。易為而不能為，其故由於內治不修，積重難反。外患雖急，尚非吾病本之所在。大抵立國建羣之道，一統無外之世，則以久安長治為要圖；分民分土、地醜德齊之時，則以富國强兵為切計。顧富强必待民之智勇，而民之智勇，又必待有所爭競磨礱而後日進。今西國以舟車之利，闖然而破中國數千年一統之局。且挾其千有餘年所爭競磨礱而得之智勇富强，以與我相角。使中國之民，一如西國，則見國勢傾危，方且相率自為，不必驚擾倉皇，而次第設施，自將有以救正。顧中國之民有所不能。民既不克自為，其事非倡之於上不可。然今日相時審勢，而思有所變革，則一行變甲，當先變乙；及思變乙，又宜變丙。設但支節為之，則不特徒勞無功，且所變不能久立。又況興作多端，動靡財力，使為而寡效，積久必致不支。」其言為大臣所嫉，格不達。大抵當時變法，牽一髮，動全身。苟求全變，勢不能速。若使有統籌全局之君、相，慎思密慮，徐以圖之，庶乎有濟。而清室諸帝，自咸豐以下皆非其人。咸豐二十歲即位，三十一歲卒。同治八歲即位，二十一歲卒。光緒四歲即位，三十七歲卒。宣統三歲即位，六歲遜國。即以年齡言，皆不足擔此重任。同治時，東（同治之嫡母）西（同治之生母）太后垂簾聽政，繼續至光緒時。母后臨朝，更難濟此危局。以大臣言，智慮氣魄足以勝者惟一曾國藩，既已老於兵旅封疆，未能對整個政局一展其抱負。李鴻章繼曾而起，智局氣量已不如曾，清廷亦從未用之中樞，使有一統籌全局之機會。同、光以來，世稱軍機權重，然特領班王、大臣主其事，次者僅乃得參機務。樞臣入對，席次有定。後列者非特詢不得越言。後葉領以尊親，勢尤禁格。然則曾、李縱入中央，仍不能有略展經綸之希望。相傳李歷聘歐洲，見德相俾斯麥，叩之曰：「為大臣者，欲為國家有所盡力，而廷臣羣掣其肘，欲行其志，其道何由？」俾斯麥告以：「首在得君，得君既專，何事不可為？」李曰：「苟其君惑於衆口，居樞要、侍近習者，假威福而挾持大局，則如之何？」俾氏良久曰：「大臣以至誠憂國，度未有不能格君心者。惟與婦人女子共事，則無如何矣。」李默然。此可見當時李鴻章之苦悶也。事勢推盪，遂使康有為以一局外之人，而來發動整個政局之改革，其事固必失敗。然就晚清全部歷史進程而論，康氏此舉，不啻即為一種在野對於在朝之革命，戊戌政變乃

成爲辛亥革命之前驅。前後相隔，亦不過十三年之時間而已。光緒三十三年，于式枚奉命出使德國，充考察大臣。瀕行疏言：「日本維新之初，即宣言立憲之意。後十四年始發布開設國會之勅諭，二十年乃頒行憲法。蓋預備詳密遲慎如此。今橫議者自謂國民，聚衆者輒云團體。數年之中，內治外交，用人行政，皆有干預之想。豈容欲速等於取償，求治同於論價。」于氏此論，爲政局常態而言，未嘗不是，然其時清廷絕不足以言此。在上者圖變愈遲，在下者求變愈速。要求立憲之後一幕，自應爲革命爆發也。

第四原因，由於當時政治上舊勢力尚相當濃厚，足以阻礙革新運動之進展。

滿洲親貴，與一輩舊官僚，依附於皇太后之下，而將皇帝之革新事業，全部推翻。政局驟變，不過一轉瞬之間而已。其時新黨諸人，謀欲劫脅太后，擁護皇帝親政。此等舉動，在當時情勢下，絕無成功希望。文悌告康有爲，謂：「勿徒欲保中國，而置我大清於度外。」是時滿人反對變法之意態極鮮明。凡於變法下將失其地位之漢人，以及可以於反對變法下高升其地位之野心者，均依附於滿族政權之下。康等過激之態度，亦不爲一輩中和者所同情。然反動勢力之抬頭，皇帝被幽，康、梁逃亡海外，戊戌六君子同日就戮，此等心理上之刺激，卻更催滿洲政權之覆滅與革命之崛起。

緊隨著戊戌政變而來者，爲庚子拳亂。

洪亮吉嘉慶四年上書，謂：「士大夫皆不務名節。幸有矯矯自好者，類皆惑於因果，遁入虛無，以蔬食爲家規，以談禪爲國政。一、二人倡於前，千、百人和於後。甚有出則官服，入則僧衣，惑衆驚愚，駭人觀聽。亮吉前在內廷，執事曾告之曰：『某等親王十人，施齋戒殺者已十居六、七。

羊、豕、鵝、鴨皆不入門。』及此回入都，而士大夫持齋戒殺，又十居六、七矣。深恐西晉祖尚元虛之習，復見於今。」蓋清自乾嘉以下，世道日壞，學者惟有訓詁考據，不足以安心託命，禮樂已衰，方術將興。乃轉而逃於此。曾國藩在軍中，爲聖哲畫像記，末附長論，亦爲此種風氣發也。下之則爲天理教、八卦教、白蓮教、紅燈教、上帝會之此仆彼起，上之則有朝廷親貴大臣，倚信拳民以排外，而釀成庚子之禍。清代士大夫研佛學，其事亦起於乾、嘉之際。直至清末，即如康有爲、譚嗣同輩，皆讀佛書。此雖異於洪、曾所指摘，要之爲一種風氣下演變而來，足以說明清中葉以下思想界之空虛徬徨與不安寧也。

庚子拳亂，雖挾有不少可笑的迷信，然其爲中國上下不能忍受外侮壓迫之情感上之爆發則一。所以繼續於辛丑和議以下的，還是國內一片變法維新的呼聲。然而滿洲狹義的部族政權，還想掙扎其固有之地位。所以他們歡迎拳民而排拒新政。拳民排外不變法，於他們地位有利無害。

庚子、辛丑以後，國家危機日益暴露，而滿洲部族政權之意識，亦日益鮮明。因知國政已到不得不變之時，而一變則滿洲部族政治已往之地位，必先搖動也。於是滿洲貴族，遂蓄意造成一排漢之中央集權。光緒三十二年之內閣，滿七人，蒙一人，漢軍旗一人，漢四人。剛毅有言：「漢人强，滿洲亡。漢人疲，滿洲肥。」滿族當時狹隘的部族觀念，既自促其政權之崩潰，亦於國家前途，有莫大之損害也。及清德宗與慈禧太后同日逝世，溥儀即位，醇親王載灃溥儀父。爲攝政王監國，袁世凱被逐。李鴻章卒，以直隸總督及兼北洋大臣席薦袁，袁已隱然爲當時漢大臣之領袖矣。載灃自統禁衛軍，而以其弟載洵主海軍、載濤爲軍諮大臣。即參謀大臣也。相傳載灃辛丑議和赴德謝罪，德親王亨利告之曰：「攬握兵權，整頓武備，爲皇族集權之第一著。」辛亥三月，新內閣成立，滿人九，內皇族五人，漢人四，滿、漢畛域益顯。

在狹義的部族政治下，乃惟有革命爆發之一路。

五　辛亥革命以後之政局

辛亥革命之爆發，這是告訴我們，當時的中國，由政治領導改進社會之希望已斷絕，此乃文祥、曾國藩、李鴻章、光緒帝、康有爲諸人所想望者。不得不轉由社會領導來改進政治。前者犧牲較少，進趨較易；此即日本明治維新所取之路徑。後者則犧牲大而進趨難。然而爲兩百多年滿洲狹義的部族政權所橫梗，當時的中國，乃不得不出此途。

辛亥革命爆發，滿洲王室退位，一面是狹義的部族政權已解體；然在此政權下所長養遺留的種種惡勢力，卻因舊政權之解體而潰決，有待於逐步收拾與逐步清滌。另一面則社會民衆的力量，雖則已夠有推翻舊政權之表現；而對於創建另一種理想的新政權之努力，則尚有待於逐步試驗與逐步磨練。因此辛亥革命只是中國民衆一種新的艱苦工作之開始，而非其完成。

舊政權解體後緊接著的現象，便是舊的黑暗腐敗勢力之轉見抬頭，而新力量無法加以統制。袁世凱誤認此種狀態之意義而帝制自爲，康有爲又誤認此種狀態之意義而參加復辟。

政局在此幾度動盪中益增其阢隉，而舊的黑暗腐敗勢力益見猖獗。

此種舊的黑暗腐敗勢力之活動，大率以各省的軍權割據爲因依。

辛亥以後的各省軍權割據，遠則導源於元、明以來行省制度之流弊。

行省制度起於元，而明、清承襲之。此項制度之用意，在利於中央之管轄地方，而並不爲地方政治之利於推進。若使地方政治能活潑推進，各地俱得欣欣向榮，則中國自來文化傳統，本爲一大一統的國家，各地方決無生心離叛中央而不樂於推戴之理。故漢、唐盛時，皆無防制地方，存心集權中央之政策。漢末之州牧，乃在東漢王室已臻腐爛之後；而唐之藩鎮，則起於唐政府無限度之武力對外；皆非地方勢力無端反抗中央。宋代懲於唐末藩鎮割據之禍，乃始刻意集權中央。然行省制度則尚與中央集權不同。行省制實近似於一種變相的封建，乃是一種分權統御制也。元人所謂「行中書省」，即是活動的中書省，即中樞政權之流動分布。其意惟恐一個中央政權不足控馭此廣土衆民，乃專爲蒙古狹義的部族政權而設此制度。明人不能徹底蕩滌，明太祖廢行中書省，而以布政使爲各地行政長官，較元制遠爲合理。惟惜行政區域之劃分仍依元舊，而其後復有巡撫、總督凌駕於布政使之上。清代則有意利用。故明代督、撫尚非常設之官，而清則各行省必設督、撫，而大體又必使滿族任之。故行省長官乃地方官之臨制者，而非地方官之領袖與代表。明、清總督、巡撫皆帶「都御史」銜，以此。名義上雖以布政使爲行省長官，而實際則權在督、撫。同時此等長官，皆偏重於軍事統治之性質。故其名官曰「總督」、「巡撫」。此種制度在平時足以障礙地方政事之推進，而增加

地方與中央之隔閡；而待一旦中央政權削弱，各行省轉易成為反抗中央，分區割據之憑藉。

近則導源於洪、楊以後各省督、撫離心態度之演進。

清代督、撫權任本重。洪、楊之亂，滿人為外省督、撫者，皆無力蕩平，於是不得不姑分一部分督、撫之權位與漢人。自是以來，外省督、撫，漸與中央異趨。晚清中國各地之略略有新政端倪者，胥由一、二漢人為督、撫者主張之。庚子之變，東南各督、撫不奉朝命，相約保疆，超然事外；辛亥革命，各省宣佈獨立；皆此種離心態度之繼續演進也。

於是由清末督、撫之變相，而有民國初年之督軍。

舊中央既倒覆，新中央又搖動，經過帝制、復辟兩事變，此輩乃生心割據。各地軍閥，紛紛四起。歷史無必然之事變，若使袁世凱能忠心民國，中央政權漸臻穩定，則此等事態，亦可不起。其時全國各地軍隊之多，至少當踰二百萬以上。

光緒中葉，各省綠營、清末存額尚四十六萬二千三百八十二名。防軍光緒二十四年各省防軍、練軍總三十六萬餘人。兵額七十七萬，時已有以饟巨主裁減者。民國以來之軍隊，至少當超過清末三倍。

不斷的兵變與內亂，遂為民國以來惟一最常見之事態。

或人統計民國十一年以前各地兵變，共達一百七十九次。分年計之：元年二十八次，二年四次，三年十三次，四年三次，五年二十四次，六年十七次，七年八次，八年七次，九年十九次，十年十一次，十一年四十五次。以省區分之：直隸九次，奉天三次，吉林四次，黑龍江六次，山東十五次，河南二十次，江蘇十次，安徽十四次，江西十一次，湖北二十七次，湖南十一次，福建十六次，廣東八次，廣西一次，雲南二次，貴州一次，四川五次，陝西五次，甘肅、新疆各一次，山西五次，京兆四次，綏遠四次，川邊二次，察哈爾一次，阿爾泰一次，惟浙江獨無。然自民十三年齊盧戰後，浙江亦非乾淨土。又民國二十一年十一月，路透通訊員謂：「四川自民國以來，今方爲第四百六十七次之戰爭。」

而此輩軍閥之私生活，尤屬不堪言狀。有一人而納姬妾四、五十人之多者。其私產業大抵無可訾省。其相與間關於軍事、政治問題之商決，皆於鴉片煙、麻雀牌之集合中進行之。因此非能沉酣於此種嫖賭生活之中者，即無法與彼輩相接觸。於是無論彼輩之自方乃至對方，官場習氣之腐敗，乃較遜清猶遠過。

其時則全國無所謂中央，政治無所謂軌道，用人無所謂標準，各省地方官吏皆由各省自派，中央不能過問。馬弁、流氓皆踞民上。財務無所謂公私。專就政治情態之腐敗黑暗而論，唐末、五代殆不過是。所異者社會情形較不同。民生極度憔悴之下，田租預徵至數十年之外，附加稅名目至百餘種之多。惟有轉以從軍爲出路。軍閥皆可以借外債，買軍火，而農民革命爲不可能。爲掃蕩此種軍閥，與此種軍閥之相互噬搏。而國家民族之元氣大傷。代表舊政權之最後惡態者，爲此輩軍閥之腐化與惡化。而代表新政權之最先雛形者，則爲

議會與政黨之紛擾。

革命後之政治理論，厥爲民主共和。於是創設國會，用以代表民意，制定憲法。又組織政黨以爲議員競選之準備。然此等皆鈔襲歐美成法，於國內實情不合，因此不能真實運用。各黨黨綱，既無大差別，實則當國難嚴重，變動激劇之際，根本上便不能有兩套顯然相異的黨綱。又各黨背後皆無民衆爲之基礎。中國政制，本求政府領導民衆，不能遽覬民衆操縱政府。清政府以不能盡領導民衆之使命而推翻，而民國以來之政治理論，忽變爲民衆指導政府。於是政府躲卸其責任，民意亦無法表現，而變成兩頭落空。政黨既不能有真實之精神，國會與憲法徒爲相聚而鬨之題目與場合。

當時的政黨，似乎誤認分黨相爭爲政治上最高的景象。其時殆不知所謂和衷共濟與舉國一致。分黨相爭的勝負，不能取決於民衆，民衆無力來操縱他們的勝負。轉而各自乞援於軍人。如是則新舊兩潮流，匯爲同趨。一般黨員，則憑藉黨爭的美名，來公開無忌憚的爭權奪利。其時則有「黨棍」、「黨痞」、「吃黨飯」諸名稱。有激而唱爲「毀黨」、「造黨」之論者。要之仍以分黨相爭爲政治無上境界也。國家民族之元氣，又在此種紛擾中損傷了不少。

直到民國十七年國民革命軍再度北伐，而上述兩種情況軍閥與黨爭。始見摧廓。以革命的武力來掃蕩軍閥，以一黨專政的理論來停止黨爭。

六　文化革命與社會革命

在此國家社會繼續震盪與不斷損傷中，過激思想亦逐步成長。康有爲的「速變、全變」兩語，可算是海通以來中國過激思想之最扼要的標語。同、光之際，所變在船礮器械。戊戌以後，所變在法律政制。民國以來，則又有「文化革命」與「社會革命」之呼號與活動。

文化與歷史之特徵，曰「連綿」，曰「持續」。惟其連綿與持續，故以形成個性而見爲不可移易。惟其有個性而不可移易，故亦謂之有生命、有精神。一民族文化與歷史之生命與精神，皆由其民族所處特殊之環境、所遭特殊之問題、所用特殊之努力、所得特殊之成績，而成一種特殊之機構。一民族所自有之政治制度，亦包融於其民族之全部文化機構中而自有其歷史性。所謂「歷史性」者，正謂其依事實上問題之繼續而演進。問題則依地域、人事種種實際情況而各異。因此各民族各自有其連綿的努力，與其特殊的創建。一民族政治制度之真革新，在能就其自有問題得新處決，闢新路徑。不管自身問題，强效他人創制，冒昧推行，此乃一種「假革命」，以與自己歷史文化生命無關，終不可久。中國辛亥

革命，頗有一切推翻故常而陷於「假革命」之嫌。辛亥革命之易於成功，一部分由於以排滿為號召，此在我民族自身歷史中有生命、有淵源。至於民主共和之新政體，以理論言之，與我先民以往政治理論及政制精神靡不合。然就實際政情言之，一國政制，有其一國之軌道。即以王室而論，如英、如日，至今猶有王室。如德、如俄，當時王室亦存在。中國以滿族堅持其狹義的部族政權之故而不得不推翻王室，而為推翻王室之故，不免將舊傳政制一切推翻。當時似誤認以為中國自秦以來，即自有王室以來，一切政制習慣多是要不得。於是乃全棄我故常之傳統，以追效他邦政制之為我所素不習者，此則當時一大錯也。即如考試與銓選，乃中國政制上傳襲甚久之一種客觀用人標準，民國以來亦棄去不惜。如是則民治未達，官方已壞，政局烏得不亂？政制既已一切非我之故常，其政制背後支撐政制之理論，亦必相隨動搖，則一變而俱不能不變。而所以猶謂之「假革命」者，以我民族所遇之問題，猶是我民族特有之問題，卻不能亦隨別人之政制與理論而俱變也。故於辛亥革命之後，而繼之有文化革命、社會革命之發動，亦勢之所必趨也。然而離題愈遠，失卻解決真問題之癥結所在矣。

文化革命之口號則有「禮教吃人」、「非孝」、「打倒孔家店」、「線裝書扔毛廁裡」、「廢止漢字」、「全盤西化」等。

社會革命則以組織工、農無產階級攘奪政權，創建蘇維埃政府為職志。

以上四步驟，最先為武備革命，牽涉範圍最狹。進一步則為政治革命，其對象始徧及政治之全部。又進一步則為文化革命，其對象又擴大及於全體社會中層讀書識字之智識分子。更進一步為社會革命，則其對象更擴大及於全體社會下層工、農大眾無產階級。又武備革命之呼號則曰「自強」，政治革命之呼號則曰「救亡」，文化革命則主推翻中國以往自己傳統文化、歷史教訓，而社會革命更進而主張推翻經濟組織，與相隨而有之一切文化制度。其意態愈奮昂，其對象愈廣廓。而

此四步驟，同可以康氏「變」之一字包括之，同可以康氏「全變、速變」之要求說明之也。

政治不安定，則社會一切無出路。社會一切無出路，則過激思想愈易傳播流行，愈易趨嚮極端。要對此加以糾正與遏止，又不知費卻國家民族多少元氣與精力。

繼續此種國內政治之不安定，社會之無出路，而引起更嚴重的外患。其時歐西則以自己大戰而對我放鬆，日本則以獨收漁人之利而對我加緊。自民國四年「五九」對日屈服，直至民國二十年「九一八」瀋陽事變，東四省被佔，以至民國二十六年「七七」蘆溝橋事變，開始全國一致之對日抗戰。

七　三民主義與抗戰建國

在此艱鉅的過程中，始終領導國人以建國之進向者，厥爲孫中山先生所唱導之三民主義。

三民主義主張全部的政治革新，與同、光以來僅知注重於軍備革命者不同。

三民主義自始即採革命的態度，不與滿洲政府狹義的部族政權求妥協，此與光緒末葉康有爲諸人所唱保皇變法者不同。

三民主義對當前政治、社會各項污點、弱點，雖取革命的態度，而對中國已往自己文化傳統、歷史教訓，則主保持與發揚；此與主張全盤西化、文化革命者不同。

三民主義對國內不主階級鬥爭，不主一階級獨擅政權；對國際主遵經常外交手續，蘄向世界和平；此與主張國內農、工無產階級革命，國外參加第三國際世界革命集團者不同。三民主義之革命過程，分爲軍政、訓政、憲政三階段，仍主以政治領導社會；「軍政」所以推翻舊政權，「訓政」則以政治領導社會前進而培植新政權，「憲政」乃爲社會新政權之正式成立。此與偏激的急速主義，專求運用社會力量來做推翻政治工作者不同。光緒時，于式枚疏：「行之而善，則爲日本之維新；行之不善，則爲法國之革命。」「維新」與「革命」之辨，正爲一由政府領導社會，一由社會推翻政府。其犧牲之大小與收效之多寡，適成反比。惟惜清政府不足語此。然革命要爲萬不得已，政治苟上軌道，終必經此軍政、訓政、憲政之三步驟也。

可惜三民主義之真意義與真精神，一時未能爲信從他的一般黨員所切實瞭解。此本孫中山先生自述「知難行易」。因此三民主義在建國工作上，依然有不少頓挫、不少歧趨。然而辛亥革命、民國十七年之北伐，以及當前之對日抗戰，全由三民主義之領導而發動。將來三民主義之充實與光輝，必爲中華民國建國完成之惟一路向。

八　抗戰勝利建國完成中華民族固有文化對世界新使命之開始

本節諸項，爲中國全國國民內心共抱之蘄嚮，亦爲中國全國國民當前乃至此後共負之責任。不久之將來，當以上項標題創寫於中國新史之前頁。

錢穆先生學術年表〔一〕

一八九五年　光緒二十一年

六月初九（公歷七月三十日）生於江蘇無錫。

一九〇一年　光緒二十七年

入私塾讀書，拜孔子像。

一九〇四年　光緒三十年

入無錫蕩口鎮私立果育小學。

一九〇七年　光緒三十三年

考入常州府中學堂。

〔一〕　本年表由郭齊勇撰寫。

一九一一年　宣統三年

轉入南京鍾英中學讀書。

一九一二年

任教秦家水渠三兼小學。

一九一三年

任教鴻模小學（其前身爲果育小學），教高小國文、史地課程。改名爲穆。

一九一七年

講授論語，寫成論語文解一書。是秋完婚。

一九一八年

論語文解由上海商務印書館出版。

一九一九年

任後宅鎮泰伯市立第一初級小學校長。

一九二二年

應施之勉教務長之聘，到厦門集美學校任高中部與師範部畢業班國文教師。

一九二三年

經無錫江蘇省立第三師範資深教席錢基博先生薦，至同校任教。

一九二五年

論語要略由上海商務印書館出版。

一九二六年

孟子要略由上海大華書局出版。

一九二七年

執教蘇州省立中學，任最高班國文教師兼班主任，爲全校國文課主任教席。

一九二八年

爲商務印書館『萬有文庫』作墨子和王守仁。是年夏秋之際，原配夫人及新生嬰兒相繼去世。長兄聲一先生趕回家幫助料理後事，因勞傷過度，舊病突發，不幸也病逝。

一九二九年

課外撰寫先秦諸子繫年。與張一貫結婚。顧頡剛、胡適相繼來蘇中演講，錢穆得以與顧、胡相交。顧頡剛讀到繫年初稿，建議到大學教歷史。與蒙文通過從。

一九三〇年

由於顧頡剛的推薦，一九三〇年秋，得以任北平燕京大學講師，講授國文。劉向歆父子年譜在燕京學報第七期出版，是文批駁康有爲新學僞經考，考據確鑿，詳實可信。

一九三一年

始受聘爲北京大學副教授，清華亦請兼課。在北大教必修課『中國上古史』和『秦漢史』，另開一門選修課『中國近三百年學術史』。周公、國學概論、惠施公孫龍三書由上海商務印書館出版。

一九三二年

開出選修課『中國政治制度史』。老子辨由上海大華書局出版。

一九三五年

代表作先秦諸子繫年由上海商務印書館出版。新交學人有湯用彤、熊十力、梁漱溟

等三十餘人。

一九三七年

代表作中國近三百年學術史由上海商務印書館出版。

一九三八年

輾轉至蒙自、昆明，任教西南聯大，撰著國史大綱。

一九四〇年

代表作國史大綱由上海商務印書館出版，教育部定爲部定大學用書，風行全國。任教成都齊魯大學國學所。

一九四一年

在樂山武漢大學講授『中國政治制度史導論』、『秦漢史』，嚴耕望得列門墻。又在馬浮主辦之復性書院講課。

一九四三年

任教華西大學，兼四川大學教席。

一九四五年

政學私言由重慶商務印書館出版。

一九四六年

前往昆明五華書院任教，又兼雲南大學課務。

一九四七年

中國文化史導論由正中書局出版。

一九四八年

東返，執教江南大學，任文學院院長。與唐君毅先生論交。撰湖上閒思錄、莊子纂箋。

一九四九年

與唐君毅應廣州私立華僑大學聘，由上海同赴廣州。秋，到香港亞洲文商學院任教。余英時得列門墻。

一九五〇年

與唐君毅、張丕介在香港創建新亞書院。書院的宗旨是：『上溯宋明書院講學精神，并旁採西歐導師制度，以人文主義教育爲宗旨，溝通世界東西文化。』新亞以各門課程來完成人物中心，以人物中心來傳授各門課程。該院始設文史、哲教、經濟、商學四系，後擴充爲文理商三學院十二個系。創辦時條件十分艱苦，師生多爲内地去港人員。諸先生以人文理想精神自勵並感染同仁與學生，嘔心瀝血，創辦新亞，亦得到許多同道的支持。冬，到臺北演講。

一九五二年

多次到臺灣演講。出版、印行四部著作：文化學大義、中國歷史精神、中國思想史、中國歷代政治得失。

一九五三年

宋明理學概述、四書釋義在臺北出版。耶魯大學盧定（Ｈａｒｒｙ Ｒｕｄｉｎ）教授代表雅禮協會資助新亞書院，雙方簽約。先生坦率相告，即使獲得資助，也不能改變新亞的辦學宗旨，不能把新亞變成教會學校，雅禮表示決不干預校政。

一九五五年

新亞書院獲哈佛燕京學社資助，購置圖書，建圖書館，出版新亞學報。新亞以儒家教育理想爲宗旨，在校內懸挂孔子畫像。港府在香港大學當年畢業生典禮上，授予錢穆名譽博士學位，以示尊重。出版、印行中國思想通俗講話、人生十論、陽明學述要、黃帝等著作多種。訪日，在京都等地演講。

一九五六年

元月，在九龍農圃道舉行新亞書院新校舍奠基典禮，發表演講。赴港後，繼配張氏與諸子女皆留在大陸。先生獨居無侶，生活維艱。春，與胡美琦締婚，始有安定生活。

一九五七年

莊老通辨由新亞研究所出版。

一九五八年

印行、出版學籥、兩漢經學今古文平議。

一九六〇年

應邀出國講學，先後在美國耶魯大學、哈佛大學講課和講演。在耶魯大學講課結束時被授予該校名譽博士學位。後又去哥倫比亞大學爲『丁龍講座』作演講。在美國停留七個月後，應邀去英國訪問，參觀了牛津、劍橋大學。從英國到法國、意大利遊覽，最后回到香港。出版湖上閒思錄、民族與文化。

一九六一年

出版中國歷史研究法。

一九六二年

出版史記地名考。

一九六三年

出版中國文學講演集、論語新解。十月，港府集合崇基、聯合、新亞三書院成立香港中文大學。先生早就打算從行政職務中擺脱出來，乃向董事會提出辭呈，未獲通過。

一九六四年

再度請辭，董事會建議休假一年後再卸任。十六年來，爲辦新亞，先生付出了多少精

力！在繁忙的教學與行政事務之餘，先生還出版多種著作。自此再潛沉書齋，埋首研讀。居鄉村小樓，開始計劃寫朱子新學案。

一九六七年

四部概論連載於人生雜志。十月定居臺北，住金山街。

一九六八年

七月遷至臺北外雙溪蔣中正所贈庭園小樓。因錢先生幼居五世同堂大宅之素書堂側，故以『素書樓』名新居。先生以最高票當選爲臺灣『中央研究院』院士。出版中華文化十二講。

一九六九年

先生用七年時間完成巨著朱子新學案。此書寫作得到哈佛資金協助。此書乃先生晚年的重要代表作。應張其昀之約，任臺灣中國文化學院歷史系教授，每周兩小時，學生到先生家聽課。又應蔣復璁之約，任『故宮博物院』特聘研究員。

一九七〇年

出版史學導言。

一九七一年

印行、出版朱子新學案、中國文化精神。

一九七三年

出版中國史學名著。

一九七四年

出版理學六家詩鈔、孔子與論語。

一九七五年

出版孔子傳、中國學術通義。

一九七六年

出版靈魂與心。一九七二年後將自己六十年來主要學術論文匯總，保持原貌，略作改訂，自編中國學術思想史論叢，共八册。是年由臺北東大圖書公司出版第一册，至一九八〇年陸續出齊。次年出版世界局勢與中國文化。

一九七九年

先一年患黃斑變性症，雙目失明。是年，歷史與文化論叢、從中國歷史來看中國民族性及中國文化兩書分別在臺、港出版。

一九八〇年

夏，在夫人陪同下到香港與闊別三十二年之久的在大陸的三子（拙、行、遜）一女（輝）相見，相聚僅七天。出版中國通史參考材料。

一九八一年

偕夫人再到香港，與長女（易）、長侄（偉長）相見。出版雙溪獨語。

一九八二年

出版古史地理論叢。定稿八十憶雙親師友雜憶合刊，次年出版。秋，已不能再親筆寫書。

一九八四年

先一年出版宋明理學三書隨劄。是年七月復去香港，門人舉行壽慶活動，先生得以

與二子、二女及孫（鬆）孫女（婉約）團聚了一個月，享受天倫之樂。出版現代中國學術論衡。次年七月，自中國文化大學退休。

一九八六年

春，應臺北聯合月刊編輯之請，發表對國運與時局之評論，主張海峽兩岸統一，首次爲大陸人民日報摘登。六月九日，九十二歲生辰，下午在素書樓講最后一課，告别杏壇。最后對學生贈言：『你是中國人，不要忘記了中國！』

一九八七年

出版晚學盲言。

一九八九年

出版中國史學發微、新亞遺鐸。九月，赴港出席新亞書院創立四十年院慶活動。

一九九〇年

五月，由於臺灣黨派之争，先生不得不離開晚年居住了二十二年的外雙溪素書樓寓所，遷臺北市杭州南路新居。八月三十日上午九時，在臺北寓所平静地走完了生命的最

後一刻，享年九十六歲。先生晚年的最后一篇文章，是臨終前三月口授，由夫人記錄整理而成的，表達了先生對中國文化的最終信念。先生對儒家『天人合一』這一最高命題『專一玩味』，並因自己最終『徹悟』而感到『快慰』。先生生前曾多次指出：『天人合一是中國文化的最高信仰，文化與自然合一則是中國文化的終極理想。』先生的晚年定論和臨終遺言中國文化對人類未來可有的貢獻發表於九月二十六日的臺灣聯合報。

一九九一年一月，錢夫人捧先生靈灰歸葬於太湖西山之俞家渡石皮山。錢夫人及二三門人搜集、整理的一千七百萬言之錢賓四先生全集三編（甲編：思想學術，乙編：文史學術，丙編：文化論述）五十四巨册，一九九四年至一九九七年由臺北聯經出版公司出版。

國史大綱述評

郭齊勇

國史大綱是一部簡要的中國通史,用大學教科書的體例寫成。内容包括自上古三代以迄二十世紀中葉之中國歷史的演變發展,尤其是經濟與社會、政治制度、學術思想的狀況及其相互影響。全書力求通貫,便於讀者理解中國歷史上治亂盛衰的原因和國家民族生命精神之根據。

國史大綱成書於艱苦的抗戰年代,因此,文中處處可見作者的憂患之情。該書於一九四〇年六月由商務印書館出版,一時洛陽紙貴,成爲各大學的歷史教科書,風行全國,對學生積極抗戰、增強民族凝聚力起了積極作用。一九七四年臺灣商務印書館出版該書修訂再版本,到一九九二年已印行十八版;一九九四年又出版了第二次修訂本。一九九四年六月北京商務印書館也出版了第二次修訂版,一九九六年六月,北京商務印書館又

根據臺灣商務印書館一九九五年版出版了第三次修訂版，後又多次重印。該書亦收入臺北聯經出版公司出版之錢賓四先生全集。

著者錢穆先生（一八九五——一九九〇年）是著名的國學大師，江蘇無錫人，原名恩鑅，字賓四，民元改名穆。先生家世貧苦，幼時喪父，中學畢業即無力求學，以自學名家。原任中小學教師，一九三〇年后執教於高等學府，歷任燕京大學、北京大學、清華大學、北平師範大學、西南聯大、武漢大學、華西大學、江南大學等校教授，創辦香港新亞書院。其代表著作有：劉向歆父子年譜、先秦諸子繫年、中國近三百年學術史、國史大綱、中國歷代政治得失、政學私言、朱子新學案、中國學術通義、中國學術思想史論叢等。錢穆先生畢生著書七十餘種，約一千四百萬字。其在中國文化與中國歷史的通論方面，多有創獲，尤其在先秦學術史、秦漢史、兩漢經學、宋明理學、近世思想史等領域，造詣甚深。

國史大綱的『引論』甚爲重要，建議讀者反復誦讀。『引論』表達了錢穆先生的文化觀、歷史觀與方法論。他指出，研究歷史、撰寫中國通史的目的在於：（一）能將我國民族

以往文化演進的真相明白示人，爲一般有志認識中國已往政治、社會、文化、思想種種演變的人們提供所必要的知識。（二）應能在舊史統貫中映照出現今中國種種復雜難解的問題，爲一般有志革新現實的人所必備參考。前者在於積極地求出國家民族永久生命的源泉，爲全部歷史所由推動之精神所寄；后者在於消極地指出民族最近病痛的征候，爲改進當前方案所本。這是錢先生撰寫此書的主旨。

錢先生指出，研究中國歷史的第一個任務，在於能在國家民族内部自身求得其獨特精神之所在。中國歷史的演進，其基本精神表現在學術思想文化演進上是和平與大同，協調與融化，這與其他民族是不同的。錢先生痛切警告：國人懶於探尋國史真諦，而勇於依據他人之説，因而肆意破壞，輕言改革，則自食其惡果。他反復强調中西文化演進不同，不能簡單地用西方歷史來套用中國歷史，必須肯定不同國家民族之間文化的特殊性、差異性，以及文化價值的相對性。顯然，錢先生是針對全盤西化思潮，針對疑古學派、史料學派，有感而發的。

錢先生以獨特的眼光注意把握時代的變遷，如戰國學術思想的變動，秦漢政治制度

的變動,三國魏晉社會經濟的變動等。有的章,如第六章春秋戰國『民間自由學術之興起』,第八章西漢『統一政府文治之演進』,第十章東漢『士族之新地位』,第十八章『魏晉南北朝之門第』(變相的封建勢力),第二十至二十一章關於田制、兵制、宗教思想,第二十三至二十四章關於唐代政治機構與社會情態,第三十二章關於北宋士大夫的自覺與政治革新運動,第三十八至四十章關於唐至明代南北經濟文化之轉移等,都非常深入,很有見識。錢先生經常能由一個問題延伸一兩千年,由一點擴大到全面,系統梳理。如關於田制,錢先生即將兩晉占田、北魏均田到唐代的租庸調,由租庸調到兩稅法,合成一個整體進行梳理。

錢穆先生揚棄了近代史學研究中的傳統記誦派、革新宣傳派和科學考訂派,分析了其利弊得失。他認爲,史學不等於技術,不等於歷史知識與歷史材料,不能純爲一書本文字之學;史學是『人』的史學,不能做號稱『客觀』的無『人』的歷史研究;史學一定要與當身現實相關,但又不能急於聯系現實,不是宣傳口號與改革現實之工具。他強調對於本民

族歷史文化認同的重要性，如果一民族對其以往歷史無所了解，缺乏起碼的尊重，此必成爲無文化的民族，無歷史意識與智慧的民族。他主張努力開掘國家民族内部自身獨特的歷史文化資源和内在的生機、動力。如果不深切理解國家民族背後的文化精神，則國家可以消失，民族可以離散。

近代史學諸流派在政治制度、學術思想和社會經濟三方面研究的結論大體上是：在政治上，秦以來的歷史是專制黑暗的歷史；在文化上，秦漢以后兩千年，文化思想停滯不前，没有進步，或把當前的病態歸罪於孔子、老子；在社會經濟上，中國秦漢以后的社會經濟是落后的。

錢穆先生的通史研究在立論的標準上反對以一知半解的西方史知識爲依據，主張深入理解本民族文化歷史發展的個性與特性。他又以整體與動態的方法，把國史看作是一不斷變動的歷程。他認爲，幾千年來的中國社會經濟、政治制度、學術思想是發展變化着的，而不是一成不變的。

就政治制度而言，綜觀國史，政治演進經歷了三個階段，由封建（分封）統一到郡縣的統一（這在秦漢完成），由宗室外戚等人組成的政府演變爲士人政府（這自西漢中葉以後到東漢完成），由士族門第再度變爲科舉競選（這在隋唐兩代完成），考試和選舉成爲維持中國歷代政府綱紀的兩大骨干。錢穆先生十分注意中國行政官吏選拔制度、士在文治政府中的地位、政治權力與四民社會的關系。就學術思想而言，秦以后的學術，不僅從宗教勢力下脱離，也從政治勢力下獨立，淵源於晚周先秦，遞衍至秦漢隋唐，一脉相承，歷久不衰。北宋學術的興起，實際上是先秦以后第二次平民社會學術思想自由發展的新氣象。就經濟而言，秦漢以后的進步表現在經濟地域的逐漸擴大，而經濟發展與文化傳播、政治建設逐漸平等相伴而行，盡管在歷史上快慢不同，但大趨勢是在和平中向前發展。

錢穆先生認爲，中國古代社會的政治、經濟運作的背后有一個思想觀念存在。在學術思想指導下，秦以后的政治社會朝着一個合理的方向進行。如銓選與考試是禮運所謂『天下爲公，選賢與能』宗旨所致。在全國民衆中施以一種合理的教育，在這個教育下選

拔人才，以服務於國家，有成績者可以升遷。這正是晚周諸子士人政治思想的體現。秦漢以后的政治，大體按照這一方向演進。漢武帝按董仲舒的提議，專門設立五經博士，博士弟子成爲入仕唯一正途。此後，學術地位超然於政治勢力之外，也常盡其指導政治的責任。三國兩晉時期統一的政府滅亡，然而東晉南北朝政府規製以及立國的理論仍然延續兩漢。隋唐統一政府的建立，其精神淵源則是孔子、董仲舒一脉相承的文治思想。隋唐統一無异證明，中國歷史雖然經歷了幾百年的長期戰亂，其背後尚有一種精神力量依然使中國再度走向光明之路。錢穆先生所講的這種精神力量是以儒家爲主的優秀文化傳統，它才是民族文化推進的原動力，即『生力』。

錢先生也分析了阻礙中國歷史發展的『病態』。如中唐以後的社會是一個平鋪散漫的社會，政治仍爲一種和平大一統的政治，王室高高在上，社會與政府之間的相隔太遠，容易招致王室與政府的驕縱與專擅。又如社會無豪強巨富，雖日趨於平等，然而貧無賑，弱無保，其事不能全部依賴於政府，而民間又苦於不能自振。再如政府與民間溝

通在於科舉，科舉爲官后出現腐敗等。這些都是中唐以后的病態。宋儒講學主要是針對這種種病態而發。然而宋以后不能自救，中國政治進一步遭到損害。明代廢除宰相，尊君權，以及清朝統治，皆背離了傳統士人政治、文治政府的精神。這些都是中國歷史中的病態。

挽救這些病態則需要一種『更生』。這種更生是國家民族内部自身一種新生命力的發舒與成長。錢先生認爲，我民族數百世血液澆灌、精肉培壅的民族文化精神具有頑強的生命力，充滿了生機，不僅能挽救自身病態，而且能回應西方文化挑戰，争取光輝的前途。

我們還需指出的是，由於特殊的抗戰背景，國史大綱在布局上詳於漢唐而略於遼金元清，詳於中原而略於周邊兄弟民族；在取材上詳於制度而略於人事，詳於文化而略於戰争；在詞句上不用太平天國而用『洪楊之亂』。體察著者的初衷，大約他内在的情結是：如果治亂不分，内外不辨，日本侵略中國豈不是可以根據遼金元清的故事，名正言順地擁有

與統治我廣土衆民嗎？〔一〕盡管我們能同情地理解著者的苦心，然而今天讀這部書，我們不能不跳出漢族中心主義、華夏中心主義和正統史觀的立場，肯定周邊兄弟民族入主中原，與漢民族一道治理國家，給中國歷史文化注入了活力，在中華民族發展的歷史上起了積極的作用。中華民族的歷史，是由中華各民族共同創造的。

錢穆先生的這部著作代表了他對通史的研究成果，這與他有關專題史（如政治史、學術史、文化史）及歷史人物、歷史地理的研究相得益彰，與他有關史學研究的方法論、中國歷史研究方法的探討，亦相互發明。通過本書，我們可以了解錢穆先生所提倡的史心與史識、智慧與功力之互動。

以上我們簡略地述介了國史大綱。爲了方便讀者理解本書，我們不妨延伸介紹錢穆先生的歷史文化觀、中西文化比較觀。錢穆先生所有研究都環繞着一個中心而展開，這

〔一〕參見何佑森：錢賓四先生的學術，載中國哲學思想論集，臺北：牧童出版社一九七八年版，第六十九頁。

個中心就是中國文化問題。他對中國文化問題的研究主要體現在以下幾個方面。

錢穆先生從歷史出發，揭示了中國民族文化的風貌、特殊性格和人文精神。在他看來，歷史、民族、文化看似三個名詞，實質爲一。民族并不是自然存在，自然只是生育人類，而不能生育民族。他指出：『民族精神，乃是自然與文化意識融合而始有的一種精神，這始是文化精神，也卽是歷史精神。只有中國歷史文化的精神，才能孕育出世界上最悠久最偉大的中國民族來。若這一個民族的文化消滅了，這個民族便不可能再存在。』〔一〕足見一國家的基礎建立在其民族與傳統文化上。文化是人類群體生活之總稱，文化的主體卽民族。民族的生命不是自然物質生命而是文化的生命、歷史的生命、精神的生命。

民族精神是族類生活的靈魂和核心。没有這一靈魂，就没有族類的存在，而民族的精神乃是通過歷史、文化展開出來。中國歷史文化的精神就是使中華民族五千年一以貫之、長久不衰的精神，是民族生活和民族意識的中心，并貫穿、滲透、表現在不同的文化領

〔一〕錢穆：中國歷史精神，一九六四年香港增附三版，第五—六頁。

域中。也就是說，中華民族精神是建立在民族文化的各領域之上，是在民族文化長期熏陶、教化、培育中形成的，具有深刻内在特點的心理素質、思維方式、價值取向，是民族的性格與風貌，是民族文化的本質體現，是民族意識的精華，是整個民族的向心力、凝聚力，是民族共同體的共同信仰與靈魂，是我們民族自强不息的動力與源頭活水。錢穆先生把中國民族精神的内涵歸結爲：一、人文精神，包括：人文化成、天下一家，人爲本位、道德中心，天人合一、性道一體，心與理一、用由體來。二、融和精神，包括：民族融和，文化融和，國民性格——和合性。三、歷史精神，包括：歷史是各别自我的，以人爲中心的歷史意識，温情與敬意的心態等等。總之，民族精神、歷史精神、文化精神是一致的。〔一〕

錢穆先生對文化定義、結構作了界定，指出：『文化只是人生，只是人類的生活。』〔二〕他提出了一套研究文化問題應具有的健康心態、觀點與方法，包括：從歷史與哲學相結合

〔一〕參見郭齊勇、汪學群合著：錢穆評傳第二章，百花洲文藝出版社一九九五年版。

〔二〕錢穆：文化學大義，臺北：正中書局一九八三年版，第四頁。

的角度研究文化;研究文化必須善於辨別異同;討論文化必須從大處着眼,不可單看其細節;討論文化要自其匯通處看,不應專就其分別處看;討論文化也應懂得從遠處看,不可專自近處看;討論文化也應自其優點與長處看,不當只從其劣點與短處看等等。這是錢穆先生針對五四以降文化研究的偏頗而提出的。

五四以來,我國學者圍繞着中國文化的新舊遞嬗展開了論戰。中西文化比較是錢先生文化思想的重要組成部分。他從地理環境、生活方式的不同出發,把世界文化分爲遊牧文化、商業文化和農耕文化,又指出實質上只有遊牧與商業文化和農耕文化兩種類型。在他看來,西方文化屬於商業文化,中國文化屬於農耕文化。商業文化與農耕文化的不同,實質上就是西方文化與中國文化之間的不同。具體表現爲:一、安足靜定與富强動進的不同。中國農耕文化是自給自足,而西方商業文化需要向外推拓,要吸收外來營養維持自己。農耕文化是安穩的、保守的,商業文化是變動的、進取的。前者是趨向於安足性的文化,是足而不富,安而不強。後者是趨向於富強性的文化,是富而不足,強而不安。

二、內傾型和外傾型的不同。農業文化起於內在的自足，故常內傾，商業文化起於內不足，故常外傾。『內傾型文化常看世界是內外協一，因其內自足，而誤認爲外亦自足』；外傾型文化『常看世界成爲內外兩敵對。因其向外依存，故必向外征服』。〔一〕三、和合性與分別性的不同。中國文化重視『和合性』，和內外，和物我；西方人則強調『分別』，分內外，別物我。

在文化比較中，錢先生只強調兩種文化的不同，并沒有簡單判定優劣高下。他指出：『我們講文化沒有一個純理論的是非。東方人的性格與生活，和西方人的。……沒有一個純理論的是非，來判定他們誰對誰不對。只能說我們東方人比較喜歡這樣，西方人比較喜歡那樣。』『我們今天以後的世界是要走上民族解放，各從所好的路。你從你所好，我從我所好，并不主張文化一元論，并不主張在西方、東方、印度、阿拉伯各種文化內任擇其一，奉爲全世界人類做爲唯一標準的共同文化。我想今天不是這個世界了，而是要各

〔一〕 錢穆：文化學大義，第二十九頁。

從所好。』『在理論上，我很難講中國文化高過了西方文化。也可以說，西方文化未必高過了中國文化。因爲兩種文化在本質上不同……將來的世界要成一個大的世界，有中國人，有印度人，有阿拉伯人，有歐洲人，有非洲人……各從所好。各個文化發展，而能不相冲突，又能調和凝結。我想我們最先應該做到這一步。我不反對西方，但亦不主張一切追隨西方。我對文化的觀點是如此。』〔一〕上引錢先生反對西方文化一元論和中國文化一元論的觀點，并不意味着錢先生主張文化相對主義。他針對『西方中心論』提出相容互尊、多元共處，反對絶對主義的價值評價。錢先生不是爲比較而比較，他的文化比較，是着眼於世界文化和人類文明的前景的。

錢先生通過中西文化比較，展望未來世界文化的格局是多元共處、各從所好、不相冲突、調和凝結。他特别提出了『集異建同』的觀點。他說：『世界文化之創興，首在現有各

〔一〕錢穆：從中國歷史來看中國民族性及中國文化，香港中文大學出版社一九七九年版，第二十七—二十九頁。

地各體系之各別文化，能相互承認各自之地位。先把此人類歷史上多彩多姿各別創造的文化傳統，平等地各自尊重其存在。然後能異中求同，同中見異，又能集異建同，採納現世界各民族相異文化優點，來會通混合建造出一理想的世界文化。此該是一條正路。若定要標舉某一文化體系，奉爲共同圭臬，硬說惟此是最優秀者，而強人必從，竊恐此路難通。文化自大，固是一種病。文化自卑，亦非正常心理。我們能發揚自己文化傳統，正可對將來世界文化貢獻。我能堂堂地做一個中國人，才有資格參加做世界人。毀滅了各民族，何來有世界人？毀滅了各民族文化，又何來有世界文化？』〔一〕錢先生在這里提出的『集异建同』的思想，較一般所謂『察異觀同』更爲深刻。世界文化的前景，絕不抹煞、消融各民族文化之異（個性）；相反，世界文化的發展，只可能建立在保留各民族文化的優長，發揚其差異的基礎上。

錢先生不僅僅是一位專才，一位學問家，一位史學巨擘，而且是一位通儒，一位著名

〔一〕錢穆：中國歷史研究法，臺北：東大圖書公司一九八八年版，第一百二十六頁。

的思想家，是現代新儒家思潮中的著名代表人物。他的學術著作和講演不僅僅有學術的、學理的價值，而且有深刻的思想性和哲理性。他以誨人不倦、著述不倦的一生，以整個的身心，捍衛、弘揚我們中華民族歷史文化傳統的精華，抗拒着工業化、商業化的現代社會對人性的肢解，抗拒着歐風美雨狂飆突進時代所造成的民族文化生命的衰亡。他肩負着『爲往聖繼絶學』的使命，是我們民族的真正的脊梁！

錢先生一生把爲學與做人緊密地結合起來，更強調如何做人，首先是如何做一個堂堂正正的中國人。他說：『數十年孤陋窮餓，於古今學術略有所窺，其得力最深者，莫如宋明儒。雖居鄉僻，未嘗敢一日廢學。雖經亂離困厄，未嘗敢一日頹其志。雖或名利當前，未嘗敢動其心。雖或毁譽横生，未嘗敢餒其氣。雖學不足以自成立，未嘗或忘先儒之榘矱，時切其向慕。雖垂老無以自靖獻，未嘗不於國家民族世道人心，自任以匹夫之有其責。』〔一〕他的一生大半是在中華民族危亡和中國文化日漸衰弱的年代中度過的。他不辭

〔一〕 錢穆：宋明理學概述自序，臺北：學生書局一九七七年版。

辛勞地講學、辨學、教書育人、著書立説，把全部的愛心、全部的情感、全部的智慧、全部的生命都奉獻給了中華民族的文化偉業。

他一生與甲午戰敗以來的時代憂患共終始。他説：『余對中國傳統文化之深博偉大，所知甚淺。然自問愛國熱忱，則自幼年迄於今兹，從未後人。凡我所講，無不自我對國家民族之一腔熱忱中來。我之生年，在前清光緒乙未，即馬關條約臺灣割讓日本之年。我之一生，即常在此外患紛乘、國難深重之困境中。民國元年，我即在鄉村小學教書。我之稍有知識，稍能讀書，則莫非因國難之鼓勵，受國難之指導。我之演講，則皆是從我一生在不斷的國難之鼓勵與指導下困心衡慮而得。』〔一〕因此，他的著作的字里行間浸透了血和泪，浸透了深厚的民族悲情和歷史意識，充滿了對過去的思念與敬意，對未來的企盼與信心。面對二十世紀中國文化的困境，即價值系統的崩潰，意義結構的解體，自我意識的喪失、精神世界的危機，錢先生的生命的呼應與存在的實感，化成他的學問、業績、演

〔一〕錢穆：中國文化精神序言，臺北：三民書局一九七一年版。

講、著作，苦心孤詣，感天撼地。他的學問與他的生命渾成一體！

錢先生的這部著作影響了三代學人，堪稱名著。錢先生的史觀與治史方法，我們不難從他的著名學生嚴耕望、余英時等史學家的著作中找到史影。